Catarina Muniz

A Madona e a Vênus

São Paulo
2019

Copyright © 2019 by Universo dos Livros

Todos os direitos reservados e protegidos pela Lei 9.610 de 19/02/1998. Nenhuma parte deste livro, sem autorização prévia por escrito da editora, poderá ser reproduzida ou transmitida sejam quais forem os meios empregados: eletrônicos, mecânicos, fotográficos, gravação ou quaisquer outros.

Diretor editorial: Luis Matos
Gerente editorial: Marcia Batista
Assistentes editoriais: Letícia Nakamura e Raquel F. Abranches
Revisão: Abordagem Editorial e Nilce Xavier
Arte: Valdinei Gomes
Capa: Rebecca Barboza

Dados Internacionais de Catalogação na Publicação (CIP)
Angélica Ilacqua CRB-8/7057

M935m	
	Muniz, Catarina
	A Madona e a Vênus / Catarina Muniz. — São Paulo : Universo dos Livros, 2019.
	304 p.
	ISBN: 978-85-503-0418-2
	1. Ficção brasileira 2. Artes plásticas - Ficção 3. Itália - Renascimento - Ficção I. Título
19-0473	CDD B869.3

Universo dos Livros Editora Ltda.
Rua do Bosque, 1589 – Bloco 2 – Conj. 603/606
CEP 01136-001 – Barra Funda – São Paulo/SP
Telefone/Fax: (11) 3392-3336
www.universodoslivros.com.br
e-mail: editor@universodoslivros.com.br
Siga-nos no Twitter: @univdoslivros

Prólogo

"Finalmente!", pensou Maurício ao avistar sua mala deslizando na esteira do aeroporto. Acabara de enfrentar mais de quatorze horas de voo e seu humor só não era pior porque trazia consigo uma grande notícia. Maurício de Castro, quarenta e sete anos, dois dos quais passara ocupando a importante posição de curador e diretor artístico de um dos maiores museus da América Latina – o Museu de Arte e História de São Paulo –, estava com seu cargo por um fio.

Em decorrência do grande corte no orçamento dos últimos onze meses, da escassez de visitantes e de exposições que desagradaram ao público, ele havia se transformado em um alvo fácil para a cúpula do museu. Por isso, decidira viajar para Florença a fim de negociar pessoalmente a aquisição de uma célebre obra. Ela era disputada por museus americanos e europeus, mas o curador brasileiro, após longas reuniões exaustivas, conseguira seu intento.

No saguão do aeroporto, Assis, o motorista particular, o esperava. Antes mesmo que pudessem se cumprimentar, ouviu a ordem:

– Me leva para o museu, Assis. Agora!

A atitude surpreendeu o motorista, que apenas obedeceu, empurrando o carrinho com a bagagem do executivo. O chefe parecia bastante tenso e concentrado, então decidiu guiar o carro em silêncio.

Ao estacionar, Maurício pegou sua pasta e avisou:

– Leva minha bagagem para casa, Assis. Pode vir me buscar daqui a duas horas.

– Sim, senhor. – E ouviu a porta do carro ser fechada com mais energia que o necessário. Definitivamente, algo importante acontecera.

Após desembarcar no Brasil, Maurício convocara a equipe de diretores e analistas para uma reunião, portanto, ao chegar ao museu, tomou o elevador direto para a grande sala de reuniões, na qual todos já o aguardavam. Assim que o curador adentrou a sala, o silêncio se fez presente. Ele claramente tinha algo importante a dizer. Muito seguro de si e buscando curtir o suspense, Maurício pôs a pasta na mesa, afrouxou a gravata, enfiou as mãos nos bolsos. Olhou todos à sua volta e declarou:

– Senhores… tenho a honra de informá-los que a nova aquisição do nosso museu é simplesmente a mais famosa obra de arte anônima do mundo!

Todos ficaram boquiabertos! Como aquilo teria sido possível? Um dos diretores, posicionado à sua esquerda na grande mesa ovalada, perguntou, incrédulo:

– Você… está falando sério? Quer dizer, você conseguiu trazer…?

Balançando a cabeça positivamente e muito orgulhoso de si, Maurício confirmou o que todos haviam entendido, mas ainda não acreditavam:

– Sim, falo muito sério! No próximo mês receberemos em nosso acervo a incalculável *A Madona e a Vênus*, senhoras e senhores!

Capítulo 1

O SOL JÁ DESCIA AO ENCONTRO DO HORIZONTE escondido atrás dos morros, verdejantes àquela época do ano. A tarde marcava sua quarta hora e uma brisa suave embalava a relva e as plantações de açafrão ao longe. Ainda mais distante estava a bela San Gimignano com suas torres, rodeada por tapetes de girassóis e oliveiras e completando um cenário bucólico e silencioso. Era o fim de abril de 1481 e a Toscana se enchia de cores primaveris.

Francesca, uma jovem de longos cabelos anelados cor de mel e vívidos olhos verdes, era a caçula e única mulher dos sete filhos do velho Genaro di Boscoli. Ela esperava pacientemente por Giane Donato, seu noivo, sentada num tronco caído à sombra de uma árvore. Era ali onde se encontravam diariamente, após Francesca completar suas tarefas domésticas e Giane ajudar os pais na lavoura e na criação de porcos. A bela moça de vinte e um anos suspirava ansiosa. O noivo não costumava demorar e, antes de o sol se pôr, ela deveria descer a colina e preparar o jantar do pai e dos irmãos.

O casal se conhecera ainda na infância, pois eram moradores de casebres próximos e vinham de famílias cujas principais ocupações eram as plantações de açafrão e pequenas criações de porcos, frangos e ovelhas. A mãe de Francesca, Nina, falecera vítima de uma pneumonia quando a jovem tinha quinze anos. Com Nina, ela aprendera algumas artes, como a fabricação de queijo *pecorino* e a costura.

Genaro, seu pai, era um homem forte, com uma enorme barriga e uma barba aparada de quando em quando. Outrora fora um ferreiro bastante conhecido nas redondezas, mas padecia na velhice de falta de ar, tosse persistente e moléstia do fígado, já não sendo capaz de exercer a profissão. Entretanto, com suas sobrancelhas grossas, os olhos castanhos ressabiados e a voz gutural de alguém extremamente autoritário e temente a Deus, se mantinha vigilante em relação aos filhos, em especial à caçula Francesca.

Os três irmãos da moça que ainda restavam solteiros se dedicavam ao pesado trabalho no campo, ao trato com as criações de ovelhas, aos trabalhos de carpintaria e na forja de ferro, do qual se fabricavam maçanetas, utensílios de cozinha e objetos religiosos que eram vendidos em San Gimignano.

Francesca escrevia o nome do noivo na terra, com o canto de pássaros como companhia, quando finalmente escutou o som inconfundível dos passos de Giane. Ao ver o jovem de lisos cabelos castanhos e inebriantes olhos azuis subindo a colina, exclamou:

– Oh, Giane! Enfim chegaste! Já me preocupava...

– Perdoa-me, *bella mia. Papà* acabou de abater uma leitoa antes do pôr do sol. Não foi tarefa simples...

Francesca observou nas mãos do amado resquícios de sangue do animal.

– Oh! Não suporto essas imagens!

Ao chegar ao topo da colina, o jovem respirou fundo por alguns segundos, contemplando a tarde alaranjada, e sentou-se ao lado da amada:

– Então? Que fizeste hoje?

– O de sempre. Fiz algumas costuras nas roupas de Enrico e Gerônimo, assei alguns pães, cortei e salguei algumas carnes... e pensei em ti.

Giane sorriu para a moça enamorada ao seu lado e beijou-a delicadamente. Francesca sentia o rosto aquecer sempre que o amado lhe tocava. Era uma sensação que teria dificuldade de descrever, mas lembrava-lhe muito do dia em que experimentara um *vernaccia* escondido dos irmãos. O calor que lhe subira pelo corpo ao tomar o vinho branco era semelhante ao que sentia com o toque do noivo.

– *Francesca mia...* – repetia ele, com o rosto da moça em suas mãos, e continuava: – Quando poderei enfim mergulhar o rosto em teus cabelos, sentir de ti todo o frescor e aroma?

O calor da face se espalhava pelo corpo da jovem chegando a lugares em que ela nem sequer se atrevia a tocar. A respiração tornava-se pesada e seus olhos eram tomados de urgência. Também ela desejava ter Giane, também ela se contorcia de ansiedade pelo dia em que poderia chamá-lo de esposo e compartilhariam as delícias do leito nupcial. Mas esperaria o pouco tempo que faltava para que isso acontecesse, enquanto Giane demonstrava angústia e sofreguidão crescentes que, por vezes, a surpreendiam.

– Em dois meses, *amore mio*. Falta pouco...

– Eu bem sei, minha querida. Mas parece que, quanto mais o dia se aproxima, mais difícil é ficar junto a ti. Teus irmãos estão sempre a te vigiar e aumentaram os rigores nas últimas semanas.

– Peço perdão, meu noivo. Meus irmãos sentem o peso da obrigação de proteger a mim e a honra da família. São orientados por *papà*, tu bem sabes.

Giane baixou os olhos em direção às mãos entrelaçadas de ambos. A frustração era especialmente amarga naquele dia.

– Bem o sei, *cara mia*. Por isso lamentei tão profundamente quando *papà* solicitou que eu o auxiliasse de última hora. Queria estar aqui mais cedo, antes que o dia estivesse tão perto do fim.

Encararam-se por longos segundos. Momentos fugidios nos quais os corações batiam atropelados e o fôlego se encurtava. Sem aviso, Giane tomou os lábios da moça em um beijo cheio de desejo e imprudência, fazendo-a se arrepiar em cada centímetro de pele. As salivas se misturavam. Giane trazia na boca o gosto amadeirado de um naco de *prosciutto* que mastigara pouco antes. Francesca exalava o suave aroma das raminhas de alecrim fresco que levava escondidas no vestido. Tentou desfazer-se da carícia, temendo olhares indiscretos e, no fundo, temendo a própria fraqueza.

– Giane... é chegada a hora de ir... O sol se põe rápido...

– Não, *amore*. Fica mais um pouco. Não sejamos tão severos...

Ele beijava o pescoço de Francesca, que não conseguiu evitar que um gemido desavisado lhe escapasse dos lábios.

– Não... meu amor...

Voltavam a se beijar, com um pouco mais de furor. A mão de Giane, inquieta, pousou sobre os joelhos da jovem. Não demorou muito e logo invadiu o vão entre as coxas, local proibido e inexplorado por ambos.

– Não! Não, Giane, não podemos...

– Acalma-te, minha amada! Juro não te fazer mal.

– Eu sei, é que... não podemos! Não devemos...

– Shhh… – pediu ele, pousando os lábios delicadamente na boca de Francesca: – Vamos apenas aliviar um pouco a ânsia que já carregamos há tanto, tanto tempo…

Giane dizia isso com os olhos nos de Francesca, deitando na relva e trazendo a moça junto a si, abraçando-a. A jovem teve arrepios ao sentir contra o quadril a rigidez típica das cobiças masculinas.

– Giane…

O jovem a silenciou com os próprios lábios, comprimindo seu corpo contra o dela e sem se importar com o perigo de serem vistos. Beijava o colo de Francesca e sentia seu coração palpitando descompassado no peito. Ele a desejava intensamente, não suportava mais o cansaço da espera! Francesca, a seu turno, enfrentava na própria mente o pesado dilema entre manter intocada sua virtude ou deixar-se levar pela indescritível sensação que o amado lhe incitava. Também para ela era fatigante continuar resistindo, pois resistia desde que haviam trocado o primeiro beijo. Entretanto, faltava tão pouco… Tão pouco para que o chamasse de "meu marido" e pudesse ceder sem pudores e receios.

Giane já alcançava o segundo botão do vestido quando ouviram uma voz chamando, de não muito longe:

– Francesca? Onde estás? *Nostro papà* a chama, agora mesmo!

Os olhos arregalados de ambos se encontraram. Francesca empurrou Giane, já tremendo de medo:

– Jeremias! É Jeremias que me chama! Por Deus, deixe-me ir!

E, sem esperar que o noivo respondesse, Francesca levantou-se, tornando-se visível para o irmão:

– Francesca! Isso são horas? O que estás a fazer…?

Calou-se ao ver Giane se levantando atrás dela com as roupas amarrotadas. A moça rapidamente abotoou o vestido, trêmula e envergonhada. Jeremias apertou o passo em direção à irmã, com um olhar furioso:

— Mas o que pensas que estás fazendo, agindo como uma *puttana* no meio do mato?

— Não, Jeremias! Não é o que estás pensando...

Ele agarrou o braço da irmã, puxando-a colina abaixo:

— Pouca vergonha, Francesca! Já para casa, que o dia se finda! Anda!

Trôpega e quase caindo duas vezes seguidas, Francesca implorava ofegante ao irmão:

— Jeremias! Por favor, não contes nada ao *papà*. Não fazíamos nada, apenas descansávamos à sombra da árvore...

— Tu me crês tolo, não é? Pois vi com meus olhos a maneira imoral como vocês *descansavam*!

As lágrimas não tardaram a cair, temerosa que estava pelo castigo que certamente o pai lhe aplicaria se soubesse do acontecido.

— *Fratello mio, per pietà!* Não contes ao *papà*! Por Deus, ele me proibirá de sair de casa até o casamento!

— E devia! Já se vê que não és de confiança...

Francesca se adiantou à frente do irmão, pedindo com desespero no olhar:

— Eu juro! Eu juro que jamais se repetirá, meu irmão. Prometo!

Jeremias encarou-a seriamente. Deteve-se por um segundo, a fim de pensar bem se a irmã merecia o alívio que mendigava. Por fim, respirou fundo e disse apenas:

— Que tenha sido a última vez, Francesca. Ou não terei um pingo de compaixão se *nostro papà* esfolar teu rosto até que o deixe em carne viva!

Francesca abraçou o irmão. Dentre eles, era o segundo mais novo. E o único com quem a jovem brincava na infância.

— *Grazie! Grazie*, Jeremias!

— *Va bene, va bene*! Agora vamos andando! A noite se avizinha e tens muito a fazer.

Desceram a colina juntos. Ele, ainda bravo com a má postura da irmã. Ela, aliviada e cheia de saudade.

— Onde estavas, mulher preguiçosa? — ralhou o pai assim que Francesca atravessou a porta.

— Perdoa-me, *papà*. Terminei por cochilar à sombra de uma árvore e perdi a noção da hora.

Genaro encarou Jeremias. O filho, desviando o olhar, confirmou o que ela dizia:

— É, estava de cochilos na colina…

Desconfiado, Genaro voltou a encarar a filha. E prometeu:

— Faça isso novamente e arranco-lhe os dentes! Isto é, se estiverdes mesmo a falar a verdade.

Francesca baixou o olhar, como um vira-lata acostumado aos chutes de desprezo. Pediu licença ao pai e dirigiu-se à cozinha. Era melhor caprichar no jantar daquela noite.

Após finalizar os afazeres domésticos e com todos já se recolhendo, Francesca se retirou para o quarto a fim de ficar a sós com as doces lembranças daquela tarde. De sua cama de madeira, feita pelo próprio pai, a moça podia admirar o luar e as estrelas, cuja luz adentrava pela janela sempre entreaberta quando o frio permitia.

Pensava em Giane. Em como os momentos ao seu lado eram sublimes, e por isso mesmo, efêmeros. Lamentava que ainda restassem pouco mais de sessenta dias até que pudessem enfim ficar juntos, sem temer julgamentos nem olhares vigilantes. Casariam em San Gimignano, na Igreja de Santo Agostinho. Ela mesma terminara de remodelar o seu melhor vestido, colocando mangas compridas um tanto bufantes na altura dos ombros, numa tentativa pueril de simular as vestimentas usadas pelas classes mais abastadas.

Com a ajuda dos irmãos e permissão de Genaro, ela e o noivo conseguiram transformar a antiga oficina do pai numa pequena choupana onde poderiam morar. Não era grande coisa, mas se convencia de que era o suficiente para começar uma vida a dois. Já haviam providenciado uma cama e alguns utensílios para poderem viver ali por um tempo. Após muito imaginar o futuro, o sono chegou suave, embalando-a em doces sonhos românticos.

No dia seguinte, não conseguiu momento para encontrar-se com o amado. Os irmãos estavam sempre à espreita, prontos para impedi-la de se afastar demais de casa sem companhia. O pai, que sempre a sobrecarregava de tarefas, parecia ainda mais disposto a não permitir que Francesca ficasse quieta um só minuto ao lhe delegar as funções de limpar, costurar, cozinhar, assar, moer, ralar, temperar, colher, estender, lavar... Tudo a fim de mantê-la ocupada e distraída dos assuntos do coração. Apesar do cansaço físico, o noivo permanecia na memória da jovem a todo o momento.

Os dias posteriores não foram diferentes, visto que mesmo quando não estava tão atarefada, o pai e os irmãos a proibiam de ir além dos limites do pomar. Giane morava próximo a ela, e por vezes trocavam acenos e beijos imaginários que o vento se encarregaria de levar. Francesca imaginava que o noivo estivesse sentindo tanta saudade quanto ela, e temia a impaciência do amado. Temia que ele a esquecesse ou que uma outra donzela o encantasse. E se os futuros sogros apresentassem a Giane uma moça bela e rica, do jeito que eles sempre sonharam para o filho? Não era segredo que a pobreza de Francesca e sua família lhes desagradavam, portanto, quem sabe do que poderiam ser capazes?

A moça respirava fundo e fechava os olhos na tentativa de acalmar a mente. Decerto estaria exagerando. Talvez aquele acesso de pensamentos tristes a atingisse com tanta força por conta da ansiedade que lhe apertava o peito, pela ânsia em ser verdadeiramente feliz ao lado de Giane. A bela italiana não conseguia manter um sorriso verdadeiro sempre que pensava na própria vida e e em como era tratada como mera criada naquela casa desde que a mãe falecera. Lembrava-se com saudade dela. Os dias haviam se tornado cinzentos e árduos depois que ela se fora. Nina era doce, alegre e a única pessoa capaz de arrancar uma gargalhada de Genaro. Sentia falta de sua voz, de seu ensopado, de seu sorriso suave sempre que o sol tocava em seu rosto todas as manhãs. A morte de Nina roubara um pedaço da vida daquele lar.

Por isso Francesca rezava todas as noites, para que chegasse enfim o dia de inaugurar uma nova vida, num novo lar, com seu grande amor. *Querido Pai Celestial, obrigada por escutar a minha prece. Amém.* Fazia o sinal da cruz, deitava-se sobre seu lado esquerdo, acomodava as mãos embaixo do travesseiro e sonhava. Naquela noite, porém, os sonhos foram interrompidos por um sussurro vindo da janela:

— Francesca? Francesca?

Os olhos já pesavam deliciosamente e a moça imaginou que ainda estivesse sonhando. Mas uma ordem dada por uma voz muito baixa a fez abrir os olhos:

— Francesca? Acorda!

— Hum…? — Olhou primeiro para porta. Estava fechada.

— Aqui, Francesca — o sussurro veio da janela.

— Quê? — gemeu ela, sentando na cama e sem entender direito o que acontecia. Ao se aproximar da janela, pôde ver Giane abaixado além do parapeito. O coração quase lhe escapou pela boca.

– Giane? – murmurou ela, apavorada. – O que você está fazendo aqui?

– Shhh! – pediu ele, levando o indicador aos lábios. – Perdão, Francesca, mas precisava ver-te.

A moça não se permitiu encantar por aquelas palavras.

– Giane, tu enlouqueceste? Deves ir agora! Se *papà* te encontra aqui, imaginará que estamos a cometer indecências no meio da noite!

– *Tuo papà* dorme o sono pesado de um javali! Não te preocupes.

Dizendo isso, apoiou uma bota numa deformação da parede, passando o outro pé rapidamente para dentro do quarto. Assustada, ela ordenou em voz muito baixa:

– Por Deus, Giane! Não podes fazer isso! *Papà* me mata! Meus irmãos te matam! Anda, volta para casa!

Entretanto, ele já adentrara e suspirou ao perceber que a noiva usava uma camisola simples de flanela, deixando à mostra o colo e os braços muito brancos. O corpo curvilíneo e voluptuoso de Francesca insinuava-se através tecido.

– *Ah, bella mia...* Nem em meus sonhos poderia vislumbrar tão formosa visão...

Envergonhada, a jovem rapidamente alcançou o lençol puído em cima da cama e cobriu-se.

– Ora essa! Tenha modos! Agora vá andando, eu imploro! Não podes ficar aqui, sabes disso.

– Mas... não sentiste minha falta? Não quiseste me ver durante esses dias?

Francesca calou-se ao fitar o olhar enigmático e malicioso de Giane. Balançou a cabeça, aproximando-se do belo rosto amado.

– Mas é claro que senti tua falta, meu noivo. Penso em ti a todo momento que tenho abertos os olhos, e sonho contigo ao dormir, todas as noites. Está sendo um suplício não poder abraçar-te e ouvir tua voz...

Giane sorriu, feliz com as palavras que ouvira. Na penumbra do quarto mal iluminado por uma vela que queimava solitária em cima de uma velha mesinha de madeira, o jovem enlaçou a doce moça, que prendeu a respiração ao senti-lo tão próximo.

– Ah, *amore mio*... Tuas palavras me enchem de alegria... e de desejo.

Francesca enrubesceu. Segurava firmemente o lençol sobre os ombros, tentando resistir aos encantos sedutores de Giane e defendendo-se de si mesma. Ele acariciava seu rosto suavemente, fazendo-a fechar os olhos e flutuar para muito longe dali, aonde nenhum olhar sentinela poderia alcançá-los. Beijaram-se sôfregos, com tanta saudade que nem percebiam o quanto pressionavam os lábios. Gemidos descuidados fugiam da garganta, permitindo que seus corpos se arrepiassem, esquentassem, intumescessem.

A paixão jovem é pródiga em vitalidade, avidez e inconsequência, e ali estava um casal que não fugia à regra. Francesca deixou cair o lençol e apertava a camisa de Giane como se quisesse ver-se livre dela, mas não ousava tomar a iniciativa. Como se lesse os pensamentos da noiva, o jovem se desfez da malha e a encarou intensamente. Era um rapaz muito bonito, ele sabia disso. O árduo trabalho braçal havia lhe rendido um tórax muito bem definido e torneado por alguns pelos negros que desciam até a barriga. As sombras que a vela produzia não disfarçavam o volume das calças desbotadas, enquanto ele retirava as botas. Ela permaneceu imóvel diante daquela visão, tomada de pavor e vergonha em vê-lo quase desnudo. Ela nunca o vira nem sem camisa, mesmo quando ele trabalhava embaixo do sol escaldante.

– Giane, não podemos... Não está certo! É muito arriscado. Tu deves ir embora, ou...

– Ou...? – provocou, novamente se pondo junto a ela, encarando seus lábios entreabertos, sentindo seu hálito quente, a respiração curta e percebendo as pupilas dilatadas.

– Não... sei...

Com os joelhos trêmulos e a pele arrepiada, a eletricidade a tomou de assalto assim que tocou pela primeira vez o dorso revelado de Giane. Beijaram-se de novo, agora violentamente, tamanha era a vontade dos corpos. De maneira delicada, o jovem puxava a camisola de Francesca, levantando a saia até mostrar a beleza de suas pernas alvas. Ela já não ouvia aos apelos da razão e permitia que a mão invasora explorasse os recantos de sua cintura, nádegas e seios. Algo dentro de si latejava e vozes imploravam para que se entregasse de uma vez. Eram decerto os demônios da luxúria, acostumados a sugerir ousadias às almas que fraquejavam.

Então ouviram tosses pesadas, o arrastar de chinelos e o som de uma porta rangendo ao ser aberta. Giane e Francesca, abraçados e seminus, não conseguem ser mais rápidos que o olhar furioso de Genaro à porta do quarto da filha.

Capítulo 2

— *MA CHE CAZZO...?!* — rosnou Genaro, as grossas sobrancelhas arqueadas dando-lhe uma aparência ainda mais assustadora.

— *P-pa-pà?!* — gritou Francesca, desvencilhando-se dos braços de Giane, buscando cobrir-se desesperadamente, sentindo-se envergonhada e perplexa por ter sido flagrada pelo pai num momento íntimo e proibido entre os dois. Giane tentou se explicar:

— Senhor, perdoa-me, foi meu atrevimento...

— cala-te, *canaglia* imundo! sai desta casa!

Sem pestanejar, Giane alcançou a camisa que jazia no chão de terra batida e pulou pela janela, correndo veloz e se perdendo na escuridão da noite. Francesca só teve tempo de voltar o olhar ao pai antes de sentir um tabefe atingi-la no rosto, jogando-a ao chão.

— *Ma che cosa...?* — Os irmãos de Francesca haviam acordado com o barulho e estavam à porta, observando a irmã chorar caída no chão.

— tua irmã é uma *puttana*! Estava se agarrando com aquele noivo aqui no quarto, sujando meu nome e traindo *nostra* confiança! Mas essa vadia, *questa bagascia*, vai aprender uma lição!

Dizendo isso, Genaro acertou um chute no ventre da própria filha, que gritou de dor e horror. Um novo chute, agora em seu rosto. E o velho passou a desferir chutes por todo o corpo de Francesca, que gritava e implorava que o pai parasse:

— *Pietá! Pietá, papà!*

— Você não necessita de piedade, sua imunda! Necessita de uma boa surra!

— *Papà*, para! — pediu Jeremias, assustado com a violência que presenciava.

— CALA-TE! Ou tu serás o próximo!

Genaro continuava a chutar a filha. Ao acertar-lhe o seio esquerdo, uma dor lancinante a impediu de respirar. O nariz sangrava, o lábio inferior estava cortado. Sentia tapas no rosto, na orelha e nos braços. Seu pai parecia estar possuído!

— PARA, *papà*! Chega! — Jeremias agarrou o braço do pai, tentando afastá-lo e fazê-lo perceber que poderia facilmente matar a filha. Contudo, foi empurrado e derrubado da mesma forma que a irmã. Os outros rapazes tomaram coragem e enfrentaram a fúria de Genaro:

— *Basta, papà*! CHEGA! — gritaram, agarrando o braço do velho na tentativa de separá-lo de Francesca, que já apresentava hematomas no rosto, bem como em diversas outras partes do corpo. Assim que os irmãos conseguiram segurar Genaro, apesar de ele ainda se debater furiosamente, Jeremias gritou para Francesca:

— Foge, Francesca! Ou ele te mata!

Sem mais pensar, apenas levada pela ordem do irmão, pôs-se de pé, alcançou um vestido pendurado num prego da parede e saiu correndo do quarto e então da própria casa. Fugiu em direção à casa de Giane. Corria na escuridão, sem conseguir enxergar muito à sua frente. Tremia de medo e de dor. Jamais imaginara que chegaria o dia em que fugiria do ódio do próprio pai. Ao chegar à porta da casa do noivo, deu três fortes batidas:

— Giane! Giane, por Deus, necessito de tua ajuda!

Não houve movimento algum. Francesca olhava sem parar para trás, receosa de que o pai surgisse de repente no negrume da noite como um monstro nascido dos piores pesadelos.

— GIANE! — Mais três pancadas na porta de madeira. Enfim, ouviu o som do ferrolho sendo aberto.

— Ah… Senhora Paola, senhor Matteo? — Os pais de Giane apareceram à porta, seguidos da filha caçula, a pequena Antonella. A expressão de ambos não era nada amigável, algo que não surpreendia muito Francesca, já que os futuros sogros nunca aprovaram de bom grado que o filho pretendesse se casar com uma camponesa. Para eles, a beleza e a habilidade braçal do filho poderiam levá-lo aos mais altos patamares da vida.

— Que está havendo aqui? O que quer, *ragazza*? — perguntou o senhor Matteo, contrariado com a barulheira àquela hora da noite.

— Senhor Matteo, necessito falar com Giane. Por favor, é uma emergência! *Papà* deseja me matar!

A pequena Antonella levou as mãos à boca, assustada com o que ouvia. Paola deu a ordem:

— Antonella, para a cama! Já!

A menina prontamente obedeceu. Francesca voltou a chorar de desespero.

— Por misericórdia, deixem-me entrar! Tenho medo do que *papà* pode fazer, ele está muito bravo…

— E por que *tuo papà* está tão bravo? Que andaste fazendo?

Ela corou, pois sabia que a julgariam mal.

A Madona e a Vênus

19

– Bem, senhores… *Papà* viu Giane em meu quarto…

– QUE DISSESTE?! – perguntou Matteo, explosivo. Francesca sabia que os pais do noivo não acreditariam no que ela dizia. Era necessário que Giane confirmasse.

– Senhor, peço perdão por aborrecê-lo, mas Giane estava me visitando em meu quarto. E *papà* acordou e nos viu…

– Que maledicência! Como tens coragem de vir à nossa porta dizer tamanho absurdo? Giane dorme a essa hora, como tu devias também estar fazendo! – respondeu a mãe.

– Não! Não, sei que ele está acordado, pois acabou de sair correndo de lá!

– Olhe, menina, nunca simpatizamos muito com vossa família, bem sabes disso. Não é senão com muito sacrifício que admito que meu filho cometa a besteira de se casar contigo. Mas isso já ultrapassa os limites do aceitável! Pretendes que eu fique aqui a ouvir disparates de ti?

– Eu JURO, senhor Matteo! Juro, não falo mentiras! Preciso de auxílio, preciso de um abrigo! Implorei que Giane saísse de meu quarto, mas ele insistiu! Ele pode confirmar, senhor!

Com os olhos faiscando de ódio, Matteo ordenou que Paola buscasse Giane. Francesca enxugava o sangue que ainda escorria de seu nariz quando o noivo apareceu, esfregando os olhos, fingindo ter acabado de acordar.

– Giane! *Questa ragazza* está dizendo que levou uma surra de Genaro por ter sido pega junto a ti no quarto dela agora há pouco. Tu tens algo a dizer sobre isso?

Matteo encarou o filho com um olhar ameaçador. É necessário dizer que Giane tinha muito medo do pai, era muito submisso a ele e jamais o contrariava. Temia ser deserdado por Matteo, que estava em vias de receber a posse de alguns hectares de terra deixadas por um tio distante. Giane encarou Francesca, que tinha os olhos sérios e a testa franzida. Voltou o olhar ao pai, que tornou a perguntar, ainda mais feroz:

— E então, moleque? *Questa* história é verdade?

Giane abaixou a cabeça, sem coragem de encarar a noiva:

— Não, *papà*. Não sei do que fala...

Francesca arregalou os olhos, pasmada com a negação de Giane:

— O QUÊ?! Mas... Giane! Tu acabaste de pular a janela do meu quarto! Tu foste até lá, viste o *papà*!

Giane a encarou com vergonha e medo, e seu olhar encontrou novamente o do pai. Melhor seria enfrentar a fúria de Francesca que a de Matteo:

— Não, Francesca... Devias estar sonhando. Não estive em teu quarto, jamais cometeria tamanha leviandade.

A jovem não conseguia acreditar no que ouvia. Era absurdo demais!

— Como... Como sonhando? E essas marcas em meu corpo, e esse sangue escorrendo do meu nariz? Parecem sonhos para ti?

Matteo voltava a encarar o filho, como se o ordenasse intimamente a negar tudo. E Giane assim o fez:

— Não sei do está falando, Francesca. Sinto por suas feridas, mas desconheço as razões para que *tuo papà* as tenha infligido em ti. Sabemos que Genaro é homem de temperamento explosivo, deves ter feito algo que o desagradou...

Com lágrimas nos olhos e a boca escancarada, a moça olhou para a escuridão atrás de si. Aquela noite só podia estar sendo um pesadelo – o pior pesadelo que já tivera. Voltou a encarar Giane:

— Giane, *per Dio*, precisas me ajudar! Tu sabes que tens de me ajudar!

Desviando do olhar do pai, o jovem falou:

— Francesca, desejas que eu vá até lá para conversar com *tuo papà?*

Matteo interferiu:

— De jeito algum! Para que há de ir até lá se nada fizeste?

Francesca se alterou:

— Ele fez SIM, senhor Matteo! Pulou a janela de meu quarto, emudeceu aos meus apelos para que saísse! Giane é também responsável por essa confusão toda!

— Abaixa a tua voz, menina! Não estás em tua casa!

As lágrimas já não se seguravam nos olhos:

— Senhor Matteo, Giane é meu NOIVO! Deve me proteger, não? Não é assim que fazes com a senhora Paola, não é isso que ensinas aos teus filhos?

— FORA! FORA DE MINHA CASA, SUA PEQUENA VENENOSA! JÁ BASTA!

Dizendo isso, fez menção de fechar a porta, mas foi impedido pela moça, visto que Giane nada fazia para ajudá-la.

— NÃO! *Papà* me matará! *Papà* me matará!

— *Questo non è nostro problema, capisci?*

Francesca tentou entrar, mas foi empurrada por uma mão forte e a porta foi fechada em seguida, ouvindo-se o som do ferrolho. Não sabia dizer quem a havia empurrado – se fora Matteo ou Giane. O que importava naquele momento era que não apenas seu rosto sangrava, mas toda a sua alma. Ela sempre soube que os pais de Giane eram contra a relação dos dois. Nunca havia sido tratada com consideração por nenhum dos parentes do noivo, exceto a pequena Antonella, que sempre fora muito carinhosa e adorava transformar os longos cabelos de Francesca em lindas tranças. Contudo, ainda que soubesse o quanto era rejeitada, jamais esperaria que lhe negassem o socorro. E mais importante: jamais esperaria que seu noivo, que lhe prometia amor eterno, que se dizia cheio de ansiedade para enfim desposá-la, jamais poderia imaginar que aquele homem lhe viraria as costas.

A vida era mesmo insidiosa… Num momento, estava feliz, aguardando ansiosamente pelo futuro com o homem que sempre amou. Noutro, estava expulsa de casa e sozinha no breu, machucada, com frio, com fome e uma tristeza pungente a lhe mastigar o coração. Chorou. Chorou desesperada, gritava, batia com as palmas da mão contra a porta, rogava misericórdia de Matteo, de Giane. Depois de alguns minutos nessa agonia, percebeu que de nada adiantaria. As portas fechadas não se abririam.

Começou a caminhar a esmo na noite escura. Repentinamente, ouviu um relinchar ao longe, vindo de uma propriedade vizinha, e serviu para lembrá-la de que havia ao menos seu futuro lar para se esconder e se proteger até o sol nascer. Caminhou devagar com braços encolhidos junto ao corpo e a cabeça baixa. De certa distância podia ver sua casa, sem, no entanto, ter certeza de que ainda poderia pôr os pés novamente no lugar de onde fora expulsa momentos antes.

Ao chegar à pequena choupana, viu que a porta estava trancada por uma enorme corrente e um pesado cadeado. Foi até a janela e constatou a mesma coisa. Percebeu os sinais do desespero ameaçando dominá-la ao sentir tonturas, a boca seca, as mãos gélidas. Não podia passar a noite ao relento. Não tinha dinheiro, não tinha comida, não tinha nada! Resolveu então se proteger no curral, juntos às ovelhas, pois assim ao menos teria um teto sobre a cabeça. O lugar fedia insuportavelmente, era estreito, frio, desconfortável. E mesmo assim, os olhos inchados e ardidos de Francesca pesaram sem volta, fazendo-a cair no sono recostada n'algumas tábuas que jaziam ali.

Acordou com uma voz chamando-a:

A Madona e a Vênus

– Francesca? Francesca? Acorda! Que estás fazendo aqui?

Abriu os olhos com extrema dificuldade. Sentia dor nas costas, no pescoço, nos braços…! Era difícil se mexer e Jeremias lhe dava leves tapas no rosto para acordá-la.

– Francesca, acorda! O que estás fazendo aqui? Quer que *papà* te veja e termine o serviço?

Enfim conseguiu focalizar o rosto assustado do irmão.

– Je… Jeremias?

Ele estendeu a mão para ajudar a irmã, que quase não conseguia se levantar.

– Francesca, não podes ficar aqui! Tu sabes disso.

No mesmo momento, lembrou-se do porquê estava ali e de por que seu corpo doía tanto.

– Jeremias, não tenho para onde ir! Preciso voltar para casa!

– Não! Estás louca? *Papà* não quer ver-te nem pintada a ouro! Ele pôs fogo em tuas coisas tão logo surgiram os primeiros raios de sol. Está ainda muito bravo, não sei que desgraça pode acontecer se tu apareceres na frente dele.

Francesca começou a chorar puramente de tristeza. Fora excluída de seu lar sem a chance de se defender e aquilo doía muito mais que as feridas do corpo.

– Jeremias, o que farei? O que será de mim? Não tenho roupas, nem dinheiro, nem um lugar para onde ir, morrerei à míngua! E apenas por ter sido fraca por causa do homem que amo?

– Não creio ser possível, meu irmão. Pedi ajuda àquela família ontem à noite e fui enxotada pelo senhor Matteo aos empurrões!

Jeremias baixou a cabeça. Embora estivesse muito preocupado com o destino da irmã, sabia que não havia muito o que fazer, visto que o pai era um velho estúpido, orgulhoso e turrão, e jamais aceitaria Francesca de volta. De súbito, teve a ideia:

— Então, Francesca, vai embora! Foge! Vai com os mercadores que sempre passam por essas bandas até uma cidade grande onde possas arranjar um ofício, algo com que possas te sustentar. Quem sabe…? Quem sabe consegues algo que lhe traga alguma alegria, minha irmã?

Francesca voltava a chorar. À tristeza unia-se o extremo pavor de apenas imaginar-se indo sozinha ao encontro do mundo.

— Não, Jeremias. Não tenho coragem de me aventurar dessa maneira, sem ninguém! Tenho medo!

— Mas não precisas ir sozinha! Giane há de acompanhar-te! Estão noivos, não? Se ele te guarda algum sentimento de amor, deve ir contigo para ajudar e proteger-te.

O choro cessou por alguns instantes. Poderia ser uma boa ideia, pois, na companhia de Giane, iria para qualquer lugar. Ficou pensativa, fitando o irmão.

— Eu… poderíamos morar em San Gimignano, não? Assim ele não ficaria tão distante dos pais…

Jeremias balançou a cabeça, concordando. E voltou a alertá-la:

— Sim, é uma possibilidade. Mas deves sair agora. Logo *papà* me chamará e temo que Enrico ou Gerônimo venham à minha procura.

— Jeremias, não tens algumas moedas? Algo com que possa garantir ao menos algum alimento?

O irmão fitou os olhos caídos e profundamente amargurados da irmã. Ele não tinha dinheiro algum, mas sabia onde o pai guardava algumas moedas e, embora fosse arriscado, tentaria pegá-las.

— Tudo bem. Espera aqui. Se ouvires um de nossos irmãos, corre, entendeste?

— Entendi.

— Certo. Aguarda um pouco.

Dizendo isso, Jeremias seguiu em direção à casa do pai. Francesca aguardava, apenas pensando que todas as suas coisas tinham virado cinzas. Quanto ódio seu pai seria capaz de nutrir por ela? Seria tão imperdoável um momento de amor entre duas pessoas que estavam em vias de se casar? Jamais agira de modo a atentar contra os bons costumes. Era verdade que Giane, não raro, se excedia na intensidade das carícias, fazendo-a corar, mas ela logo o repreendia. Porém, o tempo juntos os transformou num casal muito íntimo e, a cada encontro, mais afoito um pelo outro, o que também os deixava muito suscetíveis à tentação.

Ela estava convicta de que o pai havia exagerado e uma voz quase inaudível dentro de si a encorajava a ir ao encontro de Genaro e pedir-lhe perdão. Mas a boca e o nariz, as costas e o ventre ainda doíam, e essas dores eram mais que suficientes para impedi-la. De súbito, ouviu o som de folhas secas sendo amassadas por pés apressados. Buscou se esconder, já sentindo o coração acelerado e imaginando que Enrico ou Gerônimo estivessem à espreita, mas, para seu alívio, Jeremias apareceu na porta do curral, suado e ofegante.

— Aqui está. Acomodei umas fatias de carne de porco dentro de alguns pedaços de pão. Dá para matar a fome por umas horas, eu creio.

Entregou a ela uma bolsa de couro que costumavam usar para colher frutos e pegar alguns ovos nos poleiros das galinhas. Enfiou a mão no bolso, tirou de lá algumas moedas.

— Tome. Foi tudo que consegui encontrar.

— Meu irmão, *papà* o matará se souber que fizeste isso…

— Ele não descobrirá. Ou melhor, não terá certeza de nada. Agora vai! Chama Giane e segue.

— Mas não terei como falar com ele. Senhor Matteo não permitirá, estou certa disso.

— Então, venha comigo.

Deram-se as mãos e saíram rapidamente do curral em direção à pocilga da família de Giane, pois todas as manhãs o rapaz costumava alimentar os porcos. E lá estava ele.

— Francesca, fica aqui. Vou até lá chamá-lo — disse Jeremias, apontando para uns arbustos na estrada que passava à frente das propriedades.

— Tudo bem.

Jeremias correu e, em poucos instantes, voltava com um Giane de semblante desconfiado e olhar nada amigável. Ele não correu ao abraço de Francesca e a moça logo percebeu que algo estava errado.

— Francesca, o que queres? Já não basta o escândalo que fizeste ontem à noite? Meu pai está uma fera conosco e se ele me vir aqui...

— Giane, vamos fugir! Vamos embora daqui! — interrompeu ela, muito decidida.

Jeremias distanciou-se do casal, mas acompanhou o diálogo frenético e tenso entre os noivos.

— Como é? Estás louca, Francesca?

— Eu não posso voltar para casa! *Papà* me expulsou para sempre e pôs fogo em todos os meus pertences. Não tenho onde morar, não tenho a quem recorrer, não tenho nada! Apenas tenho o nosso casamento, Giane. Precisamos fugir, adiantar o nosso casório e começar nossa vida agora!

— Eu não posso. Não posso deixar tudo para trás, Francesca. Não vês que é loucura?

— Qual seria a loucura? Estaremos fazendo exatamente o que planejávamos fazer dentro de dois meses.

— Mas seria diferente! Moraríamos próximos aos nossos pais, de quem poderíamos sempre contar com a ajuda.

— Giane, não vês que me encontro num beco sem saída? O que farei?

Giane abaixou a cabeça, respirando fundo. A testa franzida não escondia sua inquietação diante daquele pedido.

— Não sei, Francesca. Pede perdão a *tuo papà*, quem sabe ele...

— Isso está fora de cogitação! Se ela voltar lá, ele a matará! — respondeu Jeremias, intimamente se impacientando com a indecisão de Giane.

— Ora, mas talvez estejam exagerando...

— Giane, só Deus sabe o que passei ontem à noite! Sinto o rosto inchado e o corpo dolorido da surra que levei, e por TUA causa! Porque tu te negaste a sair de meu quarto, e ainda tiveste a capacidade de negar TUDO diante de teus pais!

— E que querias tu? Queria que eu mesmo tivesse levado de *papà* uma sova? Não fazes ideia de como ele é...

— Acredite, eu faço!

— Duvido bastante...

— Olha, não podemos ficar aqui! Por Deus, resolvam o que farão! — irritou-se Jeremias. E Giane, muito sério, respondeu:

— Eu não tenho o que fazer. Devo ficar. *Papà* anda muito doente, logo minha mãe e minha irmã hão de precisar de mim. E preciso cuidar das terras de *papà*, ou elas nos serão tomadas.

Com lágrimas nos olhos e cólera no coração, Francesca aproximou-se dele e perguntou:

— Mas... e eu, Giane? E NÓS? Isso não significa nada para ti? Tudo o que vivemos, tudo o que passamos? Não... Não me amas?

Giane enfim a encarou. Analisou suas marcas, os hematomas arroxeados no rosto, nos braços, no colo. Engoliu em seco e, finalmente, descarregou a resposta cruel:

— Amo-te, Francesca, mas não o suficiente para desgraçar a minha vida por tua causa.

O ar sumiu dos pulmões da moça. Levou a mão à boca, sem palavras que pudessem descrever a decepção que sentia. No mesmo instante, Jeremias desferiu um soco em Giane, arremessando-o ao chão. Assustada, Francesca gritou:

— O QUE FIZESTE, MEU IRMÃO?

— JUSTIÇA! — respondeu Jeremias. Giane rapidamente se apoiou num cotovelo para se pôr de pé, cuspiu sangue e limpou a boca, encarando Jeremias com um olhar fulminante. E, sem dizer palavra, se voltou em direção à sua casa. Francesca, que assistia atônita à reação do noivo, ouviu então a ordem:

— Agora vai! Faça como disse a tu, vai até a estrada e siga com uma dessas caravanas que costumam passar por essas bandas.

Francesca chorava assustada e desesperada. Não queria ir embora. Não queria deixar o irmão, a família, não queria nem mesmo deixar Giane.

— Não… Não posso…

— Vai! VAI AGORA! — gritou Jeremias, chacoalhando-a pelos braços a fim de dissipar seu choro e seu medo. Ela abraçou o irmão. Temia por ele, pois provavelmente a agressão contra Giane seria a origem de uma séria hostilidade entre as famílias. Entretanto, ao menos Jeremias teria Enrico e Gerônimo para defendê-lo. Ninguém estaria sozinho, ao contrário dela. Jeremias recebeu o abraço e, antes que a emoção o tomasse, afastou-a e voltou a dizer:

— Vai, minha irmã! E que Deus a proteja!

De costas, Francesca se afastava de Jeremias aos prantos. Ouviu o irmão gritar, com firmeza:

— ANDA, FRANCESCA! NÃO PERDE MAIS DO TEU TEMPO! FOGE!

Sem mais pensar, despachou-se apressada, correndo, suando, chorando, deixando para trás o noivo, a família, os sonhos e toda a esperança que alimentava, dia após dia, de um futuro cujos dias seriam mais felizes.

Capítulo 3

HAVIA SE PASSADO A METADE de um dia iluminado quando as carroças enfim atravessaram a Via Romana em direção à ponte Vecchio. Um pouco adiante, Francesca deveria descer e seguir sozinha ao coração de Florença. Conseguira uma carona com um grupo de mercadores que se dirigia a Gênova para comprar especiarias e cereais em grande quantidade. Porém, Benedetto, o homem que liderava a caravana, cobrara dela quase todos os *piccioli* que seu irmão havia lhe arranjado antes da fuga e Francesca começava a se sentir nauseada com o mero pensar em como faria para arranjar mais comida quando o pouco pão que trazia na sacola acabasse.

Onde passaria a noite? Como seria o lugar para onde ia? Tentara, durante toda a viagem, não derramar nenhuma lágrima, mesmo porque não desejava chamar a atenção dos viajantes desconhecidos, que eram muito mal-encarados. A quantidade de carroças aumentava conforme se aproximavam da cidade e era possível perceber a grandiosidade do lugar já ao longe. Francesca engoliu em seco. Era como se estivesse prestes a entrar na bocarra de um monstro gigante e ser devorada por ele.

– *Ragazza*, é aqui tua descida! – gritou Benedetto. Deu um puxão brusco nas rédeas presas ao par de cavalos que guiava, fazendo-os parar. Enquanto a moça tentava descer com as pernas trêmulas, ouviu uma última instrução:

– Se seguires adiante chegará até a ponte. *In bocca al lupo,* boa sorte, *bambina*.

E com um grito e um balançar de cordas, os cavalos voltaram a trotar, levantando uma nuvem de poeira por onde passavam. Enquanto observava o comboio se afastar, Francesca se perguntava se não teria sido melhor seguir com eles até Gênova. Sabia que era uma cidade muito mais distante, mas ao menos não estaria totalmente sozinha, como estava naquele momento.

Seguiu em frente conforme fora orientada. Embora o sol esquentasse sua face, sentia as mãos gélidas. O coração batia apressadamente e sua feição não escondia o pavor que estrangulava suas forças. Andava rápido pelas ruas estreitas, tentando não chamar atenção ou encarar alguém; contudo, os cabelos levemente dourados e o frescor de sua juventude não passavam despercebidos por transeuntes, vendedores ou negociantes. Ouvia alguns gracejos não tão simpáticos e cruzava os braços numa clara demonstração de introversão. Caminhou por metros e metros dentre becos de pedras, casas de tijolos e *pietraforte*, algumas já com as velas e lamparinas acesas.

Alcançou enfim a velha ponte Vecchio. Um calafrio percorreu-lhe a espinha. Sabia que, ao atravessá-la, estaria em Florença, a mais fremente das cidades da época. Em San Gimignano ouvia-se falar dos encantos, da beleza, das inovações que a capital da Toscana sofria e produzia, mas era uma realidade muito distante para Francesca, que nada entendia de arte, nada entendia de vida citadina, nada entendia de aglomerações urbanas, nada entendia de política e menos ainda de economia! Tudo o que a jovem sabia era plantar e colher, lavar e enxugar, cozinhar e temperar... e amar. Amar de todo o coração, com todas as suas forças. Mas ali, atravessando aquela ponte estreita que estava tomada de bancos e mesas nos quais mercadores e negociantes agitados ofereciam seus produtos e serviços, ali ela sabia que o amor de nada serviria.

Açougueiros, ourives, artesãos, todos se anunciavam calorosamente, deixando-a impressionada e um tanto confusa com a gritaria. Pessoas se aglomeravam em frente a uma ou outra banca, carregavam cestas e pacotes. Havia gente indo para lá e para cá. Movimento! A primeira impressão que tinha da cidade era a de movimento constante. Ao cruzar a ponte, tomou uma ruela cujos edifícios, em ambos os lados, davam a impressão de que alguém observava cada passo seu. Adentrou uma nova rua à direita e logo viu, mais adiante, a grande torre de uma construção imponente feita de tijolos e que se assemelhava a uma fortaleza.

Os passos lentos e amedrontados a levaram até a Piazza della Signoria – o centro político da cidade. Andava devagar, quase sem sentir, absorta no vaivém de pessoas, autoridades eclesiásticas, homens de negócios com rolos de papéis embaixo dos braços, alguns jovens rapazes, com seus *chaperons* e *poulaines*, tirando medidas dos próximos monumentos, conversando, gesticulando. Florença era um organismo vivo e pulsante cuja grandeza Francesca não conseguia apreender. Aproximou-se do Palazzo Vecchio, donde entravam e saíam homens bem vestidos e aparentemente assoberbados. Era um período de tensos conflitos políticos entre as tantas repúblicas e ducados italianos, e Florença, sendo a maior e mais rica de todas, comumente estava no centro dos alvoroços e da inveja de governantes rivais. Havia sempre um complô sendo arquitetado entre as *famiglie* e dinastias inimigas. Pairava sobre os grandes a eterna desconfiança, especialmente após a Conspiração dos Pazzi, que levara a vida juvenil de Juliano de Médici três anos antes.

A jovem Francesca, mesmo não tendo grande ciência acerca desses assuntos, podia quase sentir o cheiro da tensão política misturando-se à euforia criativa que parecia simplesmente brotar de todos os recantos da cidade. Caminhando devagar pela Piazza, viu a escultura imponente de um leão dourado num canto esquerdo do Palazzo Vecchio. Encarou os olhos imóveis da estátua e sentiu calafrios, pois ela parecia prestes a soltar um rugido assustador. Decidiu procurar um lugar para passar a noite e algo para comer. O dia já concluía seu curso e a noite não tardaria a tomar seu lugar.

Percorreu as ruas em busca de abrigo. Entrou numa ourivesaria, ofereceu-se como criada. Nada conseguiu. Tentou uma alfaiataria, também sem sucesso. Uma oficina de artesanato, uma lojinha de pães e queijos, até mesmo algumas igrejas e residências. Nada. A noite chegara mais friorenta do que ela gostaria e não possuía roupas extras nem agasalhos. Os pés doíam e o corpo ainda se ressentia da violência sofrida na noite anterior. Chegou então num pequeno quadrante central no qual se dispunham várias banquinhas. O movimento das ruas diminuíra consideravelmente, mas ainda assim era possível concluir que ali funcionava um mercado. O cheiro característico de frutas, verduras, restos de carnes e peixes, além de cães, gatos e ratos que disputavam os restos de comida, não deixavam muito à imaginação. Olhou em volta. Sentia fome e sede. Mais adiante, estava escrito numa placa de madeira TAVERNA DEL GASTONE. Francesca não sabia ler, mas logo percebeu que se tratava de um lugar público, pois ouvia risadas, vozes altas, e um alaúde tocado animadamente. Não tinha certeza de que seria um local apropriado para ela, mas de fato, àquela altura, as certezas todas lhe sumiam. Resolveu entrar.

Assim que atravessou a porta de madeira, foi recebida pelo mormaço do ambiente. Muitas pessoas sentadas em volta de mesas muito simples de madeira bebiam, jogavam, fumavam. Muitos homens, algumas poucas mulheres exibindo decotes um pouco mais profundos do que aconselharia o bom senso – algumas sentadas no colo de homens claramente bêbados. Cheiro de carne assada e suor azedo se misturavam. Não conseguia imaginar quem eram aquelas pessoas. Ficou próxima à porta, supondo que talvez devesse sair quando um senhor embriagado quase caiu por cima dela, derramando sobre seu vestido metade de uma caneca cheia de vinho. Mas, como estava com medo de ficar sozinha à noite naquela cidade desconhecida, decidiu entrar mais um pouco, tentando identificar quem seria o chefe ou proprietário. Observou os homens servindo as mesas. A maioria era muito jovem. Então, ouviu alguém chamar de uma mesa.

– Gastone! Ó, Gastone!

De uma porta pequena saiu um senhor alto, branquelo e gorducho, bochechas rosadas, barba aloirada, cabelos emaranhados e bastante suado. Tinha cara de poucos amigos, como, aliás, quase todos naquela espelunca. Dirigiu-se até a mesa de onde fora chamado, conversou um pouco, gesticulou e saiu. Parecia irritado. Em seguida, prostou-se atrás de um balcão de onde servia bebidas e orientava alguns dos rapazes que atendiam às mesas. *É ele!*, pensou Francesca. Tentando passar despercebida pelos clientes, que não disfarçavam a estranheza e admiração por ver uma moça tão atraente naquele antro, ela se aproximou do tal Gastone, que estava de costas. Com a voz trêmula, falou:

– *Signore?*

O pançudo se virou, olhou-a de cima a baixo com a testa franzida e clara impaciência. Analisou as marcas no rosto da jovem, mas nada falou. Ela, ainda mais nervosa, resolveu continuar:

– *Signore*… me chamo Francesca… venho de San Gimignano e… não conheço ninguém nesta cidade, estou desamparada… Pergunto-me se o senhor estaria interessado em contratar meus serviços em troca de abrigo?

– Não, não é possível. *Fuori*!

– *Ma signore*…! Por misericórdia! Não tenho onde ficar…

– *Ma questo non mi interessa*! Isso aqui é uma taverna, não uma estalagem! Vai embora, anda!

Francesca ficou alguns segundos encarando-o, com os olhos cheios d'água, sem saber se ia embora dali ou se insistia, quando um rapaz se aproximou com uma vasilha de madeira cheia de pedaços de carne encruados e malcheirosos. Ouviu-o dizer a Gastone:

– *Signor* Ercolo mandou devolver o porco. Disse que está podre, uma porcaria.

Gastone passou a palma da mão na testa, tentando enxugar o suor e conter a indisfarçável irritação. Falou para o rapaz:

– *Va bene, va bene*! Logo não servirei mais nada do que Concetta cozinha!

Ei-la! A oportunidade!

– *Signore*! Eu sei fazer isso!

Enfurecido, respondeu:

– *Ma non* te mandei embora?

– *Signore*, eu sei cozinhar muito bem! Sei cortar, temperar, salgar, curar e posso até mesmo abater um porco, se desejares!

Uma palavra chamara a atenção dele.

– Sabes curar carne?

– Sei, sim, *signore*. E muito bem! Produzia *prosciutto*, *spalla* e *pecorino* em San Gimignano. Sei assar pães, sei costurar, lavar, limpar, tudo o que precisar!

Gastone encarou-a com incredulidade, pois não sabia se devia acreditar numa jovem tão atraente e cheia de hematomas. Sentia um aroma acentuado de alecrim. Pensou em perguntar-lhe sobre as marcas no rosto e nos braços, mas logo outro chamado era ouvido. Fez sinal para que esperassem e ordenou à Francesca:

— Venha comigo.

Temerosa, a moça acompanhou-o pela portinhola que dava para uma estreita escadaria de pedras. Subiram passando por uma saleta no lado esquerdo, na qual se viam vários móveis, mesa, cadeiras, algumas lamparinas, um pequeno cachorro. Subiram mais um pouco, para o segundo e último andar, de onde se podia sentir um cheiro asqueroso de algo sendo cozido. Era a cozinha. Gastone entrou falando alto para uma mulher gorda, baixinha e atarracada que se debruçava sobre o fogareiro.

— Concetta! Esta moça veio para cozinhar para nós.

Ela devia ter por volta dos quarenta anos. Faltavam-lhe dois dentes inferiores, tinha os olhos castanhos um tanto repuxados e rosto rechonchudo. Usava uma touca de pano encardido e suava em bicas. A mulher olhou para Gastone com descrédito.

— *Ma che* está inventando, Gastone? Quem é *questa ragazza*?

— Pois é uma moça de San Gimignano, que não tem onde ficar e que vai cozinhar para nós em troca de um teto.

— *Ma che* teto? Não temos teto, não temos lugar para ela ficar, não temos como pagar-lhe, Gastone! Não me venhas com ideias uma hora dessas!

— Se ela souber cozinhar como diz, pode dormir lá embaixo, quando o último cliente sair.

Concetta nem se virava para encará-lo. Continuava mexendo o interior do caldeirão fedido com uma grande colher de pau.

– Não podemos pagar, Gastone! Como vai pagar *questa* moça, hã?

– O pagamento será um lugar para dormir e comida, mulher! Não vamos dar nenhum dinheiro. Agora anda, sai daí. Deixa-me ver o que a menina sabe fazer.

Até então, Francesca permanecia quieta num canto próximo à porta, apenas escutando a conversa dos dois, extremamente nauseada com o fedor que saía da panela. Gastone fez sinal para que ela assumisse o fogareiro.

– Anda! Faz tua comida. Quero ver se é melhor que a da minha esposa.

Concetta pôs as mãos na cintura. Francesca revezou o olhar entre um e outro e não teve opção a não ser se aproximar do caldeirão fumegante. Uma nata esbranquiçada se formara em cima de um caldo viscoso, grudento e turvo. A jovem quase vomitou o resto do pão que comera. Pondo a mão sobre o nariz, perguntou à Concetta:

– *Signora*, o que cozinhas aqui?

– Tripas de porco – respondeu a mulher, mal-humorada.

Francesca não aguentava mais o cheiro que a carne exalava. Perguntou de novo:

– Vocês têm algumas especiarias? Pimenta, alho, ervas?

– *Scusa*, mas não vou ficar de ajudante na minha própria cozinha! Vocês dois que se virem! – disse Concetta, contrariada, tirando o avental e o jogando numa mesinha num canto, onde estavam vários vidros contendo diversos temperos.

Sentindo-se mais à vontade sem o olhar inquisidor de Concetta, Francesca tomou coragem e falou para Gastone:

— Ouça, *signore*, se me permitires, farei algo delicioso sair desta panelada, garanto! Dá-me apenas alguns minutos.

Gastone, que estava sendo novamente chamado pelos jovens rapazes lá embaixo, resolveu conceder o tempo que Francesca pedia:

— *Va bene*, tu terás teus minutos. Mas se não fizeres o que dizes, estás fora de minha taverna ainda hoje!

E sem esperar que ela respondesse, Gastone se retirou, deixando-a sozinha com um belo desafio nas mãos.

Após cerca de quarenta minutos, os clientes no salão estavam ainda mais embriagados. A animação atingia o auge e uma boa comida seria ideal para satisfazer os clientes que reclamavam cada dia mais dos aperitivos servidos na taverna. Exasperado, Gastone se dirigia à portinhola que levava ao interior de sua residência decidido a expulsar Francesca de lá, quando ela finalmente surgiu com uma grande tigela de madeira nas mãos, suando em bicas, cabelos úmidos grudados na face delicada e no pescoço. Foi até Gastone, com um olhar esperançoso, dizendo:

— Aqui está, *signore*!

Depositando o recipiente no balcão, Francesca continuou:

— Fritei as tripas na própria banha, *signore*. Pus alguns temperos, encontrei alguns limões. Prova-os! Ficam muito saborosos assim.

Sem se conter diante do aroma inegavelmente mais agradável do petisco, Gastone pegou uma tripa e levou à boca. Era sequinha e crocante, perfeita para acompanhar as bebidas que saciavam os clientes. Satisfeito e animado, o homem falou:

— Fizeste um belo trabalho, menina! Anda, prepara outros dos teus quitutes! Preciso faturar algum dinheiro.

— Sim, *signore*. Mas… então eu poderia ficar?

— Conversamos mais tarde, *ragazza*. Agora, volta ao trabalho. Sobe!

Francesca balançou a cabeça concordando, sentindo-se mais aliviada, apesar do extremo cansaço e fome que sentia. Voltou correndo à cozinha, preparou lascas de carne e ovos, caldos para serem servidos com pedaços de pães, fritou alguns torresmos que encontrou. Era uma cozinha caótica! Buscou fazer o melhor que pôde com o que tinha à disposição. Somente por volta das três da manhã, exausta, Gastone ordenou-lhe que parasse.

– É suficiente por hoje. Agora, espera o último bebum sair e poderás encontrar um canto para dormir por aqui mesmo – disse ele, num gesto que abarcava o pequeno salão. Antes que ela pudesse fazer mais perguntas, completou: – Pela manhã, conversamos.

O cansaço a vencia. Decidiu então sentar-se num canto escuro do salão, à espera de que o último homem saísse. Restavam duas mesas ocupadas, uma das quais muito próxima a ela, na qual quase cochilavam quatro homens, e três mulheres conversavam e fumavam, falando assuntos que faziam Francesca corar.

– Suco de limão, queridas! Levo sempre um ou dois limões comigo aos meus encontros. Funcionou até hoje.

– Já fiz uso do limão, mas fiquei uma semana sem suportar o coito! – respondeu a outra, em voz baixa, mas plenamente audível para Francesca. – O dito-cujo era muito bem arranjado, se me entendem. Machucou-me e, ao colocar o limão, senti ardores infernais!

– Uso algodão embebido em vinagre. Arde um pouco, mas é bem eficiente.

– Ouvi falar num chá que parece útil. Não me recordo o nome da erva…

– Ah, eu também já escutei rumores acerca de um tal chá. Fiquei muito curiosa…

Nesse momento, Gastone abordou os clientes:

— Meus caros, estamos fechando.

Teve dificuldade para acordar dois deles, mas enfim levantaram-se todos, deixando algumas moedas sobre a mesa. A jovem já não conseguia manter as pálpebras abertas quando o salão se esvaziou e a última lamparina foi apagada. Antes de desaparecer atrás da portinhola, Gastone disse:

— Descansa, *ragazza*. Mais tarde tens trabalho a fazer.

Francesca não tinha escolha além de deitar no chão duro e frio e dormir. Embora fosse muito desconfortável, seu corpo suado e dolorido não se negou àquele descanso merecido. Sequer teve tempo de pensar em tudo o que havia passado, lembrar-se de Giane, Jeremias, ou de seu pai e dos machucados que ainda doíam. Apenas deitou, fechou os olhos e sono a engoliu rápida e impiedosamente, dada a ausência de conforto.

Acordou na manhã seguinte com um cão fedido lambendo seu rosto. Era o cachorro de Gastone, um vira-lata branco com manchas marrons espalhadas pelo corpo.

— Sai! Sai daqui, bicho nojento!

O cão se afastou e Francesca limpou o rosto. Era muito cedo. Suas costas, pescoço e ombros doíam insuportavelmente. Encarou o teto por alguns segundos. O mofo e as teias de aranha brigavam por espaço. E veio enfim à sua mente a lembrança de sua vida em San Gimignano. Do pai, dos irmãos. De Jeremias. Do cheiro de Giane, dos braços calorosos do ex-noivo. De seu quarto, sua cama, seus poucos pertences. Pôs-se a chorar compulsivamente. Sentia-se triste e sozinha, sentia medo. E sentia saudade. Era terrível admitir que chegara ao ponto de sentir saudades da vida que levava em San Gimignano. Lembrou-se de que sua mãe sempre aconselhava seu pai e irmãos a serem gratos por tudo, mesmo pelas coisas ruins, afinal, nunca se sabia quando podiam piorar. Ali, deitada no chão de pedra de um antro de bêbados, enxugando as lágrimas e o nariz, Francesca entendia exatamente o que a mãe queria dizer. Assim que se sentou, ouviu passos abafados descendo as escadas. E logo Gastone apareceu, com cabelos arrepiados, cara amarrotada e muito mal-humorado.

— Anda, *ragazza*! Ainda dormes?

Com certa dificuldade, Francesca se pôs de pé, dizendo:

— Não, *signore*. Já me levantava, acordo cedo...

— Sobe à cozinha e toma teu desjejum. Depois desce para conversarmos.

Ouvindo todos os ossos estalando, Francesca subiu até o último andar, onde Concetta colocava duas conchas de uma mistura esbranquiçada numa pequena vasilha de madeira. Ouviu a carrancuda senhora dizer:

— Aqui está teu mingau, garota. Depois desce para tratar com Gastone.

— Sim... Sim, *signora*.

Concetta enxugou o suor da testa com um pano imundo que trazia pendurado no ombro e saiu do recinto, deixando Francesca sozinha com o prato de aspecto duvidoso à sua frente. Não fosse a fome intensa que sentia, teria tido náuseas devido àquela comida, mas não pestanejou em puxar uma banqueta e tomar o mingau salgado e grudento.

Após terminar de comer, Francesca desceu ao salão, onde Gastone a aguardava com uma vassoura na mão. Entregou-a, dizendo:

— Aqui. Todos os dias tu varres o salão, arrumas e limpa as mesas e tiras o pó. Depois ajudas Concetta na cozinha e nas tarefas da casa. Farás tudo o que te for mandado, *capisci*? Sem reclamar nem questionar nossas ordens. Estamos te fazendo um grande favor recebendo-te aqui. É bom que não te esqueças.

– Não, *signore*! Jamais!

– Ótimo. Serás paga com abrigo e com comida, mas só deves comer daquilo que te dermos, sim? Terás duas refeições por dia, uma pela manhã e outra à noite, quando terminares os serviços. Não deves pegar nada sem pedir, entendeste? Concetta e eu estaremos de olhos bem abertos. Se desobedeceres, rua! Se não fizeres tuas tarefas, rua! *Capisci*?

Entristecida e temerosa, Francesca balançou a cabeça. E então Gastone concluiu, antes de se prostar atrás do balcão:

– *Bene*! Então começa teu trabalho. Depois Concetta te conseguirá umas roupas limpas.

De costas para a jovem, enquanto arrumava algumas ânforas de vinho para a noite, Gastone assoviava. Francesca se pôs a varrer o salão tristemente, sabendo que, a partir daquele momento, seria uma escrava ou uma sem-teto.

Capítulo 4

Naquela noite abafada completavam-se exatos três meses desde que Francesca fora *acolhida* por Gastone. Três meses tristes, longos, sofridos e famintos. Gastone e Concetta mostraram, já nos primeiros dias, que não pretendiam tratá-la como uma igual. Sua alimentação limitava-se a um pão velho ou um mingau ralo pela manhã e algumas sobras à noite. Ela não podia comer carne, a não ser quando conseguia pegar os restos abandonados nos pratos de clientes. Com isso, emagrecera alguns quilos e estava pálida, cansada e fraca.

No início, ainda conseguia comer alguma fruta enquanto cozinhava, mas fora flagrada por Concetta e Gastone quase a expulsou, dando-lhe duas bofetadas enquanto a arrastava escada abaixo gritando "Ladra! Ladra!". Francesca ajoelhou-se e aos prantos rogou pelo perdão do casal, prometendo que jamais faria novamente. E graças à intervenção de dois dos rapazes que trabalhavam servindo as mesas, Gastone capitulou e a perdoou. A moça sentiu-se grata aos jovens, mas por pouco tempo. Após o ocorrido, eles começaram a fazer insinuações quanto ao belo corpo da jovem e cada vez mais Francesca sentia dificuldade de se proteger das mãos insolentes que a apalpavam quando ela passava, como se não fizessem nada errado.

Também naquela noite completavam-se cinco dias desde que um dos ajudantes de Gastone fora acometido por uma grave pneumonia e faltara ao trabalho. Além disso, Concetta passou todo aquele dia acamada em virtude de disenteria. Como consequência, Francesca tinha de se revezar entre os serviços na cozinha e na taverna, além de ajudar Concetta com o que precisasse.

Ela detestava trabalhar no salão, detestava aquela proximidade com homens malcheirosos, bêbados e lascivos. Era comum testemunhar um ou outro vomitando tudo o que já havia bebido antes de pedir mais uma rodada de vinho e cerveja. Eram brutos, animalescos, e nunca perdiam a chance de dirigir-lhe palavras jocosas e vulgares. Francesca sentia-se exausta. Tinha a testa suada e franzida, as pernas trêmulas, estava faminta e sentia raiva e tristeza. Diariamente tentava imaginar uma forma de sair daquela situação, talvez ganhar algum dinheiro e assim melhorar de vida.

Uma vez, uma mulher que acompanhava um dos clientes lhe contara sobre um bordel não muito longe dali, onde provavelmente poderia conseguir abrigo e alguns trocados, mas Francesca nem sequer considerou essa opção. Guardara-se por dois anos para o homem que amava e ainda sonhava com o dia em que teria uma família completa e feliz. E esse dia havia de chegar, pois ela acreditava no Deus justo e misericordioso com o qual falava todas as noites, entre lágrimas, antes de dormir.

A moça descia a escada carregando duas grandes bacias de madeira com toucinho frito, alguns pedaços de presunto cru que ela mesma preparara e tripas de porco. O aroma era torturante! Seu estômago roncava e, àquela altura, até o pedaço de pão velho lhe fazia falta. Deixou os recipientes no balcão e já subia os primeiros degraus em direção à cozinha quando ouviu Gastone falar:

– Ó, *ragazza*! Espera, volta aqui.

Suspirou. Voltou para junto do velho.

– Sim, *signore*?

O homem lhe empurrou uma cumbuca contendo alguns pedaços das carnes que preparara.

– Leva isto para a mesa do canto que estão esperando. Anda!

Francesca sabia que a mesa do canto era a mais recuada, na junção entre uma parede lateral e a de entrada. Atravessou o mar de mesas, banquetas, pessoas e fumaça. O chão estava molhado n'algumas partes, formando uma lama asquerosa que grudava nas sandálias. Ela usava um vestido antigo da juventude de Concetta. Apesar de desbotado e rasgado na barra, era bem cinturado e tinha um decote que deixava o colo alvo à mostra. Aproximou-se da mesa, na qual dois jovens bebiam vinho e conversavam animadamente. Um deles tinha os cabelos aloirados e largas costeletas, o outro tinha os cabelos negros e bastante ondulados, revoltos, olhos escuros e sobrancelhas grossas. Francesca os serviu rapidamente, dizendo apenas:

– Aqui está, *signorini*. – Ela estava muito cansada e já sentia a cabeça doer.

O loiro à sua direita respondeu:

– Ora, viva! Estou faminto! – exclamou, antes de encher a boca com pedaços de presunto. Francesca sorriu com tristeza e fez menção de retornar ao balcão, quando o moreno, que estava à sua frente, pediu:

– Poderia nos trazer mais uma jarra de vinho?

– Pois não, *signore* – respondeu, sem conseguir encará-los. Só queria chorar de fome.

Voltou ao balcão e avisou Gastone sobre o pedido. Sem falar uma palavra, ele lhe estendeu uma jarra de vinho cheia para que levasse à mesa. Olhava para o chão, tentando não tropeçar n'algo ou n'alguém. E a todo tempo era observada com atenção pelo rapaz de cabelos negros, que aguardava o vinho e sentiu o aroma acentuado de alecrim tão logo a jovem se aproximou. Francesca servia uma caneca quando ouviu o rapaz perguntar:

— Tu és nova por aqui?

— Não, *signore*. Estou aqui há três meses.

— Ah, por isso a comida melhorou TANTO! — rebateu o outro, sorrindo e enchendo a boca com pedaços de toucinho crocante.

Francesca sequer conseguia se sentir lisonjeada naquele ambiente quente e hostil. No meio da noite os homens começavam a se agitar falando alto, espalmavam as mesas e frequentemente discutiam. A moça sempre temia que uma briga generalizada se instalasse. Olhava para os lados enquanto servia a segunda caneca, quando o moreno voltou a falar:

— Nunca te vi por aqui.

— Trabalho na cozinha. Estou ajudando *il signore* Gastone, pois um dos funcionários está muito adoentado.

— Sei... Tu não és de Florença, és?

Uma gargalhada escandalosa chamou a atenção da jovem. Um barbudo logo atrás dela tremelicava a pança e, o copo transbordando bebida enquanto ria de alguma coisa que os companheiros diziam. Distraída, temendo levar um banho de vinho nas costas, Francesca respondeu:

— Não, sou de San Gimignano.

— Qual o teu nome?

Só então Francesca encarou o homem que a enchia de perguntas. Ele segurava a caneca já cheia de vinho com a mão direita.

No dedo anelar tinha um anel com uma pedra escura e avermelhada. As mãos eram longas, esguias e másculas, com unhas sujas de tinta e o olhar mais penetrante que ela já vira na vida. Pele branca e barba curta tomando seu rosto. A sobrancelha direita arqueada mostrava que ele estava aguardando uma resposta. Havia nele algo de invulnerável e misterioso que a deixou com medo. Não transmitia um pingo sequer de confiança, assim como todos naquela cidade! Cismada e incomodada, Francesca respondeu, deixando a jarra na mesa:

– Er... Adriella.

Ele estava prestes a falar mais alguma coisa, quando um grito aborrecido atravessou o salão, vindo do balcão:

– Franceeesca! Sobe agora, que Concetta precisa que esvazie o penico! *Andiamo, andiamo*!

Ela fechou os olhos. Respirou fundo. O auge da humilhação. Não só fora desmascarada, como agora todos sabiam que ela deveria jogar fora as fezes de Concetta! Pensou que fosse desmaiar de ódio! Quando abriu os olhos, os rapazes a olhavam zombeteiros. O moreno disse então, deixando-a ainda mais constrangida:

– Bom, parece que você tem muito trabalho a fazer... *Adriella*.

Com lágrimas nos olhos, a moça se virou e saiu em direção à escada. Aquela noite podia acabar naquele momento. Melhor: Deus poderia tirar o resto de vida que ainda existia dentro dela e poupá-la de mais sofrimentos. Os dois rapazes observaram-na se afastando. Ainda ouviu o loiro dizer:

– Nossa! Sinto pena dessa pobre miserável...

O moreno concordou e tomou mais um gole de vinho enquanto acompanhava o vestido da jovem sumir pela pequena porta de madeira que levava ao primeiro andar. O cheiro de alecrim, tão presente enquanto eram servidos, havia se dissipado. Ficou inserto em seus pensamentos até que o companheiro o trouxe de volta:

– Ê, Vincenzo! Tu não comes? Reclamavas mais do que eu!

O moreno apenas sorriu de volta, mastigando tripas de porco e presunto. Voltaram à bebida e às conversas amenas, enquanto Francesca rezava para aquela noite terminar logo.

Seguiram-se àquela noite outras tantas iguais. Noites e dias em que a fome, o cansaço, a raiva e a incerteza acompanhavam a outrora doce e delicada jovem. Francesca se transformava, pouco a pouco, numa mera lembrança da moça apaixonada que vivia em San Gimignano. Já sequer tinha forças para sentir saudades, tão malnutrida estava. Por duas vezes, pegou-se amaldiçoando o próprio pai. O choro, que antes irrompia pelo medo e pela tristeza, agora brotava do rancor e da frustração.

Em algumas manhãs ela era designada a comprar frutas, verduras, carnes e peixes no Mercato Vecchio. Nessas ocasiões, sentia-se tentada a fugir, a correr sem rumo com as moedas de Gastone, quem sabe voltar para casa, para San Gimignano. Contudo, sua honestidade e o medo das consequências sempre a impediam. O máximo que conseguia era dar voltas nos quarteirões próximos à procura de outro emprego, ou abrigo, ou oportunidade, ou saída... Mas nunca tinha êxito. Sempre retornava exausta para a taverna e cada vez menos esperançosa. Porém, numa manhã ensolarada e fria, foi surpreendida pela magia transformadora do inesperado.

Francesca escolhia peixes com todo o cuidado para fazer ensopados, e sempre saía cedo para conseguir os mais frescos.

Terminava de pagar e recolher as moedas de troco quando uma voz grave atrás de si a assustou:

— *Buongiorno, signorina* Adriella.

Ela se virou alarmada. Era um rapaz alto, branco, cabelos pretos ondulados mal acomodados atrás das orelhas, olhos da mesma cor dos cabelos, sobrancelhas grossas e barba curta e uniforme tomando parte de seu rosto. Exibia um sorriso simpático, como se a conhecesse, embora Francesca não fizesse ideia de quem fosse, e na verdade nem ele devia fazer ideia de quem ela era.

— Desculpe, *signore*. Estás me confundindo com alguém. *Mi scusi…*

Dizendo isso, segurou com firmeza a cesta contendo os peixes e frutas e se afastou, ou ao menos tentou.

— Não, não te confundo com ninguém. Sei que te chamas Francesca.

Ela parou, sobressaltada.

— Como? O que disseste?

— Não te recordas de mim?

— Não, eu… deveria?

Ele sorriu, mostrando os dentes brancos e perfeitos. Sua postura era leve e descontraída, brutalmente diferente da de todos os homens que conhecera até então.

— Acredito que não. Deixa-me ajudar. — disse ele, fazendo menção de pegar a cesta. Num gesto reflexivo, ela se afastou e negou o favor.

— Não, obrigada. Estou bem. Agora devo ir. Com licença.

— Espera, gostaria de falar com a *signorina*.

Ela seguia a passos rápidos e ele a acompanhava.

— Estiveste me servindo na taverna algumas noites atrás. Disse-me que teu nome era Adriella, mas logo depois Gastone chamou-a pelo nome antes de, bem... mandar-te limpar os excrementos da aborrecida esposa.

Francesca parou no meio da rua. Pessoas iam e voltavam carregando cestas, pacotes, oferecendo produtos, guiando bodes e porcos para o abate. Alheia a todos ao redor, ela o ouviu dizer, enquanto se postava ao seu lado.

– Recordas agora? Eu estava na companhia de um amigo naquela noite...

– Sim. Me recordo – interrompeu ela, acanhada ao lembrar-se do imenso constrangimento que passara.

O jovem permaneceu ao lado dela, observando-a. Voltava a perceber o aroma leve de alecrim fresco. Francesca o encarou. Ele sorriu, mas ela não devolveu a gentileza. Ele então se apresentou:

– Meu nome é Vincenzo. Vincenzo Mantovani. Eu sou pintor e escultor. Ou tento ser... – afirmou, mirando os olhos no chão, sem saber se um dia realmente sentir-se-ia como tal. Depois, voltando o olhar ao dela, continuou:

– Bem, eu gostaria de convidar-te para posar para mim.

Francesca piscou repetidamente, incrédula.

– O que... disseste?

– Gostaria de pintar-te, *signorina* Francesca. Posarias para mim?

– Mas... por quê? Por que eu? Não compreendo.

– Teu aspecto. Tu chamaste minha atenção sendo tão diferente das mulheres florentinas. Tens uma compleição... como dizer...? Corpulenta. Fornida! Por isso gostaria de realizar alguns estudos anatômicos tendo a ti como modelo.

Francesca voltava a andar devagar, tentando se desvencilhar da abordagem estranha. Sentia-se envergonhada pela descrição e indiscrição do seu interlocutor.

— Não, *signore*, perdão, mas creio que poderás encontrar outras moças que possam te ajudar...

Vincenzo insistiu, ainda a acompanhá-la:

— Certamente, há várias modelos que posam para mim, tanto no meu humilde estúdio particular quanto no do meu mentor. Porém, interessa-me tua fisionomia, teu físico, apesar de perceber-te um pouco magra. Esteve adoentada?

— Não. Eu... trabalho muito.

— Bom, imagino que trabalhes.

Ela continuou caminhando em direção à taverna e já alcançava a soleira quando despediu-se do estranho rapaz.

— Desculpa-me, *signore*, mas realmente devo dizer...

— Serás paga para isso.

Francesca parou no momento em que alcançava a maçaneta, e atrás de si Vincenzo aguardava uma resposta positiva. Ela refletiu por alguns segundos. Ser paga! Era o que mais desejara desde que saíra de San Gimignano. Virou-se para ele, que a encarava com altiva segurança.

A moça, com a testa franzida e ainda desconfiada, mas bastante tentada, quis ter certeza:

— *Il signore*... pagará?

— Evidentemente. Bom, devo dizer que não é muito, pois como disse sou aspirante, mas sim, pagarei.

Francesca observava as pessoas passando, mas sua mente vagueava, imaginando se deveria aceitar. Fazia quase quatro meses desde que chegara a Florença e não havia tido um dia sequer de felicidade, de paz naquele lugar. Tendo dinheiro, mesmo que pouco, poderia se alimentar melhor e, quem sabe... voltar para casa? Se voltasse com algumas economias, talvez o pai a aceitasse de volta. Apenas imaginar sentir de novo o cheiro da casa, do pomar, ver os irmãos... Essas lembranças a encheram de calor e esperança. Seus devaneios foram interrompidos por Vincenzo:

– *Signorina*, posso ver a dúvida em teus olhos. Não tenho a intenção de causar-te qualquer embaraço. Façamos o seguinte, venha me visitar no meu ateliê numa tarde que tiveres tempo e conheças o meu trabalho. Assim poderás dar uma resposta segura.

Francesca o encarou com receio. Vincenzo continuou:

– Conheces a Piazza di Santa Croce?

Diante da negativa da jovem, Vincenzo deu as coordenadas de como chegar ao ateliê. Por fim, tomou-lhe a mão direita, beijou-a delicadamente e despediu-se:

– Até mais, *signorina* Francesca. Espero que possas me ceder a oportunidade de mostrar-te como meu trabalho é sério e que não pretendo prejudicar-te.

E assim, Vincenzo se afastou caminhando com tranquila desenvoltura até desaparecer entre os tantos anônimos que por ali passavam. A barba do rapaz contra a pele de Francesca a deixara arrepiada. Era incômodo – ou assim ela quis definir. Adentrou a taverna com um suor gelado descendo-lhe o pescoço. Os gritos enfezados de Gastone trouxeram-na de volta à realidade. Uma realidade a qual Francesca sonhava cada vez mais poder transformar.

Capítulo 5

Alguns dias se passaram desde que Francesca recebera o estranho convite do rapaz desconhecido. Não fora ao ateliê, tampouco o vira novamente na taverna, mesmo porque ela já não descia com tanta frequência desde que o funcionário adoentado havia se recuperado. Voltou a ficar exilada na cozinha sentindo o aroma dos pratos que cozinhava sem poder prová-los. Às vezes sequer provava os temperos do que preparava, pois Concetta sempre pousava os olhos vigilantes sobre ela. Não sabia quanto tempo mais seu corpo aguentaria a exaustão e a fome.

A proposta do pintor sempre voltava à sua mente e receber algumas moedas era uma possibilidade que a atraía cada vez mais. Pensava nisso quando um novo furo aparecia em suas roupas já puídas, ao receber o mísero de comida, quando ouvia os xingamentos de Concetta e as humilhações de Gastone. Seu estômago era corroído pela falta de alimento assim como seu coração era pela falta de amor.

Giane ainda assombrava seus pensamentos, embora com menos força. Ainda assim, se pegava chorando algumas madrugadas, recordando a maneira desprezível como o ex-noivo a havia tratado. Talvez ele já estivesse noivo de novo ou até casado com alguma mulher melhor do que ela. Tentava a todo custo entender o porquê de sua vida ter sofrido tão pesado golpe. Porém, como não encontrava respostas, calava a alma e buscava incessantemente deixar para trás o que, infelizmente, não voltaria.

Numa noite em que se sentia especialmente esfomeada, viu Gastone subir as escadas enquanto ela mexia um enorme caldeirão de ensopado. Ele trazia um prato na mão contendo um pedaço de lombo de porco que ela mesma havia preparado. O velho foi em sua direção e isso a deixou feliz e surpresa, imaginando que enfim Gastone permitiria que ela se alimentasse melhor. Entretanto, o homem se abaixou ao seu lado e entregou o pedaço de carne para o cachorro. A moça olhou a cena, incrédula! Ali ficara provado que ela era menos importante do que aquele cachorro rabugento! Assim que ele desceu, Francesca permitiu que as lágrimas caíssem de seus olhos. O cansaço finalmente atingira o ápice. No dia seguinte, daria um jeito de encontrar o tal pintor.

Não foi tão fácil driblar Gastone. Mesmo ela tendo acordado cedo e adiantado todas as tarefas, o velho turrão ainda desconfiava de sua justificativa – que iria visitar uma velha conhecida da família. Afinal, ela havia dito que não conhecia ninguém na cidade e nem mesmo recebia qualquer correspondência. Mas Concetta, talvez enciumada pela perseguição do marido à bela jovem, o persuadiu a deixá-la sair um pouco.

Era por volta das duas da tarde quando finalmente encontrara a tal Piazza di Santa Croce. E, sem demora, localizara também a casa que Vincenzo havia apontado: paredes amareladas, janelas de madeira e um arco de ferro na entrada onde se lia STUDIO DI

Mantovani. Era um belo edifício, bem cuidado e arejado. Tinha no mínimo dois andares, com detalhes em *pietraforte* no beiral das janelas. Sentiu o medo mordiscando seu estômago vazio. Decerto havia alguém lá, mas... quem? E se ele estivesse sozinho? E se fosse tudo parte de um golpe para tirar proveito dela? Esses pensamentos faziam suas mãos suarem de aflição.

À distância, analisou o movimento do local por alguns minutos, para verificar se alguém entrava ou saía do prédio. Passaram-se quinze minutos sem que nada acontecesse. Enfim, uma gorda mulher vestindo um longo avental e uma touca de pano abriu a porta, sacudiu a sujeira de alguns tecidos do lado de fora e retornou para dentro. *Excelente!*, pensou ela. Ao menos havia uma mulher no lugar, que poderia ser a mãe dele, ou a criada. Talvez até mesmo a esposa. Respirou fundo e caminhou em direção à porta. Deu três batidas sonoras e esperou. Logo o som do ferrolho sendo aberto foi ouvido e a mesma mulher reapareceu, muito séria:

— Pois não?

— Er... *Ciao, signora*. Vim a convite do *signore*... hum... — Piscou os olhos repetidamente, tentando lembrar o nome do rapaz. Começava a se sentir muito envergonhada e percebeu a mulher franzir a testa, desconfiada. Enfim o nome veio à tona e ela disse sorrindo, aliviada: — Vincenzo! *Signor* Vincenzo é o nome dele.

A mulher parruda não parecia nada simpática; analisou Francesca de cima a baixo em silêncio e a deixou bastante desconfortável.

— Bem... hum... *il signore* está?

Virando o rosto para dentro da casa, a mulher berrou:

— *Signor* Mantovani! Há uma *ragazza* à tua procura!

Francesca assustou-se com a voz esganiçada que ouvira. Vincenzo apareceu logo em seguida e sorriu ao reconhecer a jovem:

– Ora, Francesca! Já não acreditava que virias.

Acanhada, a moça permaneceu em silêncio. Não sabia o que dizer diante da expressão enigmática do pintor. A mulher que a atendera se retirava da presença dos dois, bufando. Era ainda mais mal-humorada do que Gastone e Concetta juntos! Ao perceber a timidez da jovem, Vincenzo falou:

– Vem, entra! Conheça meu ateliê.

– *Scusi*... – disse ela, segurando o lenço puído que trazia sobre os ombros.

Ouviu a porta fechando-se atrás de si. Logo estava diante de uma enorme sala. À esquerda, um divã com detalhes dourados. Havia também cadeiras de madeira e banquetas em volta de uma pequena mesa redonda perto de uma janela. Duas mesas menores abarrotadas de materiais e várias telas encostadas nos cantos e penduradas nas paredes. Dois cavaletes que sustentavam duas telas inacabadas, papéis espalhados contendo rabiscos de tórax masculinos muito bem delineados. Um cheiro forte dominava o ambiente e fez Francesca espirrar.

– Ah, deves estar sentindo o cheiro da tinta, não é? Perdoa-me, é um tipo novo de tinta que me foi emprestada por um colega. Cheira forte, é a base de óleo, mas demora mais a secar. Também levei um tempo para me adaptar. Logo te acostumas – explicou Vincenzo, sem parecer se importar muito.

O rapaz tinha os cabelos presos num rabo de cavalo curto, mas alguns fios negros e ondulados pendiam soltos na testa. A barba parecia um pouco mais espessa e as mangas da camisa de linho dobradas até os cotovelos revelavam os braços masculinos sujos com algumas manchas de tinta. Ele ofereceu uma cadeira para

Francesca se sentar, o que ela fez vagarosamente, ainda segurando o lenço nos ombros, em claro sinal de desconforto, pois nunca visitara ninguém em Florença. Na verdade, não se recordava de ter visitado alguém em toda sua vida.

Vincenzo puxou uma banqueta para sentar-se ao lado dela quando ouviram batidas na porta. Ele atendeu, era o rapaz que o acompanhara na taverna naquela noite.

— Enzo! Entra, entra! Lembra de Francesca? — indagou, apontando para a jovem sentada na cadeira. Francesca não conseguiu sorrir. Apenas balançou a cabeça. Além de constrangida, começava a se preocupar com a demora. Enzo encarou-a, franzindo o cenho:

— Ela não é aquela moça...?

— Sim, finalmente ela resolveu aparecer! — disse Vincenzo, enquanto pegava uma garrafa em cima de uma das mesinhas. Sorveu alguns goles direto do gargalo e ofereceu para Francesca. Ela recusou:

— Não, obrigada.

Em seguida, Enzo recebeu a garrafa e bebeu um pouco. Sentando-se no divã, ele falou, escolhendo bem as palavras:

— *Bene*, Vincenzo, por acaso encontrei Verrochio a caminho daqui e creio que tu não irás gostar do que acabei por descobrir...

Enzo esfregava a testa, sem saber como transmitir a má notícia. Já desconfiado, Vincenzo arguiu:

— O quê? Anda, conta-me logo! — insistiu, sentando-se na banqueta. Testa franzida, olhos raivosos de quem já sabia as palavras que ouviria. E de fato:

— Bem... Ghirlandaio deverá executar a *Apoteose*.

Vincenzo fechou os olhos e abaixou a cabeça. Ficou alguns segundos quieto, sem que se pudesse ver seu rosto. E de súbito, levantou-se totalmente enfurecido:

— *Porca miseria!* — gritou, virando-se de costas à moça.

Enzo se referia à obra *Apoteose de S. Zanobi e ciclo de homens ilustres*, um afresco que comporia a Sala dos Lírios no Palazzo Vecchio. Alguns grandes nomes haviam sido cotados para obter a comissão e Vincenzo nutria reais esperanças de ser considerado para o trabalho, o que lhe proporcionaria excelente exposição.

– Sinto muito, Vincenzo – limitou-se Enzo, pois não havia muito a dizer.

Alessandro, seu mentor, até tentara usar de sua influência para que Vincenzo conseguisse a importante comissão, mas sem sucesso. Próximo à janela, com o olhar perdido nos transeuntes, o jovem artista só pensava que mais uma vez a oportunidade se desfazia diante de si como a poeira que empesteava as brisas de verão. Uma vez mais, grandes nomes se tornavam maiores, ao passo que o dele parecia fadado a figurar entre os incógnitos.

Incomodada com a situação, sem saber se devia permanecer ali e temendo que o tempo se alongasse, Francesca falou:

– *Signore*... sinto muito... mas não posso me demorar. Podemos conversar sobre a proposta que me fizeste no outro dia?

Voltando os olhos à sala, o jovem suspirou resignado.

– Sim... claro...

Sentou-se na banqueta novamente e agora parecia não apenas frustrado, mas cansado também. Apoiando os cotovelos nos joelhos e esfregando as mãos, começou:

– Bom, *signorina* Francesca, como podes ver, meu ateliê é bastante pequeno, simples. Comecei há pouco a trabalhar aqui por conta própria, pois até algum tempo atrás me limitava a auxiliar meu mentor em suas produções. Chama-se Alessandro, Alessandro Bellini, deves ter ouvido falar...

– Não, nunca ouvi.

— De todo modo, não importa. Como já havíamos conversado, eu gostaria de retratar-te, de realizar alguns estudos com *la signorina*. Alguma vez já posaste para alguém? Sabes como é feito o trabalho?

O coração da moça pululava.

— Hum... *no, signore*.

— Explicarei para ti. Temos um modelo — no caso, *la signorina* — que fica imóvel numa posição confortável, ou então de pé, dependendo de como será a obra. E então buscamos captar aquilo que nos interessa.

— Aquilo que vos interessais?

Vincenzo passava a mão nos cabelos. Não era fácil explicar o que se sucedia na mente de um artista:

— *Bene*... como posso dizer... ah, já sei!

Levantando-se, buscou uma das obras inacabadas. Era o perfil de uma mulher madura, de cabelos claros presos no alto da cabeça por uma tiara cravejada de pedras preciosas. Os olhos pequenos e a boca delicada traziam algum equilíbrio para o nariz aquilino. Vincenzo apoiou-o no colo, apontando suas características.

— Vês *questa signora*? Ela se chama Bianca. Madame Bianca Dellabona. É uma grande amiga de meus pais, natural de Bolonha, assim como eles. Vem de uma família próspera de comerciantes. Deu à luz três filhos, um deles morto ainda criança. Perdeu vários parentes para a peste ao longo dos anos. E há alguns meses tornou-se viúva. E ainda assim, mantém a postura altiva e uma alma virtuosa. Ainda conserva uma doçura materna no olhar e, creio eu, alguma esperança no coração. Meus pais pediram-me que a retratasse, para que pudessem presenteá-la. Fui até ela, fiz um rascunho. Pretendo terminá-lo nos próximos dias, para entregar aos meus pais em Bolonha.

Francesca continuava sem entender muito o que tudo aquilo teria a ver com o desenho. Para ela, parecia um mero perfil. Muito bonito e bem feito, é verdade. Então Vincenzo, como se adivinhasse o que se passava na cabeça da moça, completou a explanação:

– Sabe, *mia cara* Francesca... Talvez tu olhes para essa pintura inacabada e vejas apenas o perfil de uma *signora* qualquer. Mais um rosto envelhecido pela passagem dos anos. Mas queres saber o que vejo? Eu vejo resiliência. Vejo força, tenacidade, coragem, abnegação. E se tu decidires ver com cuidado, poderás perceber, além das olheiras e dos sulcos na pele, todas essas qualidades que acabo de mencionar.

Francesca estava boquiaberta. O pintor gesticulava apaixonadamente enquanto falava. Ela então quis saber:

– Perdoe-me, *signore*, mas... sabes quem é essa mulher. Tu a conheces, bem como sua história e seu sofrimento. Não seria essa a razão para que vejas tantas virtudes?

Vincenzo a encarou seriamente contraindo os olhos, como se tentasse ler os pensamentos da jovem, enquanto voltava a perceber o aroma de alecrim. Começava a se perguntar porque ela trazia consigo aquele cheiro marcante e característico. Francesca desviou os olhos, inibida e insegura. Ele então respondeu:

– Talvez *la signorina* tenha alguma razão. É decerto possível que o fato de conhecer a história de Madame Bianca tenha me auxiliado a decifrar a sua essência. Contudo, *signorina* Francesca, todo artista necessita ter a habilidade de desvendar mesmo aquilo que ele ignora. Saber enxergar além da íris de cada olhar. Saber ouvir o que o outro não diz. Conseguir ler o que nem sequer foi escrito. Todo artista é na verdade um explorador, *cara mia*. Um pioneiro, um desbravador! Alguém que se atreve a ir até os confins da própria alma. Um artista nunca teme respostas. É um devotado ouvinte do inaudível e um observador do invisível.

Francesca se encolheu ainda mais. O olhar daquele homem era demasiadamente intenso. E isso a assustava, fazendo-a se sentir como um roedor escondido na toca, ciente da águia faminta à espreita. Resolveu ser objetiva, pois o tempo passava rápido:

— *Bene, signore*… Então por que estou aqui? Qual é a proposta?

Sem responder, o pintor levantou-se, levou uma cadeira ao centro da sala e pediu:

— Vem, *signorina*. Senta aqui, por bondade.

Embora receosa, ela obedeceu. Vincenzo tomou nas mãos um papel amarelado, parecido com um pergaminho, sentou-se em frente a ela de modo a capturar seu perfil angular, posicionou a seu lado uma banqueta com um vidro de tinta e, segurando um pedaço de carvão, pediu:

— Agora, *signorina*, peço que retires o manto que te cobre, por gentileza.

Francesca corou:

— Por quê?

— Desejo esboçar teu rosto e colo.

Ela começava a suar e a tremer. Respondeu:

— O… o colo? O rosto não seria suficiente, *signore*?

Vincenzo ficou sério. Respirou fundo e reuniu toda a paciência possível:

— *Cara mia*… Acredito que te recordes do que conversamos na feira, quando convidei-te a vir até aqui. Falei-te que desejava realizar alguns estudos anatômicos com *la signorina*. Sabes que anatômico se refere ao corpo, *no*?

Sem conseguir encará-lo, deixou cair o lenço, acomodando-o sobre as pernas. Vincenzo falou:

– *Grazie, signorina*.

Não obteve qualquer resposta da moça, que mantinha os olhos voltados para baixo. Então, Vincenzo pediu:

– Poderias levantar o rosto?

Ela obedeceu, mas sem encará-lo. Ele então continuou:

– Por bondade, mantenha teus ombros eretos.

Assim ela o fez. Vincenzo não parecia satisfeito. Fez um novo pedido:

– Poderias soltar o cabelo?

Francesca suspirou, constrangida.

– Soltar o cabelo?

– Sim. Seria muito incômodo?

Sem coragem de contestar, Francesca levou as mãos à cabeça, desfazendo o coque que prendera com cuidado. Os cabelos dourados caíram-lhe sobre os ombros. Vincenzo não disfarçou o encantamento. Ela era de fato a moça perfeita para o trabalho que ele desejava realizar. Quase eufórico, falou:

– Queira levar tuas madeixas para trás, *signorina*. Deixa teus ombros livres.

Francesca sentia uma vergonha indescritível! Ter um homem tão intimidador observando-lhe de maneira tão implacável e lhe dando ordens intermináveis era tarefa para a qual não estava preparada. Vincenzo pediu que ela unisse as mãos sobre as pernas, olhasse diretamente para ele e permanecesse imóvel. O coração da moça disparava ao pensar no tempo que já havia se passado. Precisava voltar para a taverna e Vincenzo mal havia começado a rabiscar alguns traços. Apenas continuava dando-lhe instruções:

– *Signorina*, poderia abrir um ou dois... Dois botões do vestido?

Aquilo era o limite!

— O que disseste?

— Pedi que abrisse dois botões do vestido.

— Por que me faz tal pedido?

— Creio já ter explicado, *signorina*.

Envergonhada e ofendida, cansada, faminta e temerosa pela demora, Francesca levantou-se de um ímpeto, pondo de volta o manto sobre os ombros, enquanto Vincenzo a observava, surpreso.

Quase chorando, ela disse, enquanto voltava a prender o cabelo:

— Escuta, *signore*, creio que me explicaste, de fato. Mas talvez o senhor não entenda que sou uma moça que merece o mínimo de respeito!

Levantando-se também, Vincenzo rebateu:

— Em que momento faltei-te com respeito, *signorina*?

— Pediu-me para tirar o manto, eu o fiz. Pediu para soltar os cabelos, o fiz. Mas agora tens a audácia de pedir que abra meu vestido? Que tipo de mulher pensas que sou?

— Não pedi que abrisse o vestido, *signorina*! Não tenho intenção alguma de causar-te esse tipo de embaraço, e deixei isso muito claro.

— Pois é surpreendente como, mesmo não querendo me causar desconforto, foi exatamente o que fizeste!

— Achas mesmo que a chamaria até aqui para me aproveitar de ti? E perante um amigo para testemunhar o ato? — Vincenzo respondeu irritado, elevando o tom de sua voz.

— O que sei, *signor* Vincenzo, é que não pretendo me despir para ti. Sou pobre, é verdade, mas tenho dignidade! Não permitirei que ninguém queira tirar vantagem de mim dessa forma.

Vincenzo aproximou-se dela, com ódio no olhar. Em voz baixa, respondeu entredentes:

A Madona *e a* Vênus   65

— Acredite, *cara mia*: se de fato desejasse isso de ti, teria agido de maneira assaz diferente! E creia-me, não teria dificuldade alguma em conseguir de ti ou de qualquer outra dama exatamente o que quisesse!

Francesca arregalou os olhos. A petulância de Vincenzo era ultrajante! O ódio subiu-lhe pelo corpo e poderia ter desferido uma tapa no rosto do pintor não tivesse ele levantado a mão direita em seguida, e dito:

— Mas sabes? Tens toda razão. Não és a pessoa certa para o trabalho que desejo realizar.

Dizendo isso, afastou-se em direção a uma mesinha num canto. Abriu uma gaveta, retirou de lá duas moedas, estendendo-as para Francesca com desprezo.

— Toma. Aqui está teu pagamento. Obrigada pelo seu tempo, *signorina*.

Enzo observava a discussão compenetrado. No fundo, até se divertia. Francesca não queria aceitar um centavo de Vincenzo, mas a fome lhe falava muito mais alto aos ouvidos. Estendeu a mão, aceitando as duas moedas do pintor. Em seguida, Vincenzo se dirigiu à porta e, abrindo-a, falou:

— Podes ir, *signorina*. Estás dispensada.

A vontade de chorar lhe invadia. Desde que chegara àquela cidade maldita, não houvera um dia sequer no qual não se sentiu humilhada, e lá estava ela novamente experimentando essa amarga sensação. De cabeça baixa, Francesca saiu em silêncio. E ouviu a porta se fechar fortemente atrás de si.

Capítulo 6

VINCENZO SAÍRA MUITO CEDO naquela manhã, pois enfrentaria longas horas até Bolonha e cavalgar debaixo do sol a pino era extremamente desgastante. Levava a tela de Madame Bianca Dellabona finalizada. Sua vontade mais íntima era muito simplesmente entregar a obra aos pais e retornar para Florença, mas sabia que essa atitude causar-lhe-ia muitas dores de cabeça.

Vincenzo era o mais novo dos três filhos do fidalgo Bento Ferrarezi Mantovani, um *signore* rico e influente que comandava uma rede importadora de tecidos e especiarias do Oriente para serem revendidos a peso de ouro na rota comercial europeia. Extremamente conservadores, Bento e sua esposa Helena jamais aceitaram a escolha do caçula de partir em busca de uma carreira artística. Os filhos mais velhos – Piero e Tommaso – cederam às investidas dos pais: Tommaso estudou Direito na célebre Universidade de Bolonha – também conhecida como *Alma mater studiorum* – e começava uma promissora carreira na área cível. Piero escolhera a Teologia e buscava uma carreira eclesiástica, demonstrando desde cedo o desejo de se tornar cardeal, o que enchia os pais de orgulho.

O caçula, porém, era o garoto curioso e sonhador que passava horas observando atentamente os movimentos e sons da natureza, deslumbrando-se com carcaças de insetos, com a força dos bois que faziam girar engrenagens ou com os gestos mais simples dos criados durante as tarefas domésticas. Distraía-se facilmente deitado sobre a relva, seguindo com o olhar o voo rápido dos pássaros ou inventando formas para as nuvens. Bastava fechar os olhos para se ver nadando num belo lago azul cercado por frondosas oliveiras. E cada coisa que sua mente aprendia ou imaginava era seguida por uma tentativa de reproduzir tal magia nos tantos desenhos a carvão que gravava nos mais diversos lugares. Desde os dez anos enfrentava a dura resistência de Bento, que costumava castigá-lo sempre que o via com as pontas dos dedos sujas de preto. Por noites dormia entre lágrimas devido à incompreensão do pai, perguntando-se de que maneira o convenceria da importância de cada momento absorto entre desenhos e imagens copiadas.

Ao final dos quinze anos, enfim, os pais aceitaram o inevitável e permitiram que ele se dedicasse à arte. A Escola de Belas Artes de Florença ainda não havia sido fundada, portanto, os que desejavam estudar técnicas de pintura e outras artes tinham de se candidatar a ajudantes nas oficinas dos artistas já renomados. E foi o que os pais de Vincenzo fizeram, permitiram, ainda que resignados, que frequentasse o ateliê do famoso Alessandro Bellini. O jovem demonstrava profundo interesse, técnicas apuradas e um senso estético aguçado. Repetia para si mesmo, diariamente, que um dia suas obras teriam espaço nas mais belas catedrais e nas paredes dos mais luxuosos palácios.

Apesar da pouca idade, sua grande ambição por vezes denotava certa arrogância, o que gerava graves atritos entre ele e seu mestre. Alessandro tinha consciência do imenso talento de

Vincenzo e por vezes sentiu-se diminuído perante a habilidade do jovem. Mesmo com os conflitos, o aspirante aprendera bastante com o mestre, a quem dedicava uma enorme gratidão.

Após muitos anos de convivência na oficina, Vincenzo resolvera que era hora de seguir o próprio caminho e, com a ajuda dos pais, que lhe cederam uma casa bastante confortável, inaugurou seu ateliê. Contudo, mesmo com um talento singular e a garra que lhe eram característicos, o jovem enfrentava dificuldades em se destacar na constelação de grandes artistas que aquele período produzia.

— Já dissemos a ti, Vincenzo, necessitas de um padrinho. Sem isso não terás sequer oportunidade de pintar paredes de graça! Mas preferes continuar ignorando nossos conselhos — ralhava Bento, durante o jantar naquela noite. O artista suspirava, buscando reunir toda a paciência existente dentro de si.

— Não ignoro teus conselhos, *papà*. Não renego a importância de um mecenas, mas estarei mesmo cometendo um grave pecado desejando preservar minha liberdade criativa? O que querem nas igrejas e catedrais são as velhas cenas religiosas que vemos há centenas de anos. Estou farto dessas imagens! E além do mais, sabemos bem que alguns desses "padrinhos" de quem o senhor me fala desejam apenas se verem retratados como santos em cenas sagradas, ou semideuses mitológicos. Não quero fazer uso da minha arte para canonizá-los!

— Ora, francamente, Vincenzo! Poupa-me de teu idealismo romântico! Escuta com atenção: se intencionas te tornares conhecido, necessitas pintar o que os ilustres desejam! Estive em Milão mês passado e pude observar obras magníficas, de colegas teus, inclusive! Soube há pouco que Botticelli está em Roma para decorar a Sistina, e até mesmo o sodomita recebe encomendas incessantes!

— *Papà*, peço-te novamente que não te refiras a Leonardo desta forma!

— Ora, se não fui eu quem o acusou de tal sacrilégio!

— E foi absolvido de tais acusações! Nada se provou contra ele.

Contrariado, já suando em bicas, Bento continuou a preleção:

— Não percamos o foco! É graças a que, tu poderias perguntar, que essas oportunidades brotam a teus colegas e nunca a ti, filho meu? Pois eu mesmo te respondo, é graças às bênçãos dos patrocinadores que tu tanto desprezas!

— Não os desprezo, *papà*! Não sou tolo, é claro que jamais desprezaria tal benefício. Ocorre que há uma forte concorrência artística em Florença e não consigo ter a atenção de nenhum patrono, por mais que tente!

— Ah, então agora a causa é a concorrência, *no? Va bene, va bene…* — respondeu Bento, sarcástico.

Vincenzo decidiu que melhor seria se empanturrar com o delicioso pato servido a entrar em discussões vãs com o pai. Bento provavelmente tinha razão: não conseguiria ir longe sem a proteção de um mecenas. Quanto ao seu pai, não conseguia fazê-lo acreditar em seu trabalho, já que ele, no fundo, não depositava fé no próprio filho e isso havia se tornado uma ferida aberta, uma mágoa. Ansiava por atingir o êxito e ser bem-sucedido sem a ajuda de Bento, para que pudesse provar ao pai o quanto ele esteve errado em duvidar de seu talento. Era preciso vencer por conta própria para calar o pai, para que os castigos da infância cessassem de doer. Sonhava com isso desde os dez anos e haveria de conseguir, nem que fosse em seu leito de morte!

Foi Helena que quebrou o silêncio:

— Teu pai, meu filho, nutre sinceras preocupações por ti. Ele está certo quando diz que necessitas de alguém que te apadrinhe. Aliás, meu marido, por que não contas a Vincenzo sobre sua conversa com a duquesa?

Vincenzo encarou o pai, atento à observação da mãe. Bento resmungou:

— Não acho que *nostro figlio* esteja interessado, *cara mia...*

— Conta-me, *papà*. De que duquesa fala minha mãe?

— *Signorina* Alessia Sforza, prima de Ludovico *"il Moro"*, tio do Duque de Milão, Gian Galeazzo Sforza. Estive fechando importantes negócios com ela semanas atrás e, durante nossas agradáveis conversas, falou-me que Ludovico anda interessado nas artes florentinas e que ela mesma desejava contratar um artista para decorar sua residência de veraneio em Roma. Tu sabes o que isso significaria?

Vincenzo parou de mastigar, compenetrado. No topo da lista estavam os Médici, e na sequência, ao lado de outras poucas, mas poderosas linhagens da Itália, estava a família Sforza, conhecida tanto pela prática do mecenato quanto pela crueldade com a qual castigava seus oponentes. O jovem não podia negar que se tratava de excelente oportunidade receber encomendas de qualquer um dos Sforza – que também eram aliados fiéis dos Médici.

Tamborilando os dedos na mesa, Vincenzo refletia. Perguntou ao pai:

— Admito que poderia ser uma valiosa oportunidade de mostrar meu trabalho, *papà...* O que sugeres que eu faça?

Satisfeito, Bento respondeu:

— Sugiro que prepares teus melhores materiais, *figlio mio*. Garanto que deverás receber em breve a visita da duquesa Alessia em teu estúdio.

Arregalando os olhos, indagou:

— Devo? Ela sabe sobre mim? Falaste algo?

— Claro que o fiz! Apenas desejava ver em ti o ânimo para isso; afinal, não poderia recomendá-lo para uma duquesa sem ver em teus olhos a certeza do comprometimento.

Vincenzo balançou a cabeça, em silêncio, sentindo-se ressabiado e confuso. Os Sforza, como os Médici, como quase todos os mecenas do período, exaltavam a beleza do Classicismo Greco-Romano — que o próprio Vincenzo também admirava. No entanto, temia que uma associação prejudicasse sua originalidade e a liberdade criativa. Mas, por fim, aceitou a oferta.

— Pois bem, *papà*. Seguirei teu conselho e aguardarei a visita da digníssima duquesa.

O restante do jantar foi agradável, repleto de conversas amenas e histórias de Bento sobre o êxito nos negócios. Mas, por dentro, a preocupação invadia o pintor.

Em Florença, Francesca voltava a viver os seus dias de fome e cansaço. Levara uma dura reprimenda de Gastone, mas ao menos conseguira comer algumas frutas e doces que comprara na feira com os trocados recebidos de Vincenzo. Numa situação normal, jamais teria aceitado um mísero centavo, porém, há tempos sentia fome e não havia como negar a possibilidade de se alimentar com algo melhor do que os restos da taverna.

Continuava presa ao fogão e às tarefas domésticas numa casa sempre imunda, à mercê do assédio dos ajudantes de Gastone e dele próprio. Numa noite, depois que Concetta se recolhera, enquanto Francesca terminava de guardar as sobras do que fora preparado para servir na taverna, Gastone aproximou-se dela por trás e ficou a roçar o quadril contra as nádegas da jovem. O velho estava bêbado e nem sequer conseguia realmente encostar-se em Francesca, impedido pela enorme barriga. Aquilo a fez se sentir violada! Não conseguiu dormir, apenas chorou e temeu que ele voltasse para tentar algo novamente. *Inexplicável é a capacidade da vida de se tornar um castigo cada vez mais desgraçado!*, pensava, revoltada. Todos pareciam querer se aproveitar dela. Era ultrajante!

Passaram-se duas semanas desde que visitara o ateliê de Vincenzo. Não havia mais moedas há pelo menos dez dias. Quando a fome apertava, sentia-se tentada a voltar e permitir que o pintor a retratasse como quisesse, mas sua dignidade a fazia resistir. Observara bem o espaço onde Vincenzo trabalhava: algumas garrafas vazias pendiam encostadas num canto, notou alguns esboços em cima da pequena mesa os quais retratavam, além de partes de corpos masculinos e respeitosos retratos de perfis, também mulheres despidas. Não conseguia sequer imaginar-se numa situação semelhante, com um desconhecido a observar sua nudez nos mínimos detalhes para imortalizá-la! A nudez era uma intimidade que não deveria ser dividida daquela maneira.

Embora admitisse que alguns desenhos eram realmente belos e muito bem trabalhados, a moça tinha certeza de que não conseguiria servir de modelo para tais trabalhos. E essa certeza acompanhou-a incansavelmente até ser acometida por uma violenta intoxicação alimentar causada por um mingau feito por Concetta com leite azedo. O gosto era terrível, mas talvez estivesse tão acostumada ao sabor desagradável do que comia na taverna que não cogitou negar o alimento. Como resultado, passou dias acamada, ardendo em febre, sofrendo de uma forte desidratação em virtude dos vômitos e da diarreia frequentes. Chegou a delirar e a ver uma aparição de sua mãe, chamando-a para acompanhá-la ao além. Até um frade foi chamado para lhe dar a extrema-unção. Contudo, a moça foi se recuperando aos poucos, à base de chás e pães que o casal, a contragosto, a deixava comer para não morrer.

No fim das contas, Francesca fizera muita falta na cozinha enquanto esteve adoentada, mas bastou que a moça conseguisse novamente colocar-se de pé para que a comida decente voltasse a lhe ser negada. Após a doença, ela comia ainda menos, temerosa do que ingeria. Seus ossos pronunciavam-se no rosto, estava extremamente fraca e sua pele perdera a cor e o viço. Já não tinha forças sequer para chorar de tristeza. Não conseguia cozinhar nem servir mesas como antes. Tudo lhe extenuava.

E então, numa manhã, enquanto transferia um caldeirão de sopa do fogareiro para a pequena mesinha da cozinha, sentiu uma tontura violenta e deixou cair todo o alimento. Concetta e Gastone, que esperavam a refeição sentados à mesa, foram atingidos por porções de sopa quente nas pernas, dando gritos exasperados:

— Ora, sua tola desastrada! Vês o que fizeste? — ralhou Gastone. Concetta, aproveitando-se do momento, despejou sua fúria sobre ela.

— FORA DAQUI, SUA INÚTIL! Sai desta taverna!

Francesca correu para limpar a bagunça que fizera e, tremendo, implorava o perdão do casal:

— *Pietà*, *signora* Concetta! Não fiz por mal. Estou fraca demais, senti-me zonza...

— Pois é disto que falo, és inútil para nós! Já não cozinhas com a destreza de antigamente, estás gastando muito mais do que produzindo! Não vamos ficar aqui sustentando tua doença. Anda! Sai desta casa!

Gastone, que se limpava num canto, ouvia atentamente a discussão, sem ter certeza de que aquela era a solução ideal e tentou ponderar com a esposa:

— Mulher, acalma-te. Foi um acidente, não vês? Francesca ainda pode ser útil para nós, apenas necessita se recuperar. E ter mais cuidado!

— Sei bem porque tu achas que ela será útil, Gastone! Ou tu pensas que não vejo os olhares que lanças para o decote dessa ordinária sempre que ela se abaixa? O que há então? São por acaso amantes?

— NO! *No, signora*, de forma alguma… — As lágrimas caíam da face da jovem.

O velho esfregava a mão na testa, impaciente. Na verdade, ele já vinha sofrendo cobranças de Concetta há algum tempo. A mulher sentia-se enciumada e incomodada com a presença juvenil de Francesca. E sua implicância intensificou-se após a doença da moça, que a transformara num fardo para eles.

Antes disso, Concetta aproveitara para aprender muitas receitas e truques observando a jovem na cozinha e agora sentia-se capaz de voltar a cozinhar o que fosse preciso na taverna. A mulher estava irredutível:

— Silêncio! Até tua voz me irrita os ouvidos! — E virando-se para o marido, deu um ultimato: — Se não a mandares para longe daqui, sairei eu mesma, Gastone! Vou para casa de *mamma* para nunca mais voltar! Anda! Resolve o que vai ser!

Muito aborrecido, Gastone bufou:

— Ah, *va bene, va bene*! Tu deves ir, Francesca. Não precisamos mais de teus serviços. Procura outro lugar para ficar.

Aos prantos, Francesca insistiu:

— *No, signore*! Por favor, me deixa ficar! Prometo melhorar, prometo que isso não se repetirá!

— CALA-TE, INÚTIL! Anda, desce essas escadas e sai de minha casa! — ordenou Concetta.

A Madona *e a* Vênus   75

A moça não se movia, apenas se humilhava ajoelhada unindo as mãos. Muito bravo, Gastone agarrou-a pelo braço e arrastou-a escada abaixo. Sentia-se prestes a explodir de raiva da própria esposa.

– Anda, anda! Antes que eu faça uma bobagem!

O velho abriu a porta da taverna e empurrou-a para fora, sob os olhares curiosos dos transeuntes, mas a moça insistiu em bater à porta:

– *Signore! Pietà! Perdonami, signore! Per favore! Per favore!*

Aquilo a fez lembrar-se da noite em que teve o quarto invadido por Giane, do desespero com o qual buscou socorro na casa dos futuros sogros e de como o auxílio lhe fora negado. Derrotada, Francesca sentou-se diante da porta, conseguindo apenas chorar seu infortúnio. Mais um. Quantos ela ainda suportaria? Após quase uma hora de súplicas, percebeu que de nada adiantaria continuar mendigando abrigo na taverna. Precisava procurar ajuda e guarida. Mas onde?

Caminhou a esmo com os braços cruzados à frente do corpo desconfiando de todos ao redor. Mais uma vez, não tinha dinheiro, nem roupas, nem alimento. Até mesmo sua beleza, tão estonteante e fresca, havia se esvaído em decorrência da má alimentação, da doença e da tristeza. Agora tinha profundas olheiras, lábios pálidos, pele ressecada e cabelos emaranhados. A bela Francesca de San Gimignano se transformara num mero fantasma.

Por horas buscou algum lugar para se abrigar. Ofereceu seus serviços em outras tavernas e casas, mas ninguém se interessava. Alguns homens tocavam-lhe os cabelos enquanto sugeriam propostas abusivas em troca de comida, o que ela veementemente recusava, sentindo-se humilhada e temerosa. A noite caiu e a moça se abrigou embaixo de um toldo próximo ao Mercato Vecchio. O frio e o medo a mantinham acordada enquanto ouvia os miados agressivos de gatos e o farfalhar sinistro de morcegos. Escondeu-se no escuro e, encolhida num canto, a jovem rezava para que ninguém a notasse até o nascer do sol. Nenhuma lágrima caía.

De manhã, tornou a vagar em busca de qualquer ponta de esperança. Passou por praças pedindo alguma esmola e comida aos mercadores desconfiados. Não havia quem se apiedasse da moça. Suas roupas rasgadas e sujas e seu caminhar claudicante faziam-na parecer uma indigente invisível. A indiferença dos passantes pesava-lhe no peito. Embora fosse de origem humilde e nunca tivesse tido posses, jamais havia experienciado a tristeza de tal marginalidade. Caminhava vagarosamente, sentindo as pernas trêmulas e fracas. Por vezes, o ar lhe fugia dos pulmões e penava para conseguir respirar fundo. Perto do meio-dia, sentiu a visão escurecer de repente. Encostou-se aos pés de uma estátua, tentando respirar e manter-se lúcida. Suava frio, sentia vertigens e calafrios. Sua respiração encurtava-se e se tornava cada vez mais lenta. Iria se entregar à morte. Não havia mais como permanecer de pé. Sua visão embaçada conseguiu, num último ato de resistência, vasculhar as redondezas. E reconheceu, então, uma casa amarelada com detalhes em *pietraforte*.

CAPÍTULO 7

COM O PINCEL FINO, VINCENZO terminava de sombrear minuciosamente a curvatura abaixo do seio direito. Letizia tinha seios fartos, de auréolas escuras e pequenas, que ficavam ainda mais diminutas quando se arrepiavam. O pintor observava com desvelo cada pequeno traço do relevo da mulher seminua à sua frente, cujo manto avermelhado cobria-lhe apenas uma parte do corpo esguio. Cabelos presos despretensiosos em cima da cabeça, olhar lânguido voltado para o lado direito, velas dispostas de maneira que a luz incidisse sobre sua figura da direita para a esquerda, de baixo para cima. As janelas da casa estavam todas fechadas e cobertas a fim de evitar que a luz da tarde interferisse. A moça, após uma hora e meia naquela posição, deixou escapar um suspiro cansado, falando:

— Ah, Mantovani... Quanto tempo ainda me queres sentada nessa banqueta endurecida?

Vincenzo sorriu, sem desviar os olhos do seio que o pincel reproduzia:

— Acalma-te, Letizia. Já darei a ti alguns minutos de descanso.

Encarando-o, ela rebateu maliciosamente:

– Será mesmo que descansaremos?

Vincenzo sorriu de novo, desta vez encontrando o olhar da moça e logo voltou aos detalhes cirúrgicos do trabalho. Sabia que aquela obra era escandalosa e jamais seria escolhida para adornar as paredes célebres de Florença, e talvez por essa razão se sentisse tão excitado. O suor descia por suas têmporas, tão abafada estava a casa àquele horário. Fazia experimentos com a luz, explorando técnicas inovadoras e a perspectiva de corpos. Frequentemente finalizava o trabalho sentindo decepção tamanha que se via tentado a pôr fogo em algumas telas, no intuito de nunca mais se lembrar dos fracassos. Porém, noutras ocasiões, sabia que chegara muito perto do que idealizava, muito perto da beleza total, da poesia das cores. Nesses momentos, ficava absorto de modo a se deixar hipnotizar pelas pinceladas. Tal como acontecia nos momentos de intimidade, seu olhar se transformava e se fechava, como se um outro homem, uma outra parte do artista, tomasse seu lugar.

Seu frenesi foi interrompido por discretas, mas insistentes, batidas na porta da frente. Exasperado, Vincenzo gritou:

– Niccoletta! A porta!

Não ouviu resposta. Voltou a chamá-la com mais energia:

– Ô, Niccoletta!

Decerto a criada corpulenta estava escondida na cozinha empanturrando-se com pães doces, então, Vincenzo exclamou:

– *Porca miseria*!

Levantou-se, deixando na pequena mesa a seu lado o pincel e a paleta. Limpou a tinta de alguns dedos num trapo pendurado ao ombro antes de abrir a porta e dar de cara com uma moça suada, quase ajoelhada à soleira. Respirava com dificuldade, tinha uma tez pálida cadavérica e olhos semiabertos. Ouviu-a murmurar:

– *Signore... Signore...* eu deixo... eu deixo que me pintes... Por favor... ajuda-me.

Sentiu o característico aroma de alecrim e só então Vincenzo a reconheceu.

– Francesca? – exclamou assustado. E perguntou, abaixando-se para amparar o corpo magro da jovem: – Que houve, o que aconteceu?

Sem forças, a moça deixou-se apoiar nos braços de Vincenzo, que a levou para dentro, deitando-a no pequeno divã. Francesca parecia delirar.

– *Signore*, por favor! Pinta-me... como quiseres... prometo não reclamar... prometo... ajuda-me, *signore*! Estou des... desesperada... tenho fome... *signor* Gastone expulsou-me...

– Niccoletta! NICCOLETTA! Vem até aqui!

Letizia havia abandonado a banqueta e se enrolado no manto, e observava a moça agonizando e transpirando.

– Quem é ela?

– É uma moça que esteve aqui algum tempo atrás... Quis retratá-la, mas ela não permitiu... Diabos! Onde está a miserável da Niccoletta?

Levantou-se em direção à cozinha, onde a criada de fato preparava o almoço e se empanturrava com doces. Deu ordens para que ela providenciasse comida e água para a recém-chegada e retornou para a sala. Francesca fechara os olhos. Sua pele estava fria e úmida. Vincenzo segurou seu rosto, chamando-a:

– Francesca? Francesca! Vou trazer-te algo para comer. Precisas comer, entendes?

Ela apenas balançou a cabeça, voltando a cerrar os olhos.

A Madona *e a* Vênus   81

Niccoletta surgiu com uma bandeja nas mãos com uma jarra de água, biscoitos, frutas e pães. Providenciou também um pano embebido, que colocou na testa da jovem. Vincenzo segurou-a pela nuca, ajudando-a a levantar um pouco.

— Aqui, Francesca. Come algo, estás desnutrida!

Encostou um pedaço de bolo nos lábios da moça, que tão logo sentiu o cheiro adocicado invadir suas narinas, abocanhou o alimento desesperadamente.

— Calma, Francesca, senta um pouco mais – disse ele, ajudando-a a se apoiar. Ela não conseguia falar, apenas queria preencher o estômago. Logo sentiu o órgão arder e sabia que era resultado da falta de alimento.

Letizia a olhava com certa repulsa:

— Mas onde a conheceste, Vincenzo? Quem é ela, afinal? Mais parece uma... mendiga.

— Conheci-a na taverna de Gastone. É ajudante do velho, ou era...

Francesca escutava ao diálogo sem encará-los. A vergonha não permitia.

Letizia respirou fundo. Contrariada, foi em busca de um gole de vinho. Provavelmente já não poderia ficar a sós com Vincenzo, como planejava.

Após engolir pedaços de bolo e tomar alguns goles d'água, Francesca conseguia respirar melhor. Mas os olhos teimavam em fechar contra a sua vontade. Vincenzo então ordenou:

— Descansa um pouco, Francesca. Estás muito debilitada. Depois me explica o que houve.

Sem sequer responder, a jovem se deixou repousar, enquanto Vincenzo levantava e andava em círculos pela saleta, confuso. Letizia cobrou-lhe:

— E então? O que farás?

– Eu... não sei! Ela disse que foi expulsa da taverna. Vou esperar que acorde e a ajudarei encontrar um lugar para ficar. Deve ter parentes... – Vincenzo falava observando a pobre mulher dormindo. Percebia alguns hematomas nos braços, arranhões. Parecia ainda mais magra. Sua face adormecida não escondia a extrema fadiga que certamente a acometia. Um compadecimento desavisado invadia o pintor, e então ouviu a voz contrariada de Letizia:

– E o que faremos agora?

– Bom... fiz alguns bons rascunhos teus, creio que posso continuar a partir daqui. Marcaremos uma outra oportunidade essa semana, *sì*? – Percebendo a frustração da mulher: – Pagarei a ti o dia de hoje, Letizia. Não te preocupes.

– Não estou preocupada com isso, Mantovani. E tu bem sabes.

Agitada, a modelo se vestiu, tomou nas mãos o pagamento prometido e se retirou, sem ceder ao pintor o beijo costumeiro. Vincenzo não se abalou com tal atitude pois estava habituado aos arroubos enciumados das tantas mulheres com as quais se envolvia. Decidiu terminar o trabalho começado com Letizia enquanto Francesca dormia no divã. Concentrou-se no delicado romance entre a luz e a escuridão, nos movimentos tão sutis das pinceladas, no compromisso de transferir para a tela a realidade dos olhos sempre que a claridade afugentava as trevas. Silhuetas e sombras, as cores, as linhas, o misterioso *sfumato*, o degradê. O passeio lento por entre as formas, dando-lhes um novo significado, uma nova beleza. Pintar era uma catarse.

Alguns colegas e artistas contemporâneos a Vincenzo sentiam a pintura da mesma maneira que ele, intensa e visceral. Entretanto, existiam muitos outros que faziam uso do talento para galgar degraus em direção à alta sociedade, aos mecenas, aos papas e cardeais, aos nobres e ricos que muitas vezes nada entendiam de arte, mas eram cobiçados porque podiam pagar por ela. Vincenzo nutria verdadeiro horror a esses artistas. Era também por isso que receava a bênção de um mecenas, pois dificilmente o patrocínio chegava livre da influência do doador.

Pintou durante horas e, quando o sol já havia desaparecido, ouviu gemidos vindos do divã. Encarou a hóspede, que balançava a cabeça com a mão sobre o peito. O pintor abandonou mais uma vez o trabalho e se aproximou.

– Francesca? Como te sentes?

Ela ainda suava e parecia sentir-se mal.

– Estou enjoada... – grunhiu ela. Preocupado, Vincenzo foi à cozinha pedir que Niccoletta providenciasse um chá. Ao retornar com a xícara, percebeu que a jovem parecia adormecida. Chamou-a:

– Francesca?

Com dificuldade, ela abriu os olhos.

– Toma este chá. Tu te sentirás melhor.

Apoiando-a em seu antebraço esquerdo, a ajudou a tomar o chá. Em seguida, a jovem tornou a dormir. Vincenzo, ajoelhado ao lado dela, decidiu deixá-la descansar o quanto precisasse. Parecia muito fatigada e provavelmente demoraria a se recuperar. Enquanto a assistia respirar, analisou sua face. As sobrancelhas claras, a testa um tanto franzida, denunciando o sofrimento pelo qual ainda passava. Era uma mulher graciosa, sem dúvida. Parecia ter um bom caráter, apesar de exageradamente desconfiada e talvez até um pouco ingênua. Não conseguia supor o que de tão grave aquela moça poderia ter cometido para ser expulsa da taverna, apesar de não duvidar da desumanidade do sovina Gastone. Observou os cabelos emaranhados, outrora tão belamente caídos sobre os ombros. Mesmo emagrecida e adoentada, Francesca era ainda alguém que Vincenzo adoraria retratar. Talvez fosse possível fazê-lo em breve.

O belo artista respirou fundo e levantou-se. O cansaço finalmente chegara até ele. Arqueou as costas, ouviu alguns estalos doloridos. Deixou algumas velas acesas numa mesa da sala e se retirou em direção ao quarto no primeiro andar, onde se despiu e, ao deitar, foi logo tomado pelo sono profundo.

Na manhã seguinte, Vincenzo desceu a escadaria terminando de vestir uma camisa de linho branca, de mangas longas e soltas. Bocejava enquanto vencia os degraus e sequer recordava da hóspede no andar de baixo. Lembrou-se ao olhar de soslaio para a saleta à sua esquerda e ver apenas a cabeça de Francesca, que estava sentada no divã.

– Oh... bom dia, Francesca. Como te sentes? – indagou, esfregando os olhos e indo em sua direção. Ao se aproximar, percebeu que ela ainda parecia adoentada, apesar de mais corada.

– Eu... sinto-me fraca. Minhas pernas tremem...

– Estás desnutrida por demais. Já tomaste o desjejum?

– Oh, não. Não, eu... *signor* Vincenzo, perdoa-me por ter aparecido em tua residência assim, sem aviso. É que... sentia-me tão mal que achei que fosse morrer.

– Não te preocupes, não me deves desculpas. Fico feliz em poder ajudar.

Puxou uma banqueta e sentou-se próximo a ela. Antes de proferir qualquer palavra, viu Niccoletta aparecer na porta da cozinha.

– Ô, Niccoletta! Traz nossa refeição, *sì*?

A criada apenas assentiu, mal-humorada. Vincenzo sorriu e falou, em voz baixa:

– Não te deixes enganar pela carranca de Niccoletta. É uma boa pessoa. Cuidou de mim e de meus irmãos quando éramos crianças.

Papà decidiu que ela viesse me ajudar quando me mudei para o ateliê. Ela nunca gostou de Florença. Reclama do movimento. Mas acho que está é cansada de cuidar de mim.

Francesca ensaiou um sorriso. O estômago voltava a doer e ela fez uma careta que denunciou a dor.

— O que foi? Sentes algo?

— Meu estômago dói...

— Deve ser fome. Comeste pouco ontem. Fica tranquila, logo Niccoletta trará um café da manhã reforçado.

Francesca apenas o encarava, entre envergonhada e dolorida. Vincenzo perguntou:

— Bom, mas... o que aconteceu para estares neste estado? Por que te expulsaram da taverna?

A moça deu um suspiro contrariado. Sentia raiva de Gastone e Concetta.

— Ora, são dois mal-agradecidos egoístas aqueles dois. Me tratavam pior que o cão rabugento deles. Eu comia restos, adoeci por causa de uma mistura apodrecida que fui obrigada a comer, porque sentia fome. Tinha que trabalhar o dia inteiro sob a vigilância dos dois e ultimamente... Gastone vinha tentando se aproveitar de mim.

A testa franzida e os olhos marejados não escondiam a humilhação e a raiva que nasciam das lembranças. Ela continuou:

— Depois que adoeci, *signora* Concetta passou a agir de maneira ainda mais grosseira comigo. Eu estava fraca, quase morri! Disseram-me que até a extrema-unção me foi dada. Bem, tentei servir uma sopa para os dois, mas senti-me tonta e acabei derrubando caldo quente sobre seus pés. Era o que faltava para ser expulsa de lá, praticamente aos pontapés!

Um aroma agradável vinha da cozinha, fazendo seu estômago roncar e revirar.

– Eu saí perambulando pelas ruas, pedindo abrigo, um serviço, um pedaço de pão... mas todos me davam as costas. Ninguém me ouvia ou se apiedava do meu estado. Alguns velhos tentaram até me tocar! Dormi na rua, morrendo de medo, frio e fome. Caminhei, caminhei, caminhei... até que me percebi desfalecendo e foi quando reconheci teu ateliê. Eu não vi alternativa a não ser pedir tua ajuda....

– Fizeste o certo vindo até aqui. Tua aparência estava péssima! Temi por tua vida. – Vincenzo não notou a sobrancelha da moça arqueando-se levemente ao ouvir a última frase. Apenas continuou: – De fato ainda estás bastante enfraquecida e adoentada. Mas já pareces um pouco melhor do que ontem.

Nesse momento, Niccoletta adentrou o recinto carregando uma larga bandeja de prata com frutas, pães, geleias, chá, pedaços de queijo e biscoitos. Sem se conter, Francesca avançou em direção à comida, arrancando um sorriso de Vincenzo e um grunhido de desaprovação de Niccoletta.

– *Grazie*, Niccoletta. Podes ir.

A moça mastigava os alimentos com vontade, se deliciando e até gemendo de prazer. O pintor serviu-se de pão, geleia e chá, apenas observando a voracidade da jovem, entre impressionado e satisfeito. Após alguns minutos de silêncio, Vincenzo a interrogou:

– Então, Francesca, tens algum parente em Florença?

Ela se preparava para engolir os biscoitos que mastigava, mas a pergunta veio como uma mão invisível apertando-lhe o pescoço e estreitando o esôfago. Após engolir com dificuldade, respondeu, sem encará-lo:

– Não, *signore*.

Ele insistiu:

– Bom, mas tens parentes noutros lugares? Se bem me recordo, disseste na taverna que vieste de San Gimignano, não?

Francesca assentiu, ainda sem encará-lo. O pintor inquiriu:

— E em San Gimignano, tens família? Pai, mãe...?

— Minha mãe morreu há alguns anos.

— E teu pai? Não tens irmãs, tias... ninguém?

Francesca percebeu que não conseguiria escapar do interrogatório.

— Tenho meu pai... Mora com três dos meus irmãos que ainda restam solteiros. Os outros casaram, saíram de lá, não faço ideia de onde estejam.

— Ora, viva! Mas então tens *tuo papà* e três *fratelli*! Tens um lar, afinal.

— Não, *signore*. Isto não é verdade...

Vincenzo franziu a testa, sem entender. Francesca esclareceu:

— Meu pai expulsou-me de casa e estou proibida de retornar. Ele pôs fogo em meus pertences e fui obrigada a fugir apenas com algumas moedas e um pedaço de pão. Vim para cá junto a uma caravana de mercadores que seguia para o norte. Cheguei à taverna enquanto procurava um abrigo para passar a noite...

Vincenzo engolia o resto do chá. Limpou a boca na manga da camisa e quis saber:

— Mas... por que *tuo papà* te expulsaste de casa? O que pode tê-lo levado a tão extrema atitude com uma moça tão... frágil como *la signorina*?

Francesca corou. As lágrimas se acumulavam em seus olhos e ela fazia força para não deixá-las cair. Sentia-se tremendamente triste e constrangida.

— Eu... perdoe-me, *signore*, mas prefiro não falar sobre isso.

Mesmo contrariado, o pintor resolveu não insistir na pergunta, e emendou outra:

— Bom, mas nesse caso, o que pretendes fazer? Não me parece lógico que padeças tanto quando tens uma família e um lar. Como irás sobreviver em Florença?

Finalmente ela o encarou, se enchendo de coragem:

— Eu poderia… Poderia trabalhar para o senhor.

Vincenzo cruzou os braços, negando veementemente com a cabeça. Determinada, ela voltou a falar:

— *Signore*, posso ser muito útil a ti! Sei cozinhar, costurar, lavar, limpar, curar carnes… Posso fazer o que desejares nesta casa.

— Não, não! Perdoa-me, mas não necessito do teu trabalho. Para os afazeres domésticos já tenho Niccoletta…

— Eu posso auxiliá-la! Prometo fazer um bom trabalho…

— Não, Francesca. Eu não posso assumir o compromisso de pagá-la, não sou homem pródigo em riquezas.

— Não precisas me pagar. Basta me deixar ficar aqui…

— Não posso, Francesca. Tenho minha vida, meu próprio cotidiano. Costumo receber amigos em casa, algumas amigas também e… ora, desejo ficar à vontade! Sei que entendes o que quero dizer.

Francesca suspirou, desolada. Ele completou:

— Além disso, meu trabalho exige uma boa dose de solidão. Não consigo imaginar esta situação, sinto muito. — Sentindo o silêncio constrangedor engolir o ambiente, Vincenzo emendou: — Escuta, deixarei que fiques aqui até que te recuperes. Não te preocupes quanto a isso, não te enxotarei como fez o avarento Gastone. Te darei comida e um teto até que estejas saudável novamente. E então te ajudarei a conseguir algum trabalho. Conheço algumas pessoas na cidade, estou seguro de que podemos conseguir algo bom para ti.

Os olhos de Francesca se iluminaram com aquelas palavras que a encheram de esperança.

Vincenzo arrematou:

– E, bem, quem sabe… Posso até reconsiderar e pintá-la, como desejei semanas atrás. Já garantiria a ti algum dinheiro.

Francesca engoliu em seco. Obviamente receber um pagamento era uma oferta sedutora, entretanto, posar seminua, não. Notando a hesitação na mulher, Vincenzo arguiu:

– Tu me permitirias pintar-te? Ontem chegaste até aqui insistindo que eu te aceitasse de volta, que te retratasse em troca de ajuda. Na verdade, tu imploraste para que o fizesse. Ainda guarda o mesmo pensamento?

Sem coragem de negar a alguém que se dispunha a enfim acudi-la, Francesca assentiu:

– *Sì, signore*. Eu aceito.

Capítulo 8

Passaram-se dois dias até que enfim Francesca conseguiu se pôr de pé. Os joelhos ainda pareciam inseguros e caminhava vagarosamente pela residência ao amanhecer, antes mesmo que Vincenzo e Niccoletta levantassem. Pé ante pé, seguiu em direção à cozinha, que era muito diferente da cozinha da taverna. Para começar, estava no andar de baixo. Era razoavelmente limpa e organizada, possuía cabeças de alho penduradas e ervas frescas plantadas em pequenos vasos de barro. Passou os olhos pelos utensílios, os pães e os queijos cobertos por mantas de algodão. Notou um fogão à lenha com um forno.

Conseguiu identificar um pequeno pé de alecrim pendendo de uma janelinha à esquerda. Arrancou uma rama, pôs uma pequenina folha na boca e o resto dentro do vestido, abaixo do decote. Aspirou profundamente o aroma das flores delicadas da planta e a saudade de San Gimignano veio irresistível até ela. Lembrou-se dos campos esverdeados, das vastas plantações de açafrão e das oliveiras. Lembrou-se dos pomares carregados, do leite de cabra, do *pecorino* mergulhado em mel, do aroma dos pães recém-saídos do forno... Quantas lembranças doces haviam se tornado amargas graças à raiva do pai e à deslealdade de Giane.

Deu mais uma olhada por todo o pequeno recinto e retornou à sala onde havia se instalado nos últimos três dias. Aproximou-se da mesa usada por Vincenzo como apoio para os pincéis e tintas. Pinceladas de várias cores encobriam o tom amadeirado escuro do móvel. Ele costumava tirar o excesso de tinta dos pincéis na própria paleta, na mesinha e no cavalete. Todos apresentavam uma mistura caótica de cores, cujo resultado era uma miscelânea de inúmeras tonalidades. Reparou na quantidade de poeira em cima dos móveis e quadros espalhados pelo chão, papéis e pergaminhos enrolados desordenadamente, pincéis de várias gradações espalhados num canto e amontoados noutro. Ficava sem entender como Vincenzo conseguia trabalhar em meio àquela desordem.

Balançava a cabeça quando passou diante do cavalete onde repousava a pintura quase concluída de Letizia – que não havia retornado desde que Francesca chegara. Observou atentamente os olhos revelados pela luz, enquanto o ombro já desaparecia nas sombras. O seio direito desnudo, desenhado à perfeição. Parecia real, como se pendesse para fora da tela. Sem compreender o porquê, sentiu-se tentada a tocá-lo, como se pudesse sentir a pele macia e delicada da modelo. Esticou a mão esquerda, lentamente, em direção ao quadro e a ponta dos dedos quase tocava o mamilo quando a voz de Vincenzo a interrompeu:

— Bom dia, Francesca. Por favor, não toques na tela!

A jovem deu um passo para trás num susto.

— Oh! *Signor* Vincenzo! Perdoa-me... Eu não ia tocar, só observava... Desculpe-me.

O pintor fez um gesto demonstrando que estava tudo bem:

– A tinta não deve ter secado ainda, pois terminei os últimos detalhes ontem.

– Oh, entendo. Perdoa-me mais uma vez. Não se repetirá.

Vincenzo aproximou-se dela. O aroma de alecrim voltara.

– Como te sentes? Fico feliz em ver-te de pé, parece estar se recuperando a contento.

– Sinto-me muito melhor, *signore*. Minhas pernas ainda fraquejam um pouco, e a tontura incomoda por vezes, mas estou definitivamente num melhor estado graças à tua bondade.

– Ora, que é isso? Fiz apenas o certo, nada mais.

Encararam-se por segundos fugazes, até que ela desviou o olhar para o chão. Vincenzo resolveu desfazer o incômodo.

– Então? Tens fome?

– Oh, sim, *signore*. Certamente.

– Chama-me Vincenzo. Entendo que intencionas somente demonstrar respeito, mas me sinto um velho caquético sempre que te escuto me chamar de *signore*. Não devo ser tão mais velho do que ti, tenho vinte e sete anos.

– De fato, não é. Tenho vinte e um anos, *signo*…

Ela se deteve, arregalando os olhos, então os dois sorriram e seguiram em direção à cozinha.

– Vamos ter que nos virar hoje. Niccoletta não se sente muito bem – disse Vincenzo.

– Oh… O que há com ela?

– Dor lombar. Niccoletta a tem de quando em quando. Chega a passar dias tolhida à cama, pouco podendo se mexer.

Vincenzo separava algumas frutas para os dois. Notou que o mofo já tomara os pães totalmente.

A Madona *e a* Vênus   93

– Desgraça! Não temos pães. Comamos algumas frutas e queijo então, *sì*?

– Claro.

Separaram os alimentos e seguiram em direção à pequena mesa da sala. Enquanto comia, Francesca falou:

– Eu posso fazer alguns pães... se *il signore* permitir.

– Tu, Francesca. Se TU permitires.

Ela sorriu:

– Vi que *il signo*... que *tu* possuis um pequeno forno aqui. É perfeito! Posso inclusive cuidar da casa enquanto Niccoletta está adoentada...

– Não! – apressou-se Vincenzo. E pondo alguma maciez na voz, justificou: – Não precisa, minha cara. A casa está em ordem, há alguma comida disponível. E creio que Niccoletta não demore muito a estar novamente de pé. E, além disso, você ainda está bastante abatida, necessita se recuperar.

Vincenzo temia que Francesca começasse a se sentir muito à vontade, o que dificultaria mandá-la embora posteriormente. A moça entendeu o recado, mas não estava convencida de que obedeceria. Mesmo que ficasse por lá apenas alguns dias, seria agradável ajudar em alguma coisa, até como prova da gratidão que ela nutria.

Logo após o café da manhã, o pintor anunciou que estava de saída e que deveria passar boa parte do dia fora. Sugeriu que ela descansasse e a autorizou a comer o que e quando quisesse. Pediu apenas que levasse comida para Niccoletta. Francesca se prontificou a fazer o que ele pediu e pouco tempo depois Vincenzo saía, usando um colete por cima de uma veste marrom e um chapéu escuro. Francesca ficou alguns momentos parada, de pé no meio da sala, sem ter certeza do que faria. Já se sentia muito melhor desde que acordara e se alimentara novamente. As tonturas não haviam voltado e os joelhos pareciam mais firmes, então decidiu que faria o possível.

Vincenzo saíra em busca de Alessandro. Buscava manter contato com seu mentor frequentemente, na expectativa de ouvir boas-novas. Poderia ser, quem sabe, o escolhido para um novo afresco ou retábulo que o redimisse, que lhe abrisse as portas e os caminhos ao reconhecimento que tanto merecia. Além disso, as ruelas de Florença eram pródigas em notícias e fofocas — mesmo que a maior parte delas se referisse às ameaças constantes dos governos vizinhos. Ainda assim, sempre era possível encontrar uma nova oportunidade nas tantas bocas tagarelas que encontrava pelo caminho ao ateliê de Bellini. Ao chegar, encontrou o mestre agachado de costas, polindo uma superfície de madeira na qual pretendia fazer um retábulo que lhe fora encomendado. Virou-se ao ouvir a porta abrir.

— Ora, viva! Mantovani! Parece que ouviste minhas preces. Vem, dá-me cá uma ajuda.

Vincenzo aproximou-se, ajudando Alessandro a se levantar. Era já um senhor de sessenta anos, cansado e aduncо, cabeleira branca e rala a lhe descer pelos ombros. Em seguida, pôs de pé a superfície de madeira enquanto Alessandro retirava o pó restante.

— Que farás, Alessandro?

— Oh, um retábulo simples. Uma versão da *Madona do Cravo* para adornar a abadia de San Salvatore.

— *Che meraviglia!* — exclamou Vincenzo, admirado.

O mestre fez um gesto como se não fosse nada de mais. Em seguida, encarou o pintor.

— Creio que já sabes sobre a *Apoteose*...

Incomodado, Vincenzo respondeu:

— Sim, sim… Enzo já me informou…

— Sinto muito, Mantovani. Creia-me, não houve nada que pudesse fazer que não tenha feito. Mas ao que parece as palavras de um velho corcunda não são lá muito merecedoras de atenção.

Alessandro sentia-se triste por Vincenzo, e raivoso por si próprio. Na juventude, havia sido um pintor e escultor reconhecido e admirado, inclusive por alguns nobres florentinos. Mas aos poucos sua fama anuviou-se até quase desaparecer entre os tantos talentos da época.

— Não te preocupes, caro amigo. Estou certo de que fizeste aquilo que estava a teu alcance. Ademais, não está em meus planos desistir tão cedo — respondeu ele, buscando reunir toda a segurança possível.

Alessandro sorriu para ele, resignado. Tinha fé em Vincenzo desde o início e desejava verdadeiramente que o pupilo tivesse êxito na carreira.

Depois, Vincenzo foi ao encontro de Enzo e outros companheiros, retornando já ao anoitecer, levemente embriagado e com a camisa em desalinho. Assim que entrou em casa, sentiu um aroma agradável vindo da cozinha. O que quer que Niccoletta estivesse preparando, parecia ótimo! Jogou o chapéu em direção ao divã, passou as mãos repetidas vezes pelo cabelo e pôs a cabeça na porta da cozinha.

— Ora, viva! Niccole… — ele ia dizer que estava feliz pela governanta estar de pé, mas, na verdade, quem cozinhava era Francesca.

O aroma agradável era do pão rústico com especiarias que acabara de sair do forno naquele momento.

— Ó, *signor* Vincenzo! Boa noite! Niccoletta ainda está acamada, por isso tomei a liberdade de preparar algumas coisas por aqui e espero que não te importes. Ah, levei as refeições para ela no quarto, ainda reclama de muitas dores, a pobre mulher…

Francesca nem sequer o encarou. Temperava alguns pedaços de porco.

– O que estás fazendo aí? Disse a ti que não devias... Que não precisavas fazer nada!

Ela se virou, simpática:

– Sei que não, *signore*. Mas sinto-me muito melhor e esta peça já começava a cheirar um tanto mal... – Ele parecia confuso. Francesca, numa tentativa de dissipar o mal-estar, completou: – Não te preocupes, *signore*. O fiz apenas como forma de demonstrar minha gratidão por ter me acolhido, mesmo que seja por alguns dias. E também porque cozinhar desta forma me é agradável.

– Desta forma...?

– Bom, aqui posso provar o que preparo. Não sou obrigada a sentir as texturas e os aromas sem poder apreciar o sabor da comida, como acontecia na taverna.

O argumento foi suficiente para Vincenzo se dar por satisfeito. Entrou na cozinha e, sem falar palavra, arrancou um pedaço quentinho do pão recém-preparado. Na primeira bocada, sentiu uma leve crocância que agradou o paladar.

– Humm... isto está... divino! O que colocaste aqui?

– Amêndoas torradas e levemente moídas. Um truque que minha mãe me ensinou.

Mastigando e deixando escapar alguns grunhidos de satisfação, Vincenzo falou:

– Bendita seja sua mãe...

Francesca sorriu:

– Amém!

O pintor então ficou apenas a observar a desenvoltura da jovem. Apesar de ainda um pouco lenta, parecia realmente muito melhor. Talvez até conseguira recuperar um pouco do peso. Ele então perguntou:

— Bom, já que se sente bem, e de fato, parece bem, o que achas de posar para mim em breve?

Francesca o encarou, instantaneamente amedrontada. Vincenzo buscou apaziguar os receios que ela tinha.

— Ora, vamos. Não será nada de mais. Confia em mim, logo te sentirás à vontade. E não preciso prometer a ti que não me aproveitarei da *signorina*, não é? Acho que isso já está bastante claro.

— *S-sì... sì*, está claro. Eu... podemos tentar.

Após a ceia, Francesca retornava do quarto de Niccoletta com uma jarra vazia e um prato sujo quando notou Vincenzo debruçando-se sobre a tela de Letizia. Ela deixou os utensílios na cozinha e voltou para a sala, sem conter a curiosidade.

— Pensei que o tivesse terminado...

— Em realidade, terminei-o. Faço alguns poucos retoques.

A jovem caminhou lentamente até posicionar-se atrás dele. Cruzou os braços, atenta ao trabalho minucioso do pintor:

— Ficou muito bonito...

— Não estou certo de que concordo com ti... mas certamente já fiz coisas piores! — disse ele, sem desviar o olhar e as mãos do trabalho. Os olhos de Vincenzo acompanhavam um pincel finíssimo, que passeava cuidadosamente sobre os lábios de Letizia. Mais parecia uma carícia, um afago a uma boca prestes a ser beijada. Francesca deixou escapar, em voz baixa:

— Ela é uma bela moça...

Sem responder imediatamente, Vincenzo concordou:

— De fato...

A expressão do artista se fechava. Não queria perder nenhum detalhe do rosto de Letizia. Francesca se manteve em silêncio por alguns minutos e então suspirou, mansamente:

– Você gosta dela...

Surpreso, Vincenzo interrompeu o trabalho para encarar a moça atrás de si.

– Perdão?

Atordoada, ela respondeu:

– Disse que *il signore* parece gostar dela.

– Mas por que... De onde tiraste essa ideia?

– Do modo como a pintaste. Da perfeição dos seus traços, da intensa dedicação em fazê-la parecer tão real quanto possível. Parece-me um cuidado quase... afetivo.

Vincenzo sorriu da conclusão pueril de Francesca.

– Minha cara, não te deixes confundir. Todo o meu afeto está neste quadro, é verdade. Como esteve no de Madame Bianca, como está naquele outro ali... – disse, apontando para a figura austera de um *condottiero* numa tela ao lado. E completou: – Todavia, meu afeto reside tão somente na tela e em suas cores e tintas. Na mistura exata do solvente. Na luz ideal. Em vislumbrar a arte exatamente como a desejo. É nisso que mora o meu mais profundo afeto.

Francesca sentiu-se envergonhada por ter falado demais.

– Perdoa-me... Não quis parecer intrometida.

– Não há que se desculpar. Não foste intrometida, apenas ingênua.

Dizendo isso, Vincenzo retirou a pintura do cavalete e depositou-a num canto, para a secagem. De maneira automática, buscou uma tela em branco, posicionou-a e se dirigiu à Francesca, apontando para uma banqueta de madeira à sua frente.

A Madona *e a* Vênus 99

– Vamos?

O coração da moça disparou de imediato. Àquela altura ela não acreditava que Vincenzo intencionasse tirar proveito dela, mas ainda assim se sentia desconfortável e, embora estivesse trêmula, obedeceu. Não conseguia encará-lo e então pousou os olhos sobre suas mãos, enquanto os dedos se entrelaçavam nervosamente. Ele pediu:

– Olhos em mim, *si*?

Francesca seguiu a instrução. Tinha os cabelos presos acima da cabeça, com fios dourados escorregando graciosamente pelas laterais do rosto. Seu olhar revelava o pavor e Vincenzo teve então uma ideia.

– Já sei o que te pode acalmar.

Foi ao alcance de duas taças de barro, despejando nelas uma dose generosa de vinho. Empunhando uma taça, ofereceu a outra à jovem.

– Toma. Tu te sentirás relaxada.

Meio a contragosto, a jovem tomou o cálice nas mãos e levou aos lábios. O cheiro da bebida era acre e intenso. Por alguns segundos não permitiu que o líquido tocasse sua boca. Vincenzo encorajou-a.

– Anda, Francesca! Não estás cometendo crime algum. Por Deus, é apenas vinho!

Obedecendo, a bela moça fechou os olhos e sorveu a bebida num gole só, sendo acompanhada no gesto pelo pintor. O líquido desceu queimando sua garganta e aquecendo o rosto. Lembrava-lhe daquela sensação prazerosa e proibida. Devolveu a taça a Vincenzo, que ria das caretas que ela fazia.

– Não te preocupes. Logo acostumas.

Foi tomada por uma sensação de leveza que não conhecia. A timidez estava lá, convicta, porém, gotas de suor começavam a brotar entre os seios e acima dos lábios. Sentia o calor da bebida se irradiar. Ajeitou-se na banqueta e esperou as instruções de Vincenzo, que logo vieram.

— Endireita os ombros, pois quero-os altivos. Levanta um pouco teu rosto em minha direção.

A moça fez o que lhe fora pedido. O coração parecia prestes a explodir no peito. Punha a mão sobre o colo repetidamente, receosa de mostrar mais do que devia.

— Por que raios fica levando a mão ao peito? Te sentes mal?

— Não, é que… Quero ter certeza de que o vestido está no lugar adequado. Está velho, puído, temo que… enfim…

Vincenzo respondeu:

— Necessitas realmente de roupas decentes. Amanhã cuidarei disso. Por ora, mantenha por favor as mãos sobre as pernas. Não estás mostrando nada, confia.

Enfim ela cedeu. Buscava respirar fundo, tentando acalmar-se. Evitava o olhar penetrante de Vincenzo a todo custo. Alguns minutos de silêncio depois, Francesca se permitiu encará-lo. E era como se ela nem estivesse ali. Os olhos negros do rapaz conheciam dois destinos apenas: a tela e o rosto de Francesca. Ela sentiu coçar a ponta do nariz, esfregou com os dedos, retomou a posição. O artista nada falou. Continuou seu trabalho, mergulhado num inexplicável estado hipnótico.

Francesca se pôs a pensar sobre ele. Na verdade, perguntas surgiam em sua cabeça, uma após a outra: por que ele desejava pintá-la? Aliás, por que escolhera a pintura? Os homens ricos daquela cidade eram em sua maioria comerciantes ou banqueiros, pelo que havia notado. O que ele buscava da própria vida pintando?

Quem seriam seus pais? Estariam vivos? Teria irmãos? Teria um amor? Seria Letizia? Ela era uma bela mulher, jovial, de cabelos negros e lábios sedutores. Discretamente, a moça o analisava: alto, cabelos revoltos e negros, pele muito branca, mãos fortes, olhar aceso e inquieto, pelos cobriam seus braços e escapavam da camisa, humor por vezes agradável, atitudes generosas... Era um belo homem, sem dúvida, mas muito diferente de Giane. Vincenzo era dono de uma beleza máscula e intimidante, enquanto o rosto do ex-noivo beirava a delicadeza feminina. O pintor parecia também ser homem mais seguro, decidido, corajoso, senhor das próprias decisões. Oposto a Giane, vacilante, mentiroso e relutante em abandonar a proteção paterna. E sem que percebesse, enquanto os minutos se passavam, Francesca comparava Vincenzo a seu antigo amor.

A voz grave do pintor a trouxe de volta:

— Maravilha!

— Hã?! — Ela estava sem entender.

— Fiz alguns rascunhos de tua face, vem ver.

Levantou-se devagar, pois as nádegas doíam. Se colocou atrás do pintor e, ao fitar a tela, levou as mãos à boca.

— Oh! *Signore*!

— O que achou?

— Está... belíssimo! É esplêndido o que fazes com esses pincéis e lápis!

Ele sorriu.

— Ora, vamos Francesca, não é para tanto. Trata-se de um esboço, nada mais. Em breve ganhará detalhes e cores e só então poderemos ter uma noção de como ficará.

— Bem, ainda assim confesso que estou... encantada!

— Fico feliz! — ele agradeceu, guardando alguns apetrechos, ainda sentado em frente à tela.

Francesca quis saber:

– *Signore*… Com o perdão da pergunta… Por que desejaste pintar a mim? O que fê-lo ter essa ideia?

Vincenzo não respondeu de imediato. Parecia escolher bem as palavras.

– Ora… Tens uma aparência que me agrada. É autêntica, um tanto incomum…

– Incomum?

– Sim. Tens uma compleição aparentemente frágil, mas repleta de opulência feminina. Tens o rosto suave, mas uma expressão intensa… trazes na face uma interessante mistura. Portanto, ideal para estudo.

– Então, se trata disso? De estudar minha aparência?

– Bem… Talvez haja razões outras. Cada rosto traz consigo algo a ser revelado. Não estou certo do que trazes no seu… – E finalizou, se levantando: – Mas sinto que logo descobrirei.

Encarou-a seriamente por breves segundos e se retirou em direção aos seus aposentos, em silêncio, deixando uma Francesca abobalhada para trás.

Capítulo 9

NA MANHÃ SEGUINTE, o pintor estava calado. Abocanhou pedaços generosos do pão preparado por Francesca em silêncio. Sequer ofereceu um bom-dia ao vê-la no divã. Niccoletta continuava acamada, apesar de claramente mais disposta, e ele começava a se aborrecer. Percebendo o mau humor do anfitrião, Francesca não se atreveu a lhe dirigir nenhuma palavra. Enfiou-se na cozinha durante boa parte da manhã ao passo que Vincenzo se fechava em seu universo particular de tintas e pincéis.

Ele saiu após o almoço, avisando que provavelmente retornaria ao anoitecer. Francesca sentia-se confusa. Seria um sinal? Um aviso para que ela deixasse a casa? Estaria ele tentando deixar claro que ela já não era mais bem-vinda? A moça refletia com os olhos marejados. Sentada no divã da sala, observou o cenário caótico do ambiente de trabalho do pintor. Sua tela continuava do mesmo jeito que na noite anterior. Enxugou o rosto e decidiu organizar um pouco a sala: retirou a poeira dos móveis, poliu pratarias e moedas, dispôs as telas de pé de maneira que não encostassem uma na outra.

Enquanto ordenava os tantos materiais, analisava o trabalho do artista. Observou incansavelmente rascunhos e rabiscos. Vincenzo, influenciado por Leonardo – um amigo de quem muito falava e a quem se referia como *L'uccello pazzo*, o pássaro louco, por ser obcecado pelo voo dos pássaros – começava a destrinchar os segredos das técnicas de vanguarda, como o *chiaroscuro* e o *sfumato*. Francesca não possuía entre suas memórias qualquer uma relacionada às artes. As únicas obras que vira antes foram afrescos em igrejas de San Gimignano, e ainda assim sempre meras representações de passagens bíblicas.

As horas passaram e a noite caiu mais fria do que se esperava. A moça enfim finalizara a arrumação e logo subiu ao quarto de Niccoletta para servir-lhe a ceia. A senhora já conseguia sentar à cama com muito mais facilidade e não demoraria para enfim voltar ao trabalho. Ao lado dos aposentos da criada, uma porta levava ao quarto de Vincenzo, sempre fechado. A moça jamais se atrevera a entrar. Ao comentar a ausência de Vincenzo, Niccoletta respondeu maliciosamente:

– *Signor* Mantovani é homem do mundo. Esta casa lhe serve apenas como um abrigo dado a ele por meus patrões.

Francesca não respondeu. Apenas ajudou-a a se limpar e saiu, pensativa. Descia as escadas no afã de deitar-se para descansar no divã, quando ouviu o som da porta da casa sendo aberta com um rangido irritante. Não demorou para ouvir risadas frenéticas, não apenas de Vincenzo, mas também de uma moça. Francesca se escondeu atrás da parede da cozinha para observar a sala, pouco iluminada por duas velas que restavam acesas, revelando o casal buliçoso cujas roupas amarrotadas sugeriam que eles vinham de uma reunião muito animada. Ela reconheceu Letizia quando a moça soltou os cabelos, de pé diante do pintor. Vincenzo fechou a porta de entrada sem desviar o olhar da companheira. Mordeu os lábios, voltou até ela, enfiou os dedos por entre as madeixas longas e negras de Letizia, puxando-lhe os cabelos. A moça ria um sorriso lascivo enquanto o abraçava e jogava a cabeça para trás, entregue ao toque autoritário de Vincenzo. Então, subitamente, ele a empurrou sobre a pequena mesa, derrubando alguns materiais que Francesca havia organizado pouco antes.

A jovem observava tudo boquiaberta, chocada com a coragem luxuriante dos dois. O homem beijava a modelo com sofreguidão, levantando o vestido até que se vissem suas roupas de baixo. Francesca sentia-se envergonhada e perplexa, mas não conseguia desviar o olhar. Viu quando Vincenzo escorregou a mão por dentro do saiote de Letizia, arrancando-lhe as calçolas cheias de babados junto a um gritinho excitado. O casal afoito proferia palavras indecentes, despiam-se como se fossem animais no cio, mordiam-se numa agitação tal que mais remetia a um combate que a carícias apaixonadas. Viu, horrorizada, quando Vincenzo desabotoou as calças, deixando-as cair nos calcanhares para, em seguida, abrir as pernas de Letizia e se impor entre elas, fazendo-a gemer.

Impressionada com o que via, Francesca levou a mão aos lábios e, embora uma voz em sua mente lhe gritasse para se retirar dali e se poupar de testemunhar imagens tão sórdidas, os pés não se moviam, nem seus olhos se desviavam, nem seus ouvidos se ensurdeciam. E em seu corpo um calor se instalara, como se tivesse derramado sobre si mesma o caldeirão fervente que lhe fizera ser expulsa da taverna. Era um calor ainda mais quente do que o que sentira quando Giane a tocara embaixo da árvore, ou de quando ele entrara em seu quarto. Junto a isso, havia um pulsar no âmago de sua intimidade que quase lhe provocava dor. A curiosidade a consumia, assim como a inconfundível excitação de observar aquele coito delirante.

A Madona e a Vênus

Vincenzo tinha coxas delineadas e firmes, recobertas pela mesma penugem negra que se espalhava por seus braços. Movia-se de encontro ao corpo de Letizia como se a apunhalasse com alguma arma escondida nos quadris, e ela respondia com gemidos a cada estocada. Os movimentos se tornavam mais intensos, bem como os gritos e palavras desordenadas da moça. E num ápice, como acontecia nos grandes espetáculos que Francesca jamais havia visto, Vincenzo deixou escapar um grunhido ensandecido, deixando-se tombar sobre o corpo de Letizia com o rosto retesado e suado, as mãos pareciam tremer. A mulher, ainda com as coxas nuas, deu pequenos beijos na testa e na boca do homem sobre ela.

Francesca sentia as próprias pernas fracas, e já não era pela falta de alimento. Seus joelhos agora tremiam em resposta à cena mais erótica que já presenciara e que a arrebatara por completo. Sentia seu corpo latejar intensamente, mas não sabia se era de prazer ou de dor. Pensou na violência da cena... Aquilo era amor? Então era assim que se amava? Vincenzo amava Letizia? Perguntas ecoavam em sua mente quando ouviu Vincenzo falar:

– *Oh, bella mia*, necessito de um bom gole de vinho.

Dizendo isso, o pintor vestiu as calças e se dirigiu à cozinha. Absolutamente apavorada, Francesca subiu as escadas correndo e, sem pensar, abriu a porta do quarto de Vincenzo e se enfiou lá dentro. Um misto de emoções a invadiu como se os pensamentos fossem jogados do cérebro direto para o coração e a alma! O que ela faria? Descer as escadas e encontrar o casal não era uma opção, tampouco entrar no quarto de Niccoletta! Não era possível saber quanto tempo os dois ficariam na sala... ocupados. Sentou-se no chão do quarto escuro, ao lado da porta, e esperou. Não ouvia vozes nem passos. Com sorte, Vincenzo não desconfiaria que ela estivesse ali. Observou ao redor e conseguiu distinguir apenas a cama. Havia móveis e outros elementos espalhados, mas em meio àquela escuridão, ela não conseguiria dizer ao certo o que eram. E isso sequer importava! Sua mente ainda borbulhava com as memórias recentes do ato libidinoso que presenciara. Os movimentos ríspidos e agressivos dos corpos não lhe saíam da cabeça. Contatos íntimos eram quase hostis! Ela imaginava se teria tido coragem de fazer o mesmo com Giane, e a mera lembrança do ex-noivo a fez sentir repugnância. Definitivamente, o amor se apagara de seu coração.

Porém, não entendia por que havia se sentido tão espicaçada com a cena que testemunhara. Na taverna, em diversas ocasiões, flagrou homens atrevendo as mãos por dentro dos decotes e debaixo dos saiotes das moças nada donzelas que frequentavam o lugar, e jamais havia sido tomada por aquele calor. Na verdade, o ato dos amantes a excitara muito além do que sentira quando fora tocada por Giane. Enquanto refletia, voltou a respirar fundo sentindo o corpo relaxar. Não ouviu qualquer barulho durante um bom tempo além dos sons de grilos, sapos, corujas e alguns miados e latidos distantes. Com as costas doendo, recostou-se no chão frio, à espera de algum sinal de que podia sair. E, assim, adormeceu.

Na manhã seguinte foi acordada pelos chamados insistentes de Vincenzo. Abriu devagar os olhos e viu o homem, de pé ao seu lado. Imediatamente se recordou de onde estava. Sentou-se apressadamente, sentindo o corpo estalar e doer em função da noite dormida no chão duro. Envergonhada, se pôs a justificar sua presença no quarto:

— Ó, *signore*, perdoa-me! Eu descia as escadas vinda do quarto de Niccoletta e percebi que *il signore* tinha... visita... Não quis incomodá-lo.

Vincenzo esticou a mão para ajudá-la a levantar-se. Suas primeiras palavras foram:

– Tens o sono bastante pesado para alguém de face tão delicada.

Ela, sem entender, franziu a testa, mas, em vez de explicação, ouviu uma ordem:

– Vem. Precisamos auxiliar Niccoletta a descer as escadas.

Prontamente, Francesca ajeitou os cabelos, alisou o vestido e o seguiu.

– Oh, sim. Ela já está recuperada? Retornará ao trabalho?

– Não. Está de partida para Bolonha – respondeu ele, enquanto abria a porta do quarto da empregada.

Niccoletta estava sentada e tinha uma expressão alegre no rosto. Usava um lenço na cabeça e nem de longe parecia a velha alquebrada de dias antes. Vincenzo entregou a Francesa alguns sacos de pano que continham os objetos pessoais da senhora e ordenou que descesse com tudo. A jovem nada entendia, contudo, obedecia.

Vincenzo desceu em seguida, apoiando firmemente Niccoletta nos braços:

– Francesca, abre a porta, sim?

Seguindo a instrução, a moça viu que havia uma carroça parada em frente à casa. Um senhor de cabelos brancos, com barba demais e dentes de menos desceu do veículo e se aproximou dizendo:

– Bagagens?

Atordoada, Francesca levou alguns segundos para se dar conta do que ele pedia.

– Oh! Sim, estão aqui – respondeu, entregando os pesados fardos para o velho.

Vincenzo e Niccoletta já surgiam à porta e a senhora não conteve a felicidade ao ver o humilde transporte que a levaria de volta à Bolonha. Com muito custo, conseguiram enfim acomodá-la na carroça. Vincenzo então se despediu:

– Tenha um bom descanso, Niccoletta. Vejo-a em breve! Sigam em segurança.

Após trocarem acenos, o velho balançou as rédeas, fazendo os cavalos começarem a trotar para longe dali. Vincenzo e Francesca retornaram para a residência e a jovem não conteve a curiosidade.

– Mas... que houve? Por que Niccoletta foi embora?

Vincenzo se dirigia à cozinha. Vestia a mesma roupa da noite anterior e Letizia parecia já não estar mais lá.

– Bem... decidi dar-lhe alguns dias de folga. Pedia-me há muito tempo para voltar à Bolonha, rever amigos e familiares, mas eu não conseguia encontrar alguém que me ajudasse enquanto ela se ausentasse. No entanto, vendo-a adoentada mais uma vez, decidi que era hora de dar o braço a torcer. – Voltando-se para Francesca, pôs uma mão na cintura e, inclinando-se despretensiosamente, arguiu: – Pergunto-me... se poderias ficar por uns dias e me auxiliar enquanto Niccoletta descansa.

Sem conter a alegria, Francesca concordou efusivamente.

– *Sì, signore*! É claro!

Sem dividir da mesma animação, Vincenzo retorquiu.

– Ótimo. Tu podes dormir no quarto de Niccoletta enquanto isso. Precisa de arrumação, como vistes. Aliás, obrigado por ter organizado meus materiais. Se me tivesse pedido, não teria permitido que chegasses perto de meus pincéis e telas, mas tu tomaste bastante cuidado, pelo que vi. E sou muito grato a ti.

Francesca baixou a cabeça, com um sorriso tímido no rosto. Vincenzo notara que, não apenas a moça havia tido um zelo extremado, como nada faltava do lugar. Nem mesmo uma moeda

A Madona *e a* Vênus

sequer, o que falava a favor de sua honestidade. Antes que ela respondesse qualquer coisa, ele completou:

— E sobre ontem à noite… Gostaria que soubesses que Letizia e eu não somos… um casal.

Francesca corou instantaneamente! De tão constrangida, tentou fazer-se de desentendida.

— Ora, *signore*… não entendo… por que me dizes isto? Não compreendo do que falas…

— Sei que tu nos viste juntos, Francesca.

Vincenzo a encarava com um olhar penetrante e enigmático. Não parecia aborrecido, tampouco tranquilo. Os pelos teimavam em escapar de sua camisa em direção ao pescoço. Francesca desviou o olhar, sem conseguir proferir nada além de:

— *Signore*… perdoa-me… Não quis ser indiscreta. Eu tinha servido a ceia para Niccoletta, não esperava que *il signore*… perdoa-me.

— É "TU", Francesca! *Não esperava que TU*! E, por Deus, chega de desculpas. Estou faminto!

Após o café da manhã, Vincenzo retornou ao trabalho se dedicando à pintura de Francesca, apesar de a moça não ter percebido, pois se ocupava com a arrumação do quarto de Niccoletta para que pudesse dormir. Sentia-se contente, com as esperanças renovadas, mesmo sabendo que o pintor a considerava uma hóspede de estadia curta. Nem mesmo o flagra da noite anterior a perturbava mais. Na verdade, sentia-se segura com Vincenzo. Era um homem adulto e solteiro, "do mundo", como dissera Niccoletta. Podia fazer da própria vida o que desejasse. Vinha tratando Francesca com respeito, tolerância e bondade, e isso era o que realmente importava. Algum tempo se passou com Francesca a tossir no quarto empoeirado do primeiro andar. Ouviu então alguns gritos chamando-a:

— Francesca! Ô, FRANCESCA!

Correu a descer as escadas, alerta.

— *Sì, signore*! Me chamaste? Estava a arrumar o quarto...

— Vem até aqui.

Vincenzo se levantou da cadeira onde trabalhava e foi até um pequeno móvel num canto e abriu uma gaveta. A jovem ficou quieta, a admirar a pintura. Os cabelos já estavam coloridos, numa tonalidade semelhante à verdadeira. O sombreamento lhe dava uma áurea misteriosa que Francesca sabia que não possuía, mas gostou de se ver retratada daquela forma. Era belo.

O artista estendeu-lhe a mão:

— Toma. Pega esse dinheiro e compra roupas para ti.

Francesca não podia crer no que recebia: dois florins de ouro.

— *Signore*! — Vincenzo a encarou com censura. Ela corrigiu: — Perdão... Vincenzo... Mas é muito dinheiro!

— Não tenho ideia de quanto custam roupas femininas decentes. E quero me certificar de que tu irás adquirir algumas, pois esta que usas está de vexar até o mais miserável *gaglioffo*.

Francesca se retraiu ao ouvir a última sentença, envergonhada. De fato, usava ainda o vestido com o qual saíra da taverna. As roupas de Niccoletta não lhe caberiam e, mesmo tentando se manter asseada, a roupa acumulara o odor de suor de todos aqueles dias. Reconhecia que necessitava de roupas novas e limpas. Mas ainda guardava algumas inseguranças na mente.

— Mas, onde devo ir? Não faço ideia de onde comprar tais vestimentas...

— Ora, há em Florença inúmeros lugares que fornecem peças de vestuário, além de diversos alfaiates. Com alguns minutos de caminhada, tu hás de encontrar algo que lhe sirva.

Notando a hesitação da moça nos gestos e no olhar, Vincenzo suspirou, exasperado:

– Ora vamos, Francesca! Não és uma garotinha. Vieste sozinha de San Gimignano, conseguiste arranjar emprego e abrigo. Sobreviveste sozinha até agora nesta cidade e estás com receio de quê, afinal?

Incitada pelas palavras que ouvia, foi tomada por um repentino arroubo de coragem. Concordou com ele:

– *Il signo*... Tens toda a razão! Não tenho o que temer. Irei em busca de algumas vestimentas, como pediste.

E, escondendo as moedas entre os seios, dirigiu-se à porta, ouvindo-o falar:

– Roupas decentes, Francesca. Roupas decentes...

Ela balançou a cabeça, assentindo. E saiu a caminhar pelas ensolaradas ruas florentinas. Finalmente foi capaz de ver a cidade pelos olhos de alguém com alguma tranquilidade no peito, pois já não sentia fome tampouco buscava abrigo. Já não trazia em si o monstro da incerteza, que a impedia de experimentar sentimentos como gratidão, esperança e contentamento.

Conseguiu pela primeira vez encarar com encanto as belas construções em *pietraforte*, as estátuas e bustos espalhados estrategicamente pelas *piazze* e prédios públicos, em homenagem a filósofos antigos e a poderosos homens florentinos. Assistia ao burburinho dos mercadores, dos artistas, dos banqueiros, dos *condottieri*... Via as mulheres, de suas janelas, encarando-a com curiosidade e censura, talvez pelas roupas maltrapilhas que ainda vestia. Florença era uma cidade que vibrava, que respirava arte e política. Sempre havia algo sendo construído, um monumento sendo erguido, um afresco sendo pintado, uma descoberta sendo feita. Sempre havia um arquiteto desafiando as leis da física, um inventor avaliando um pergaminho enquanto observava os céus, um pintor tomando medidas de paredes e tetos, ou ainda um escultor reverenciando os ilustres da cidade com monumentos de valoroso respeito e excelência. Em cada detalhe, em cada rosto, roupas, traços, cores e composições, residia uma mensagem clara: nós somos a luz! A era das trevas fora deixada para trás.

Francesca retornara à casa exultante! Jamais havia feito compras para si na vida, ainda mais de vestidos. Todas as suas roupas eram costuradas primeiro pela mãe, depois por ela mesma, com as lãs que tosquiava das ovelhas e, algumas vezes, com tecidos que os irmãos traziam de San Gimignano. O dinheiro que lhe fora dado era tanto que comprara ainda algumas ervas e sandálias, e sobrara alguns *piccioli* de troco para devolver a Vincenzo. Deu algumas batidas na porta, mas ninguém atendeu. Carregava os pesados vestidos em caixotes e já se sentia por demais exausta da caminhada. Deu um empurrão na porta e, para sua surpresa, estava destrancada. Adentrou a residência e viu o seu quadro quase terminado. Ficara absolutamente maravilhoso! Não se percebia tão bela quanto ele retratara e por isso mesmo se sentiu lisonjeada. Ao subir as escadas, ouviu vozes abafadas vindas do quarto do pintor. E logo reconheceu a voz contrariada de Letizia:

— Mas por quê, Vincenzo? Por que ela tem que ficar?

— Letizia, ela me auxiliará enquanto Niccoletta goza de uma folga merecida. Tu sabes que preciso de ajuda nesta casa ou sou capaz de pôr fogo em tudo!

— Mas por que ela, Vince? Por quê? Já estás até pintando-a com o ombro à mostra! Logo estará em tua cama, como todas as outras!

— Ah, não. Poupa-me, poupa-nos de outra discussão inútil, Letizia!

– Estás atraído por esta mulher, Vincenzo! Confessa! E o pior é que já a colocaste em tua casa, enquanto eu necessito marcar horários para vê-lo!

– Letizia, pensa o que quiseres! Nego-me a continuar dando a ti satisfações! *Scusa*!

Dizendo isso, abriu repentinamente a porta, dando de cara com Francesca subindo os últimos degraus. A moça tinha os olhos arregalados e tão logo foi flagrada, pediu perdão e se dirigiu ao quarto de Niccoletta. Fechou a porta e respirou fundo. Tentou escutar a conversa, mas não ouviu nada além de passos descendo as escadas e de uma porta sendo aberta e fechada com violência. Depois disso, silêncio. Silêncio por um longo tempo.

Francesca não queria sair do quarto, temendo um novo flagra indiscreto. Já havia visto – e ouvido – coisas demais nos últimos dias. Após uma providencial higiene, distraiu-se provando as novas roupas, recolocando mangas e adereços. Sentia-se feminina e atraente, e era uma doce sensação. Foi acordada do devaneio por batidas na porta de seu quarto. Era Vincenzo.

– Francesca? Abre a porta, quero falar contigo.

Apreensiva, a moça puxou o ferrolho e encarou o artista, que disse tranquilamente:

– Estou quase finalizando teu retrato. Vem, quero saber tua opinião.

Em silêncio, Francesca o acompanhou. Enquanto desciam as escadas, ele virou-se para ela, que seguia logo atrás, e comentou:

– Pelo que vejo, fizeste sábias aquisições, este vestido caiu-te muito bem.

– Oh, sim... Sobraram alguns *piccioli*, permita-me buscá-los...

– Não, esqueças as moedas, fica com elas.

Sem dar tempo para a moça retrucar, Vincenzo postou-se defronte ao quadro, exclamando:

– *Eccolo!*

Lá estava a mesma figura que Francesca havia contemplado ao chegar. Desfiou um rol de elogios:

– Está esplêndido, *signo*… Vincenzo! Teu talento é inacreditável! Jamais sonhei em ver algo parecido…

Sem discordar, Vincenzo sorriu, orgulhoso. Admitia que "esplêndido" era um bom adjetivo para o quadro. Sentou-se em frente à pintura, em silêncio, e começou o lento processo de dar à tela os últimos retoques. Eram detalhes simples: um sombreado, uma luz, um efeito. O pincel pousava delicadamente sobre os traços, dando-lhes novas camadas de tinta, adicionando novas nuances aqui e ali.

Francesca, cansada de tanto caminhar pela cidade, e ao mesmo tempo querendo assistir um pouco ao trabalho do artista, deitou-se sobre o divã. Pés descalços, pernas descobertas até os joelhos e levemente dobradas, cabeça repousada sobre os braços. Aos poucos, como se hipnotizada pelo vagaroso balé dos pincéis de Vincenzo, foi sendo tomada por um torpor irresistível. Poderia ter dormido um doce sono, não tivesse sido acordada pelo pedido:

– Não te mexas!

Capítulo 10

Francesca ergueu os olhos e encontrou o olhar compenetrado de Vincenzo sobre ela. Parecia quase em transe.

– Que há? – perguntou ela, levantando a cabeça.

– Não, não sai daí. Permaneças nesta posição.

E logo o artista correu a fim de buscar mais telas, pigmentos e pincéis. Voltou a sentar sobre a banqueta, virando-se de frente para a jovem, que continuava sem entender a movimentação repentina.

– Por Deus, o que há? Que farás?

– Preciso desenhar-te, Francesca. Preciso fazê-lo agora mesmo.

Vincenzo já começava a rabiscar febrilmente ao passo que sua confusão aumentava substancialmente:

– Mas… por quê? Por que agora, assim…? Mal terminaste um retrato meu…

– Porque a centelha da inspiração nasce sem aviso, minha cara. Agora deixe teus pés como estão. E tenha a bondade de levantar um pouco a barra do vestido, *sì*?

Francesca o encarou com olhos surpresos. Vincenzo demorou para perceber que ela se sentia constrangida, então, para ajudá-la, buscou um cálice cheio de vinho e deu a ela.

— Tome. Trates de relaxar, está bem? Devias saber que não pretendo me aproveitar de você. Aliás, creio que já é parte de tua obrigação confiar em mim.

Ainda incomodada, ela hesitou em beber, mas Vincenzo insistiu:

— Francesca, acabo de ter revelada a visão da mais bela pintura jamais produzida! Por Deus, ajuda-me. É disto que vivo, é com isto que posso ajudá-la! Creia-me, não te envergonhes. Bebe e relaxa.

Sentindo-se mais culpada do que convencida, a moça acatou o pedido e tomou o vinho num só gole, o que a fez tossir e fazer caretas, arrancando um belo sorriso do pintor. E em seguida ouviu as instruções:

— Sigamos, levanta a saia até acima dos joelhos. E mantém as pernas nesta exata posição, *sì*?

Suspirando, a moça puxou devagar a saia, revelando aos poucos a pele alva. Seu coração palpitava, o rosto queimava pela vergonha e pela leve embriaguez. Continuou puxando o vestido até que ele fez um gesto para que ela parasse. Sorriu, levantou-se novamente para dessa vez buscar uma jarra de vinho e outro cálice. Encheu os dois, entregou um a ela e, levantando sua própria taça, exclamou:

— A uma longa e prazerosa noite de trabalho, minha cara!

Ela sorriu. A vergonha ainda estava lá, mas cedia vagarosamente ao álcool que corria em suas veias. Bebeu mais um pouco. Depois, recostou a cabeça no divã enquanto assistia ao olhar entusiasmado, quase ensandecido do pintor. Alguns minutos de silêncio depois, Francesca olhou para as próprias pernas descobertas e começou a rir, ruborizando. Vincenzo, dividindo com ela o sorriso, arguiu:

– Que há? Do que ris?

– Estou a pensar no que faria *papà* se me visse nesta situação… Seria capaz de me matar!

E sem entender o porquê, se pôs a sorrir descontroladamente. Vincenzo avisou:

– Podes gargalhar, mas não move as pernas, sim?

– Perdão – ela disse, tentando segurar o ímpeto bobo que a dominava.

Vincenzo então perguntou:

– Então *tuo papà* não aprovaria que dedicasse tua vida à arte?

Ela meneou a cabeça, com uma euforia crescendo dentro de si.

– Jamais! *Papà* desejava que me casasse e cuidasse de meu marido e da minha prole. E era este meu plano de fato, mas o imprestável do meu ex-noivo tratou de destruir tudo!

Vincenzo acompanhava a narrativa de Francesca enquanto seu olhar dividia-se entre a tela e as belas pernas semicruzadas.

– Que fez este pobre diabo para merecer tal alcunha?

Mais uma vez, Francesca hesitava. Já não sentia tanta tristeza ao se lembrar do episódio, mas a raiva sempre estava presente. Resolveu dividir com Vincenzo os acontecimentos que a levaram até ali:

– Giane e eu éramos noivos havia dois anos e estávamos a poucas semanas de nos casarmos. Sempre que nos víamos, tínhamos nossos momentos… Tu sabes… de afagos e carinhos. Mas nunca ultrapassávamos o limite do correto e moral.

Vincenzo levantou a sobrancelha ao ouvir a definição de Francesca. Para ele, soava absurdo, mas preferiu se manter ouvinte. Ela continuou:

A Madona *e a* Vênus   121

– No entanto, Giane resolveu aparecer em meu quarto muito tarde numa noite. Ele pulou a janela e ignorou os meus apelos para que fosse embora. Eu sabia que *papà* ficaria furioso se o flagrasse ali. E foi exatamente o que aconteceu!

Curioso, o pintor perguntou:

– E então? Que houve?

Ela respirou fundo. Tomou o que restava do segundo cálice e respondeu:

– Giane correu de volta à morada dele enquanto *papà* me dava uma bela surra! – Ela não escondia a raiva nas palavras. Antes mesmo que Vincenzo perguntasse, prosseguiu: – Fugi de casa para não ser morta. Fui à casa de Giane, mas seus pais duvidaram do que eu dizia e me enxotaram de lá. O próprio *farabutto* do meu ex-noivo calou-se, negando o que eu dizia. Tu crês? O verme olhou para meu rosto machucado, meu nariz a escorrer sangue, e, ainda assim, não teve a hombridade de assumir o próprio erro perante o pai! Passei a noite com as ovelhas, e no dia seguinte, tentei convencer Giane a fugir comigo.

Desta vez, Vincenzo interrompeu-a:

– *Ma che?* Estás dizendo que, mesmo após o patife ter se acovardado e a deixado ao relento, ainda quiseste fugir com ele?

Surpresa, Francesca tentou se explicar:

– Bem, eu… Bem, o que queria que eu fizesse? Só tinha a ele até então. *Papà* havia posto fogo em meus pertences e teria me esfolado se eu tivesse ousado retornar! Giane era a esperança que restava acesa. E ele dizia me amar… Como eu poderia não crer?

– Como poderia crer que este homem a amava, se te expôs ao castigo de teu pai, e depois se negou a assumir parte do erro? E ainda te abandonou, se recusando a acolher-te?

Francesca se sentia confusa. Naquele momento, ela já sabia que Giane não a amava, mas ouvir aquelas palavras vindas de outra pessoa, de um homem, a fez se sentir demasiadamente ingênua.

— Eu... Não sei... Todos os meus sonhos se resumiam ao dia em que dividiria um lar com Giane... Eram meus únicos pensamentos. E por fim vim parar nesta cidade sozinha, ferida e abandonada.

— E livre!

Ela franziu a testa.

— Que disseste?

— És livre agora, Francesca. Estás aqui porque queres, podes sair a qualquer momento. Poderias ter saído da taverna, não fosse o extremo medo que sentias. Desde que saíste da casa de teu pai, estás libertada de amarras.

— Livre? Sem um teto, sem dinheiro? Sem conhecer ninguém?

— E olha onde estás agora? Tens vestido novo, cozinhas o que quer, dormes num quarto decente, recebes algumas moedas, tens uma ocupação... Ou tu pensas que não estás trabalhando agora, neste exato momento?

— Não... Não creio... Faço-te um favor, como pediste...

— Receberás por isso, Francesca. Por cada momento em que me mostrares tuas pernas, ombros e ancas. Sempre que me permitires retratá-la, estarás fazendo jus ao dinheiro merecido. Pode não ser muito, mas é algo. E, ademais, estarás tomando parte daquilo que mais tem encantado os olhares nobres e endinheirados desta cidade: a arte!

Apesar de sentir vaidade, certas palavras a incomodavam.

— Bom, existem outras mulheres que recebem dinheiro por desnudarem partes do corpo, às vezes o corpo inteiro: as meretrizes.

O olhar de Vincenzo não disfarçou a contrariedade. Francesca tentou consertar.

— Desculpe-me...

— Tu te sentes prostituída, Francesca? Diz, olhando em meus olhos! Violo-te ao eternizar tuas formas? Tiro de ti a dignidade?

— Não foi o que quis dizer...

— Apenas responde! É o que sentes? É o que pensas?

Envergonhada, a moça respondeu:

— Não, *signore*. Perdoa-me. Temo o teu julgamento. Temo o julgamento de todos.

Acalmando-se, Vincenzo voltou a rascunhar, mas em seguida tornou a questionar a jovem:

— E por que temes julgamentos, Francesca? Eles existirão sempre, não importa o que realizes ou deixes de realizar. Não é mais importante tua alegria e bem-estar?

— Sim... De acordo, mas, como posso experimentar o bem-estar se souber que alguém me julga mulher de pouco valor?

— E o que é, por Deus, uma mulher de pouco valor?

Vincenzo interrompeu novamente o trabalho, apenas para confrontá-la. Normalmente, Francesca se sentiria acuada, mas o vinho lhe dotara de uma coragem que lhe era incomum:

— Ora, mulher de pouco valor é aquela que se deixa seduzir por qualquer um, que não se veste de maneira respeitosa, que não se comporta de acordo com o esperado. É aquela que não obedece às regras do matrimônio antes de entregar sua virtude.

— Ou seja, exatamente como fizeste?

— O que dizes?

— Não, tu é que me disseste! Até hoje pela manhã, te vestias com trapos! Deixaste te seduzires e, pior ainda, foste enganada por um homem que não desejava mais que usar tua virtude para a própria satisfação lasciva! Tu agiste da exata maneira que condenas, mas bem sabes que és mulher digna e honesta. Não parece contraditório para ti?

Francesca franziu a testa. Poderia ter se sentido ofendida com as palavras, mas, na verdade, Vincenzo a havia encurralado. Sem ter certeza do que responder, piscou os olhos repetidamente, boca entreaberta, tentando esclarecer a confusão que tomava sua mente. O pintor, reconhecendo os sinais que Francesca emitia, tentou tranquilizá-la ao dizer sorrindo:

— Francesca, já não estás em San Gimignano. *Tuo papà* e teus irmãos não estão aqui para vigiá-la ou cerceá-la com proibições e julgamentos. Teu ex-noivo não está aqui para tirar proveito de ti. Estás em Florença, minha cara. Aqui as pessoas não buscam muito além da beleza que os olhos podem apreender e de alguma migalha que os Médici queiram ceder...

Francesca já ouvira falar dos Médici diversas vezes desde que chegara. Sabia que se tratava da mais poderosa família da cidade e que Lourenço, o Magnífico, era o governante máximo da capital toscana. A jovem se mostrou curiosa.

— Tu conheces esses tais Médici?

Vincenzo a encarou com certo desdém, respondendo:

— Sim. Bem, na verdade, *papà* os conhece. Ele já recebeu um financiamento do banco e desde então mantém uma relação cordial com a família. Quanto a mim, pessoalmente, prefiro manter distância, pelo menos por enquanto.

— E por quê?

— Não sei se sabes, mas os Médici costumam ceder auxílios financeiros generosos aos artistas que caem em suas graças. Todos os meus colegas vivem a buscar oportunidades de mostrar seus trabalhos e oferecer seus serviços a qualquer pessoa que possa levá-los a um Médici, o que poderia significar a glória, a consagração total!

— E isso não é coisa boa?

— Seria, não fosse a interferência exacerbada que alguns mecenas costumam infligir sobre o trabalho de alguns bons artistas.

Vincenzo não tinha certeza se ela entendia o que ele dizia. De todo modo, serviu mais vinho para ambos, ajeitou os pés de Francesca e continuou falando:

— Há, obviamente, aqueles protetores que desejam tão somente estimular o artista e incitá-lo a conceber as mais belas obras, tornando-o reconhecido por seu talento; entretanto, esses são raros. O que a maioria deseja é simplesmente associar seu nome à nova arte e ser imortalizada pelas nossas pinceladas ou pelas tantas esculturas que têm sido feitas ultimamente. O que pretendem é mostrar aos nossos inimigos e ao mundo o quanto somos belos, geniais e habilidosos. Somos representantes dos deuses nesta Terra perdida, minha cara, e o *Duomo del Fiore* é *nostra* coroa.

Francesca o observava falar com desenvoltura, gesticulando muito mais que o necessário graças ao efeito do vinho. Ela sorria enquanto se embriagava mais e resolveu mudar de assunto:

— E o que tu desejas representar com minhas pernas? Qual será o nome desta obra? *As pobres canelas tortas?*

Dizendo isso, a moça começou a rir descontroladamente. Vincenzo percebeu que talvez aquela quantidade de vinho fosse suficiente. Riu junto a ela e, sem cessar o trabalho, explicou:

— Mas por que pensas que irei representar apenas tuas pernas? Elas são apenas o início, o prelúdio de uma tela que abarcará todo teu corpo.

— Meu... corpo?

— Certamente. Serás retratada como uma deusa olímpica em tranquilo repouso.

— Uma deusa? Quer dizer, me retratarás como uma pagã?

— A mais bela de todas.

Os olhares se encontraram quase acidentalmente. Vincenzo a olhava sem expressão além daquela amigável e neutra, entretanto, algo fora despertado na jovem. Talvez estivesse mesmo bêbada, pois a vergonha que antes lhe sucumbia agora parecia uma névoa volátil. Perguntou então, quase sussurrando:

— E na tua pintura, o que essa deusa irá vestir?

Ele respondeu sem rodeios:

— Apenas as vestes que todos trazemos ao nascer, Francesca, a vestimenta da pele macia e aveludada.

De repente, sem que chamasse por elas, as imagens do encontro íntimo entre Vincenzo e Letizia emergiram em sua memória. Lembrava-se dos gemidos, dos pelos descobertos, do corpo viril, dos movimentos agressivos... Tal lembrança fez suas coxas suarem e sua pele se arrepiar. Seus mamilos se enrijeciam sob a roupa. E, sem que tivesse controle, sem que pudesse evitar, fitou o pintor com desejo.

Vincenzo permanecia concentrado em reproduzir com perfeição os contornos delicados dos pés, das panturrilhas e dos joelhos. Foi então que percebeu a jovem levar a mão ao decote e desatar um laço. Dois. Três. Puxou as alças para a baixo, desnudando os ombros perfeitos e delicados. A curvatura dos seios se pronunciava. Francesca olhava para baixo, sem conseguir encarar o pintor, que parecia atônito diante da espontânea ousadia. Mais um laço e talvez um seio fugisse do amparo dos tecidos, mas ela hesitou em continuar. Ouviu-o pedir apenas:

A Madona *e a* Vênus 127

– Espalha o cabelo sobre os ombros... Deixa-os cair sobre a pele...

E assim o fez. Em seguida, o silêncio foi a única linguagem de ambos. Um silêncio repleto de olhares trespassados e devaneios férteis e impudicos.

Capítulo 11

Francesca despertou na manhã seguinte em seu quarto, embora não se recordasse de ter subido as escadas de volta aos aposentos. Sentou-se preguiçosamente e estranhou estar ali. Suas últimas lembranças eram os olhares aguçados de Vincenzo sobre ela. Foi então que notou que seu vestido estava novamente composto, com todos os laços refeitos, ombros cobertos e saiote guardando-lhe as pernas. Teria sido carregada até lá? Espreguiçando-se, dirigiu-se à janela e viu que o sol se aproximava do ponto mais alto do céu. Fez uma rápida higiene e ao sair do quarto percebeu que a porta de Vincenzo estava fechada.

Devagar, desceu as escadas, abriu as cortinas e janelas da casa e preparou o café da manhã. Viu, então, sobre a pequena mesa de trabalho, um desenho curioso. Demorou para identificar que se tratava de si mesma deitada no divã na noite anterior, pois havia somente as pernas descobertas e o rosto até o colo, restando um espaço em branco entre uma parte e outra. Ficou confusa. Antes de devolver o papel à mesa, balançou a cabeça em reconhecimento do incrível talento de Vincenzo. Seus pés possuíam detalhes milimétricos. Seus cabelos foram retratados com perfeição. Jamais conseguiria entender como um ser humano podia ser capaz de tal façanha.

Deixou então o desenho e voltou à cozinha para preparar o tempero de um lombo de porco, a fim de conferir durabilidade à carne. Enquanto se ocupava com temperos e especiarias, ouviu o som da porta da frente sendo aberta bruscamente e vozes exaltadas:

— Por Deus, Letizia! Quando irás entender?

— Onde ela está? Não saio desta casa, Vincenzo! Não enquanto não falar com tua *hóspede*!

— Maldição! — exclamou, exasperado. E chamou: — Francesca! Vem até aqui!

O coração já saltava com pressa, ignorando o porquê daquela discussão e, mais ainda, o que teria ela a ver com a situação. Surgiu na porta da cozinha, limpando as mãos num pano de prato amarrado à cintura.

— Sim? O que há? — ela perguntou assustada.

Letizia a fuzilou com o olhar. Pôs as mãos na cintura, mostrando-se disposta ao ataque, e vociferou:

— Diz, Francesca, sem uso de subterfúgios: tu deitaste com Vincenzo?

Francesca arregalou os olhos, encarando o artista contrariado. Vincenzo, que segurava um papel dobrado na mão direita, suava, trazendo no semblante a raiva e impaciência de alguém que fora muito pressionado.

— Anda, Francesca! Responde!

Mais que depressa, ela obedeceu:

— N-NÃO! De forma alguma, nada jamais aconteceu. Essa sugestão é tola, leviana! Vincenzo me trata com educação e amizade. Nada acontece entre nós, senhorita!

Bufando, Letizia encarou a moça. Em seguida, virou-se para Vincenzo e logo para a pequena mesa de trabalho. Segurando o desenho de Francesca, e enchendo-se de mágoa e ciúmes, esbravejou novamente contra a rival:

— Tu podes não ter deitado com ele ainda, Francesca, mas, pelo que vejo, é algo que acontecerá em breve, não?

Irritado, Vincenzo tomou de Letizia o desenho e decretou:

— Letizia, já chega! Escuta-me bem, deves sair desta casa agora. Há muito sob minha responsabilidade e estou farto de tuas cobranças desmedidas! E para ser bem honesto, receio que não devas voltar mais aqui.

Chocada, Letizia deixou as lágrimas escorrerem de seus olhos, o que não a impediu de avançar contra Vincenzo, desferindo-lhe golpes no peito com os punhos fechados:

— Desgraçado, cretino! Odeio-te! Odeio-te, canalha!

Francesca levou a mão à boca, estarrecida com a cena. E Vincenzo apenas deixava que Letizia descarregasse toda a raiva. Por fim, a pobre mulher, cansada e derrotada, enxugou as lágrimas e dirigiu um último recado a Francesca antes de se retirar:

— Ouve meu conselho: não te apaixones! Ele a usará o quanto lhe for conveniente e depois te abandonarás. Fez isso com todas que passaram por aqui, todas que com ele dividiram o leito. Tu és apenas mais uma! Aprende isto!

Sem esperar uma resposta, abriu a porta e saiu, tão intempestiva quanto no momento em que chegara. Vincenzo respirou fundo, sentindo-se aliviado por ter enfim colocado um ponto-final àquela história. Como todas as outras, Letizia havia se apaixonado possessiva e nocivamente. Francesca então perguntou:

— O que aconteceu?

A Madona *e a* Vênus

Rompendo o lacre do papel, Vincenzo se limitou a dizer:

— Venho da casa de um amigo, onde fui em busca desta correspondência. Cruzei com Letizia no caminho de volta e ela logo se pôs a me encher de perguntas, e injúrias, e censuras...

— E por que me dirigiu tal pergunta?

— O que te parece, Francesca? Letizia sofre de um ciúme extremo de ti!

— Por Deus, mas é absurdo! Nada acontece entre nós. Trata-me com respeito fraterno, nada além disso.

Vincenzo apenas a fitou, imparcial àquela afirmação. Ao ler a correspondência, agitou-se passando as mãos pelos cabelos revoltos e esfregando a testa de maneira aborrecida. Por fim, bradou:

— *Porca miseria*! — E socou a pequena banqueta de madeira.

Francesca quis saber:

— Que há, Vincenzo? Que te irritou desta vez?

Sem responder, serviu-se de uma dose generosa de vinho, que bebeu num só gole. Voltou a encher o cálice e só então explicou:

— Devo receber visita em alguns dias... Uma visita inoportuna que virá por sugestão de meu pai. Trata-se de uma duquesa de Milão que busca um artista para decorar sua casa de verão.

— Ora, mas isso é coisa boa, não? Um trabalho encomendado por uma nobre? Não sei como pode ser algo... inoportuno.

— Lembra o que disse a ti sobre como funciona o apadrinhamento?

— Sim...

— Pois bem!

Francesca resolveu calar-se, visto que não entendera muito bem o que Vincenzo explicara. E, além do mais, o pintor estava muito contrariado naquele momento e ela não desejava piorar a situação. Ele andava de um lado a outro, como um leão inquieto numa jaula, sorvendo aos poucos o vinho do cálice. Usava uma camisa branca de mangas compridas por baixo de um colete escuro, fechado por fivelas. Os fios negros lhe caíam insistentemente sobre o rosto, dando ao pintor um aspecto ainda mais selvagem. Estava bravo e silencioso, absorto no próprio aborrecimento.

Então, ela ofereceu:

— Há algo que eu possa fazer? Há algum meio para acalmar teu espírito?

Vincenzo, que estava de costas para ela, se virou após um momento de hesitação:

— Vou desenhar-te.

— Como?

— Desejo terminar o esboço que comecei ontem. Importa-te de te despires?

Francesca sentiu um arrepio lhe percorrer a espinha e entalar na garganta. Como sempre, hesitou:

— Dizes… Queres dizer… Sem vestimenta alguma?

Já organizando os materiais e fechando janelas, o pintor respondeu:

— *Sì*. Importa-te?

— B-bem, eu… Eu sinto muito, Vincenzo. Receio que a vergonha que sinto ainda é muito intensa…

— Acompanha-me no vinho. Te relaxará.

— Não! — respondeu depressa, fazendo-o se virar para encará-la. Então explicou: — Digo, sinto-me sonolenta ao beber. F-farei o que desejas, *signore*. Mas prefiro fazê-lo… lúcida.

Vincenzo concordou:

— Que seja então. Tira as roupas atrás daquele biombo no canto e volte.

— Eu… S-sim…

A Madona *e a* Vênus   133

A seriedade de Vincenzo a impeliu a obedecer. Escondeu-se atrás do biombo a fim de se preparar. O peito doía apertado, parecendo pequeno para as batidas violentas do coração. Começou a desatar as fitas do vestido. Retirou *chemise*, corpete, saia, mangas, roupas íntimas, pendurando cada peça sobre o biombo. E por fim, já desnuda, cobriu-se o com o *chemise* e saiu de trás da divisória que a protegia dos olhares de Vincenzo. Sentia-se completamente desprotegida e vulnerável, sentia nas nádegas a incômoda leveza da nudez. Sentou-se então no divã, respirou fundo uma, duas, três vezes. E deixou cair o tecido que a cobria, vagarosamente, ainda e sempre hesitando, sem se atrever a olhar para Vincenzo, que continuava organizando suas telas, papéis, carvões e pigmentos.

Porém, como se espera num momento assim, o artista não pôde evitar olhar a extensão da pele despida. Uma nova nudez era uma descoberta revestida de expectativa, uma revelação quase santa. Francesca levou as mãos à cabeça e libertou os cabelos dourados, deixando-os cair sobre os ombros e seios alvos. Nesse instante, Vincenzo deixou escapar um suspiro profundo, nascido da lubricidade até então adormecida. Uniu as pernas num impulso, a fim de ocultar a tensão que ameaçava se pronunciar sob as calças. Para ele, Francesca era um símbolo máximo de beleza, feminilidade e delicadeza e, naquele momento, sua sensualidade havia florescido muito naturalmente. E talvez por isso fosse tão mais letal para ele. Francesca terminara de levar ao chão o *chemise*. Estava nua, sentada no divã com as mãos escondendo as partes íntimas num ato instintivo.

O pintor pigarreou, sorveu um grande gole de vinho e orientou:

– Bem, hum... Deita-te na mesma posição que estavas ontem, *sì*? Isso, de lado, como dormias. Perna esquerda pendendo levemente para a frente... isto. Retira o cabelo do rosto. Assim.

Não, deixa-o sobre os ombros, é belo dessa forma. Apoia-te sobre o braço direito... Não, não, relaxa. Estenda o braço esquerdo sobre a cintura. Deixa o ventre livre... Lassidão, Francesca, quero de ti uma preguiça quase sonolenta. Imagina que estás à beira de um lago cristalino, de águas tépidas. Imagina que só se ouve o canto dos pássaros e as folhagens balançando ao sabor da brisa... Assim, bem melhor. Agora, olha para mim... Perfeito! Consegues manter essa posição? Estás desconfortável?

— *Sì... Sì*, consigo.

E assim Vincenzo começou a reproduzir febrilmente cada minúcia do corpo encantador à sua frente. A ereção atrapalhava um pouco, especialmente em função das auréolas rosadas a enfeitar o cerne dos seios firmes e opulentos. E, mais provocante ainda, os pelos finos e dourados que encobriam o sexo inexplorado de sua modelo. Francesca sentia dores na barriga causadas pela ansiedade e as mãos eram dois espaços gelados de seu corpo, mas manteve-se firme. Buscava na face de Vincenzo um sinal de desrespeito ou vulgaridade que a ofendesse, mas encontrava apenas a concentração austera e inquebrantável.

A fim de quebrar o silêncio constrangedor, a moça arriscou perguntar:

— Vincenzo, uma curiosidade me surgiu ao admirar teus trabalhos...

— Diz — respondeu ele, sem desviar o olhar do corpo da musa.

— Por que a pintura? Por que escolheste essa... profissão?

Vincenzo notou certa hesitação em Francesca. Não percebia nela traço de maldade ou censura, apenas ignorância. Sem interromper o trabalho, respondeu:

— O que te faz crer que escolhi essa profissão?

Francesca piscou os olhos e franziu a testa, sem compreender.

— Bom, eu... imagino que a tenhas escolhido, não? Se não por que a praticas?

— Porque, não importa o que façamos, não há como fugir de nossa essência, daquilo que faz de nós o que somos. Pinto porque não vejo em meus horizontes nenhum caminho além deste, entre tintas e cores e formas e luzes... Pinto, minha cara, porque a pintura escolheu a mim.

Encarando-a rapidamente, continuou:

— Desde muito criança trago comigo o hábito de desenhar em qualquer superfície que estivesse em meu alcance. Até mesmo folhas secas de carvalhos e pinheiros que cresciam próximos ao local onde nasci, em Bolonha. Tinha os dedos sempre sujos, o que me rendeu algumas surras de um *papà* inconformado. Queria-me como auxiliar em seus negócios, ou talvez um advogado, professor... Qualquer ofício mais estável que as artes.

Ela escutava, compenetrada.

— Mas então eis que, numa abençoada manhã, *papà* recebeu a visita de um rico negociante daqui de Florença. Homem influente, íntimo das grandes *famiglie*. Eu estava numa sala ao lado, tentando desesperadamente limpar das unhas os resquícios de carvão, quando ouvi o diálogo dos dois. Para minha surpresa, antes mesmo de falar em negócios, o homem perguntou: "Bento, quem é o artista que fez os desenhos lá fora?". Ele se referia a alguns rabiscos que eu fizera na parede exterior da casa dias antes. E meu pai, um tanto aborrecido, respondeu: "Ah, não é artista nenhum... É meu filho mais novo que costuma sujar de carvão qualquer lugar que veja limpo...". Lembro-me do arrepio que senti ao ouvir o homem me chamar de artista... Meu coração parecia prestes a fugir do peito pela garganta!

Vincenzo ria das lembranças de um dos dias mais importantes de sua vida, e Francesca notava nele a clara emoção daquela nostalgia.

— E o homem imediatamente retrucou dizendo que eram belos trabalhos, que eu tinha muito potencial e que *papà* estava sendo tolo em não perceber aquilo. Pensei: "És um enviado de Deus! Um anjo que nos visita!". Os dois conversaram por alguns momentos palavras inaudíveis, quando ouvi a voz grave de meu *papà* a chamar meu nome. Quase urinei nas calças!

Os dois gargalharam. A moça parecia bem mais relaxada, tão entretida estava com o depoimento. Vincenzo completou a história, sem cessar os traçados:

— Fui até eles, trêmulo e suado! Tinha quase dezesseis anos. *Papà* apresentou-o como Maurizio di Ferrara. Nada consegui dizer, apenas o reverenciei educadamente. E, incrédulo, ouvi-o perguntar se eu desejava ser aprendiz de Alessandro Bellini aqui em Florença. Foi o "sim" mais rápido e preciso de toda a minha vida! No dia seguinte, eu chegava a esta cidade magnífica! A beleza deste lugar me saltava aos olhos e custei a acreditar que não se tratava de um sonho!

Ambos sorriram em silêncio. Entretanto, Francesca ainda tinha muitas perguntas e curiosidades, então, mais uma vez, quebrou o silêncio:

— Pude perceber... que há diversos esboços e pinturas de mulheres... algumas seminuas...

— *Sì?*

— Mas... poucos são os trabalhos de figuras masculinas... na mesma posição...

— O que queres saber? Por que não retrato homens desnudos? — devolveu ele, com um sorriso sarcástico.

— De fato, busquei uma resposta e não encontrei. O que há? Por que homens não posam para você?

Vincenzo suspirou. Encheu novamente o copo de vinho antes de responder.

– Minha querida, não foram poucos os homens que posaram para mim, sobretudo na oficina de Alessandro. Rapazes da lei, anciãos respeitosos, mensageiros de Deus e até mesmo moçoilos prestes a descobrir os enigmas da vida adulta. Retratei-os de tantas maneiras quanto puderes imaginar! O fato é que, no momento, minha preferência está em desvendar e percorrer as montanhas sinuosas do relevo feminino. Estou um tanto saturado dos rudes traçados varonis.

– Rudes?

– Sim! O corpo humano é belo e perfeito, pouco importa a quem pertença. Mas incomoda-me um pouco que muitos não percebam a sutil formosura dos traços femininos. Tu sabes a que me refiro, Francesca. Há em Florença um sem-número de esculturas retratando corpos masculinos, muitos deles nus. Símbolos admiráveis de virilidade, tenacidade, força! Contudo, creio que o femíneo oferece muito mais riqueza e complexidade. Há muito mais a decifrar. E, para completar, hás de concordar que as formas das mulheres são infinitamente mais agradáveis aos olhos!

Francesca refletiu que realmente vira algumas obras espalhadas por Florença, sempre eram homens desnudos, atléticos, coléricos, cujo porte e músculos delineados contrastavam com os órgãos sexuais diminutos. Contudo, preferia não tecer maiores comentários, mesmo porque era um assunto que não dominava. Mas Vincenzo, desta vez tomado de curiosidade, perguntou:

– Achas que eu exagero?

Ela meneou a cabeça. Não conseguia encará-lo e ruborizava de tal maneira que não foi possível esconder. Vincenzo, percebendo a timidez, fez troça:

— Ora, vamos, Francesca. Tu hás de concordar, sabes bem do que falo. Afinal, cresceste numa casa cercada de irmãos...

— Todos mais velhos! – pontuou ela.

Sem dar o braço a torcer, ele insistiu:

— Bem, mesmo assim. Certamente os viste, nalgum momento, por descuido...

— Nunca vi nada disso! – respondeu ela, com firmeza.

Ele riu, descrente:

— Francesca, te relacionaste durante anos com um mesmo homem. Ficaram noivos! Trocaram carícias! Claro que...

— Nunca nos despimos, Vincenzo! Nunca nos tocamos intimamente. Guardava-me para o matrimônio, já contei a ti a respeito.

Percebendo nela um misto de dissabor e acanhamento, o pintor cessou de trabalhar e a fitou:

— Tu nunca viste um homem sem roupas de baixo? Nunca? Não fazes ideia de como é...

— Não! Nunca vi, e nada sei no que se refere às vergonhas masculinas. Sou capaz de tecer uma vaga ideia graças às mesmas obras que citaste, mas isso é tudo. Na verdade, imaginei mesmo que tais obras fossem fiéis à realidade...

Encarando-a com um olhar curioso, testa franzida, sorriso leve no rosto, ele perguntou:

— Diz, Francesca... Nunca percebeste em teu noivo algo... diferente quando se tocavam? E já adianto que te pergunto da maneira mais respeitosa de que sou capaz.

Ela suava, o coração palpitava.

— Sim... bem, de fato há... notei algumas vezes, mas...

— E como tu podes achar que os exemplos que vistes nas esculturas são fidedignos?

Sentia-se encurralada e, para completar, sua nudez a fazia se sentir ainda mais vulnerável. Resolveu encerrar o assunto.

– Deixemos esse tema, sim?

Entretanto, Vincenzo, tomado de ímpeto cômico, esticou o braço para alcançar uma sobra de papel e começou a desenhar uma genitália masculina perfeita e proporcional. Ao finalizar, mostrou a Francesca, que observava tudo em silêncio:

– Vês? Esta, minha cara, é a realidade que os homens escondem sob as vestes.

Ao olhar o desenho, a jovem arregalou os olhos e levou a mão à boca, escandalizada. Vincenzo sorria do choque que causara.

– Como se atreve a desenhar algo assim? Por Deus, que indecência! É... ultrajante!

O pintor ria descontroladamente.

– Que atitude asquerosa, Vincenzo! E ainda se põe a rir como um louco!

Francesca se sentia mesmo insultada. Mas na verdade o que mais lhe incomodava era o latejar entre as pernas. O mesmo latejar que sentira quando flagrara Vincenzo e Letizia no ato concupiscente. Envergonhava-se de sentir interesse n'algo que lhe parecia errado.

Vincenzo voltou a rabiscar na folha, sem abandonar o sorriso matreiro. E, por fim, estendendo-a para a moça, falou:

– E aqui está o que tu sentiste quando abraçava teu noivo.

Viu então órgão semelhante, porém ostentando o falo ereto, maior, robusto, com algumas veias pronunciadas e uma glande polpuda. Francesca enrubesceu e ralhou:

– Agora chega! Sei que queres me aviltar, Vincenzo! Queres tão somente me chocar e te divertires às minhas custas! Já basta!

– O que há? É apenas um desenho, um rabisco num papel...

– Um desenho grosseiro e infame, deformado propositadamente! Nunca senti nada sequer parecido com isso, e seria impossível esconder tamanha deformidade!

— Creia-me, é possível esconder sim! Não sem algum incômodo, de fato... — ele argumentou, naquele momento em referência a si mesmo.

Jogando o papel para o lado, resolveu cessar as brincadeiras e finalizar o esboço. Francesca estava séria, fronte tensionada, apenas aguardando a conclusão do desenho. De tanta raiva, até esquecera a própria nudez. Alguns minutos depois, ele anunciava:

— Bem... Creio que é o suficiente por hoje.

No mesmo instante, a jovem resgatou o *chemise* e se cobriu, sentando-se no divã, calada. Vincenzo ofereceu-lhe vinho e desta feita, aceitou. Tomou todo um cálice nervosamente. Suas entranhas ainda pulsavam, doloridas, em razão do nervosismo. Pedintes. O pintor se concentrava nos retoques do desenho, calculando proporções, ângulos e simetrias, enquanto Francesca sorvia o que restava da bebida. Ela tinha na mente o retrato do pênis ereto e sabia que jamais conseguiria esquecer a imagem. O vinho então, mais uma vez, passou a abrir as portas que a moça mantinha firmemente trancadas:

— Vincenzo... falavas a verdade? Digo... os desenhos que fizeste... são reais? Aquilo acontece aos homens?

Calmamente, respondeu:

— Sim, falava a verdade. Por que mentiria?

Ela abaixou a cabeça, fitando o cálice vazio em suas mãos. O tecido, posto sobre ela como um lençol, encobria parcialmente seu corpo, deixando à mostra os ombros e as pernas. Sem resistir, indagou mais uma vez:

— E... é doloroso ficar naquele... estado?

— Algumas vezes, sim.

A Madona *e a* Vênus   141

Ele falava com total naturalidade enquanto continuava a trabalhar. Parecia mesmo distraído. Francesca encheu novamente o cálice de vinho e voltou a falar, sem fitá-lo:

– Nossa... Eu imaginava algo tão... diferente...

– Como assim? O que imaginavas?

A moça deu um sorriso desconcertado, sem saber ao certo o que dizer.

– Bem, na verdade nem mesmo eu saberia... Imaginava de todo modo algo menos... agressivo.

Vincenzo sorriu.

– Agressivo?

– Sim, tem uma aparência selvagem. É horrendo!

O pintor interrompeu o desenho para encará-la.

– Ouça, Francesca, até concordo quando dizes que se trata de algo *horrendo*. Porém, saibas que muitas mulheres se sentem as mais poderosas das fêmeas quando têm um falo nas mãos.

– Q-quê?

– Verdade! Algumas mulheres o conduzem como um cetro, e sentem-se rainhas ao verem os homens sucumbirem aos seus toques mágicos.

– Sucumbirem?

– Sim, sucumbirem. Os homens, não importa se fortes e atléticos, se enérgicos e guerreiros, se sábios e poderosos, todos se tornam inofensivos e frágeis como gatinhos quando encarcerados por delicadas mãos femininas. Nossa fraqueza é risível nesses momentos!

A jovem respirou fundo, voltou a beber. Um incêndio fulminante se apossava dela, que penava para disfarçar a terrível inquietação. Era estranho o que vinha sentindo pelo pintor: mesmo que não admitisse para si mesma, ela o desejava. Talvez ela sequer tivesse consciência disso. E ele continuava como um enigma, sem demonstrar cobiça por ela, apesar de ter admitido que a achava bela. Era diferente sentir aquilo sem que houvesse reciprocidade. Giane, mesmo que não valesse as fezes de um cão sarnento, deixava claro as suas vontades. E embora tivesse demonstrado de maneira imprópria o seu desejo, ela sabia o que ele queria. Já com Vincenzo... simplesmente não sabia.

Francesca não sabia que ele alimentava uma fome arrebatadora pela virgem seminua à sua frente. Ignorava que, naquele exato momento em que falavam sobre dores da libido masculina, ele tinha os testículos pesados e castigados, apertados em suas calças, implorando pela libertação do gozo.

Depois de alguns momentos em silêncio, Francesca, já sentindo os leves carinhos da embriaguez, disse baixinho:

— Imagino se algum dia me sentirei como uma... rainha...

Aquelas palavras mordiscaram os ouvidos de Vincenzo como pequeninos demônios. E, sem dar chance para o cérebro agir, parou de desenhar e falou:

— Tudo bem. Desejas te sentires uma rainha? Desejas saber como é? Eu te mostro.

Francesca contraiu a testa, sem entender de imediato. Observou Vincenzo deixar os materiais sobre a mesa, levar a mão à virilha e fazer menção de abrir a calça. Francesca arregalou os olhos e se contraiu no divã, acuada:

— Que estás fazendo?

— Deixarei que mates tua curiosidade.

— NÃO! E-eu não tenho curiosidade alguma, não quero vê-lo despido!

— Acalma-te! Nada farei contigo. Apenas mostrarei como é o corpo de um homem.

A Madona *e a* Vênus   143

– Não! Não precisas me mostrar, eu acredito na veracidade de teu desenho...

– Fiques tranquila, não irei encostar em ti, tampouco te farei encostar em mim, apenas olhe.

Apesar de se tratar de uma sugestão disparatada e imoral, o desembaraço e a confiança do homem unidos ao traiçoeiro efeito do vinho bastaram para que ela se calasse. Segurava firmemente o *chemise* sobre o colo, temendo ser ludibriada por si mesma.

O fim das objeções da moça e o olhar curioso eram o consentimento de que ele precisava. Vincenzo ajoelhou-se à sua frente, abriu as calças e as deixou cair. A blusa branca cobria sua virilha, e tudo o que se via, além das coxas peludas e rígidas, era uma protuberância acobertada pelo tecido, que ele logo levantou para revelar um pênis longo e liso, róseo, rijo e embrutecido. O órgão possuía uma leve curvatura que o elevava para o alto, imponente e desafiador. Os testículos, harmônicos, coesos, eram menores do que os que ele desenhara.

A primeira reação de Francesca foi virar o rosto, possuída pela vergonha, contudo cedeu aos apelos de sua mente e voltou o olhar à genitália revelada. A mão foi instintivamente à boca, em choque pelo tamanho e pela rudeza, como também pelo incômodo pulsar entre as coxas. Era inexplicável como aquela visão – até certo ponto grotesca – a fazia fervilhar nas entranhas. Ela observava em silêncio e o pintor, à vontade com a própria nudez, sugeriu:

– Quer tocar?

– Hã?

– Não queres sentir?

– Vincenzo... eu não quero, não posso tocá-lo! É errado, não vês?

– Por que é errado? Nada fazes sem meu consentimento, não viola nenhuma lei... Anda, toca.

Com a boca seca, a moça nem conseguia responder, apenas meneou a cabeça, mas seu olhar a denunciava. Para incentivá-la, ele lhe estendeu a mão direita, dizendo:

— Dá-me tua mão.

Ela negou. Ele insistiu:

— Anda, Francesca. Dá aqui tua mão. Vou te ensinar alguns truques para entenderes melhor o que te disse antes.

Francesca o encarava, curiosa. Enquanto ela sentia que mal podia respirar, ele se mantinha calmo, ainda que aceso. Ela estendeu a mão esquerda e ele a tocou. Estava gelada e tensa, contudo, relaxou ao toque do pintor, que sorriu gentilmente. A agitação nos olhos de Francesca só era comparável à sua agitação íntima. Com a respiração entrecortada, deixou-se levar até o belo pênis ereto em sua homenagem. Com cuidado, ele fez com que ela envolvesse o membro com a mão fria e hesitante. Ele fechou os olhos tão logo sentiu o toque inseguro e gélido em sua pele fina. Sibilou. Abriu os olhos e continuou a norteá-la:

— Vês essa pele? É sensível, não deves puxá-la com violência, mas com gentileza. O prazer nasce de todo o lugar, mas o despertará com mais força se concentrares as carícias na ponta, especialmente na parte inferior... Deves agora simplesmente mover para cima e para baixo, fazendo com que a pele deslize, que o cubra e descubra... Assim... com uma leve pressão na mão... Exatamente...

Vincenzo fechou os olhos. Aos poucos, sua expressão revelou uma angústia crescente. O rosto se tensionava, o peito arfava. Por vezes apertava os olhos com mais força, o que levou Francesca a perguntar:

— Está... doendo? Estou machucando?

— Não... Nada fazes de errado... Está... perfeito...

A Madona *e a* Vênus   145

Ele falava entre gemidos. Um vulcão explodira dentro dela e a lava escorria quente do meio de suas pernas. O clitóris pulsava febrilmente, como se o próprio coração palpitasse ali. Vincenzo parecia estar sendo torturado aos poucos, meticulosamente. E quanto mais lamúrias ele deixava escapar, mais intensidade, velocidade e pressão ela atribuia as carícias; mais sangue se perdia do seu corpo e se concentrava no cetro da rainha. Ele gemia cada vez mais alto e sentia-se cada vez mais desarmado e indefeso. Francesca se sentia ainda mais incitada a continuar e vencê-lo. Uma das mãos resistia segurando o *chemise*. Vincenzo se curvou sobre ela, dolorido e submisso, com as mãos sobre o divã. O desejo tornava-se incontrolável. Iria cair, desfalecer. Gozar. E num ímpeto selvagem, agarrou o pulso de Francesca e a fez parar. Assustada e ofegante, ela inquiriu:

— O que houve?

Vincenzo, suado, olhos fechados, penalizado pela dor e pelo orgasmo encarcerado no púbis, declarou, buscando o oxigênio que simplesmente não vinha:

— Já chega…

— Mas…

Ele abaixou a cabeça e apoiou a testa numa mão, tentando evitar que a loucura triunfasse. Sem se explicar, levantou a calça, pôs-se de pé, e disse apenas:

— Com licença…

E então Francesca o observou subir as escadas quase em desespero, como se fugisse de algo que ela, naquele momento, buscava ansiosamente.

Capítulo 12

VINCENZO SAIU CEDO NA MANHÃ seguinte e levou consigo pincéis, tintas e rascunhos. Pretendia atravessar o dia trabalhando na antiga oficina de Alessandro Bellini. Sentia-se sufocado e confuso pelo que acontecera na noite anterior. Também se arrependera por ter se oferecido para que Francesca o tocasse daquela maneira, pois tal imprudência permitira que o insano desejo o envenenasse de vez. E ele não podia se deixar queimar pelo fogo, uma vez que do fogo nasceria a paixão – a corrosiva paixão que roubaria sua inspiração e contentamento artístico. Não! Francesca era perigosa. Talvez fosse a mais perigosa das mulheres que conhecera até então.

Na oficina silenciosa e vazia, enquanto os pincéis dançavam febrilmente sobre a tela, o pintor rememorava cada momento passado com Francesca: os primeiros pensamentos que tivera na taverna enquanto ela trazia a ânfora de vinho, seus passos inseguros, a curiosidade, os gritos de Gastone, a troça. Recordava a raiva nascida em resposta ao seu excessivo pudor e a pena ao vê-la desnutrida à sua porta. E agora, a terrível cobiça. A vontade de descobri-la e explorá-la, de experimentar seus limites e sensações.

Admirava a beleza da jovem desde o primeiro dia, mesmo porque era inevitável que olhos pousassem sobre ela sem assombro. Ela era bela e fresca, leve e sedutora. Vincenzo se lembrou do desespero com o qual se refugiara no quarto na noite passada, ardendo em brasa, envergonhado, vencido e extremamente excitado. Tocara-se repetidamente, até esvaziar as gônadas de qualquer vestígio seminal. Agia como se pagasse uma penitência ao demônio, como se tivesse sido condenado a purgar seus pecados daquela maneira, com aquele castigo prazeroso, mas ainda e sempre, um castigo.

Depois de algum progresso no trabalho, Vincenzo sentou-se numa cadeira e observou a obra inacabada à sua frente, o retrato de Piero, seu irmão, sentado numa cadeira dourada e vermelha, usando trajes bispais. O quadro havia sido iniciado meses antes, mas protelava a conclusão sem um motivo justificável. E, naquele momento, talvez para se afastar da tentação que lhe rondava a mente, buscou resgatar uma obra com tema religioso. Respirou fundo. Seus pensamentos incessantes roubavam-lhe as energias e o levavam à exaustão. Entregou-se finalmente à reflexão. Pensou por horas incontáveis, até que o sol começasse a desaparecer no céu florentino. E decidiu: Francesca precisava sair de lá o quanto antes.

A moça, por sua vez, não diferia do pintor quanto à profunda inquietude. Francesca, sempre tão fiel à própria virtude, sempre tão pura e casta, se via então cercada de imagens lascivas que incendiavam a memória e os vãos do seu corpo. Os lamentos de Vincenzo, seu rosto tensionado, a plena sensação de que algo se romperia dentro dele, a vontade inexplicável de continuar com as massagens indecentes... As horas passavam e Francesca ficava mais e mais aflita, saudosa, acesa. Não conseguia imaginar que destino ele tomara e por que se demorava tão longamente. Notara, com algum receio, que ele havia levado alguns materiais e moedas. Teria ido longe? Estaria na companhia de alguém? Retornaria ainda aquela noite? Perguntas e mais perguntas brotavam enquanto preparava um ensopado de vísceras.

A noite já havia escurecido a cidade quando ela ouviu o rangido da porta sendo aberta. Vincenzo entrou carregando uma tela e outros materiais. Fechou a porta e seus olhos pousaram sobre os de Francesca, que saía da cozinha um tanto arredia, mas com faíscas nos olhos.

– Oh... Francesca! *Come stai?* – perguntou ele, desviando o olhar e disfarçando a comoção que o tomava enquanto guardava os materiais.

A jovem respondeu:

– Ora, estou bem... como podes ver... – Ela percebia certo distanciamento e logo sentiu o gosto azedo da ansiedade. – Estive à tua espera. Em breve teremos um ensopado para a ceia. Tens fome?

– Uh... sim. De fato, sinto alguma fome. O aroma está divino!

Ela sorriu levemente, concordando. E os olhares, que se escapavam por um triz, finalmente se viram apresados um ao outro. Refletiam o medo, a angústia, a dúvida, a ansiosa vontade. Foi Francesca quem desviou, inquirindo:

– Onde estiveste o dia todo? Digo, se não for muito invasivo de minha parte perguntar...

– Não... Eu estive na oficina do meu antigo mestre, que está em viagem para o norte e permitiu-me utilizar do espaço para trabalhar um pouco.

Ela balançou a cabeça, satisfeita com a resposta. Vincenzo, já sentindo sua carne esticando-se além do apropriado, falou:

– Se me deres licença, vou repousar um pouco. Minhas costas

doem... – explicou, levando uma mão por cima do ombro em sinal de desconforto e já se dirigindo às escadas.

Preocupada, a jovem quis oferecer ajuda:

– Desejas algo?

– Não, não. Necessito apenas de algum descanso. Já desço para o jantar.

E, num gesto rápido, entrou no quarto, fechando a porta atrás de si. Francesca permaneceu no meio da sala pensando naquela atitude. Não queria acreditar que ele a estivesse evitando. Por um bom tempo, aguardou que ele descesse, até que o cansaço fosse mais forte que a ansiedade e a obrigasse a se recolher. Pensou em bater à porta do pintor, mas desistiu, afinal, ele poderia realmente estar apenas cansado, talvez até já dormisse àquela altura da noite, então, decidiu ir para o próprio o quarto.

Contudo, Vincenzo não dormia. Tentava afastar determinados pensamentos de sua mente confusa. Buscava na memória todos os amigos que pudessem talvez ajudá-lo a encontrar um lugar decente para Francesca trabalhar e viver com dignidade. Somente durante a madrugada atreveu-se a descer à cozinha e fazer uma refeição.

No dia seguinte, mais uma vez, o artista saiu cedo levando seus materiais. Retornou ainda mais tarde, encontrando Francesca a cochilar no divã. E a este dia se seguiram mais cinco. Uma semana completou-se durante a qual Vincenzo passou quase o dia inteiro fora, retornando muito tarde e não dando à Francesca qualquer espaço para aproximação. O que de fato o incomodava era que, mesmo evitando aproximar-se da moça, ela parecia mais e mais perto, fincada em seus pensamentos tal qual um prego na parede. E evitá-los era por demais exaustivo! Além do conflito interno que enfrentava, Vincenzo ainda tinha de lidar com a culpa sempre que encarava o olhar tristonho e temeroso de Francesca. Obviamente, ela percebera o distanciamento repentino dele e não escondia sua frustração sempre que ele dava uma desculpa e se afastava.

No oitavo dia, no entanto, Vincenzo regressara com o sol ainda no horizonte e, ao invés de subir aos seus aposentos, chamou Francesca à sala. Apreensiva, a jovem sentou-se no divã, enquanto Vincenzo ocupava a banqueta à sua frente. Visivelmente constrangido, o artista esfregou uma mão na outra e começou a falar:

— Ouve, Francesca... Tenho uma boa notícia para dar-te.

— Sim? – perguntou ela, arqueando as sobrancelhas.

— Um bom amigo, que mora não muito distante daqui, disse-me que tem um trabalho para ti na sua alfaiataria. Tu poderias inclusive dormir lá, pois dispõe de um pequeno espaço na oficina...

Surpresa, ela arguiu:

— Um... espaço?

— Sim. Ofereceu-te emprego e morada. Não é lá um dinheiro vistoso, como deves imaginar. Mas ao menos terás como viver decentemente...

— Tu queres que eu saia? É disso que se trata?

Incomodado, Vincenzo negou, sem muita segurança:

— Não... Não se trata disso. Vê, eu te disse que terias em minha casa acolhimento temporário. Nunca escondi isso de ti...

— Mas por que me queres fora se Niccoletta sequer retornou? Fiz algo de errado? Atrapalho teu trabalho?

Vincenzo se levantou, impaciente. Passou a andar de um lado a outro, como fazia quando se enervava.

— Não fizeste nada de errado, Francesca. Não me atrapalhas, tampouco...

— Então o que há? Diz por que me pões num lugar desconhecido depois de...

Ela não conseguiu concluir a frase. Ele a fitou, tenso. Desejava-a intensamente e a mera presença dela já aguçava seu corpo. Ouviu-a rogar.

— Por favor, Vincenzo, deixa-me ficar. Tenho receio de pessoas desconhecidas, sem dúvida. Mas, na verdade, sentiria também tua falta.

Ele fechou os olhos. Sentia-se encurralado. Francesca levantou e se aproximou do pintor, com os olhos marejados.

— Eu imploro... deixa-me ficar...

Novamente, sentia nela o aroma fresco do alecrim. Não teve saída.

— Francesca, eu não posso! Não compreendes? Eu... não suportarei por muito tempo!

Vincenzo começava a suar. Parou, se pôs de frente a ela, encarando-a, e confessou:

— Tu te recordas de quando chegaste? Te recordas que prometi respeitar-te e jamais tirar proveito de ti ou alimentar pensamentos obscenos a teu respeito?

— Sim, recordo-me.

— Pois bem. Acontece que as coisas mudaram! Já não me sinto mais o mesmo homem que fez essa promessa... Já não estou certo de que conseguirei cumpri-la. Não por muito tempo.

Tendo o peito encarcerado pela ansiedade e pela vontade, Francesca aproximou-se ainda mais. Seu hálito podia ser sentido quando ela falava, e as palavras vieram acuradas, sem que a razão tomasse delas qualquer partido.

— Então não a cumpra.

Vincenzo a encarou. Não estava certo de que escutara, ou não quis crer de imediato.

— Como... como disseste?

— Disse que não cumpra a promessa que me fez.

Ele parecia prestes a se afogar e, como tal, tentou ainda salvar-se uma derradeira vez.

— Francesca, por favor, te afastes. Tu não sabes o que diz, não sabes o que provoca… Não sabes como me sinto… Não sou forte como imaginava… Não contigo…

A moça roubou-lhe o restante do oxigênio quando tomou a mão direita dele, a beijou e a levou à face, depois, escorregou até o colo e declarou:

— Não sejamos, Vincenzo. Não sejas forte… Não quero mais ser forte.

O fôlego se fora junto ao raciocínio. A prudência abandonara a ambos e o medo se tornara apenas uma réstia de sensação. Num gesto impetuoso e agressivo, ele agarrou um punhado dos fios dourados de Francesca, puxando seu rosto para um beijo cheio de violência e desejo. Francesca gemia ao sentir a língua de Vincenzo, quente e úmida, penetrando sua boca e provando sua saliva. Os lábios dele eram mais macios do que aparentavam, e a barba curta arranhava seu rosto, arrepiando as auréolas rosadas.

Francesca deixava ardentes lamúrias escaparem de seus lábios, afundando ansiosamente os dedos nos cabelos de Vincenzo. Todos os seus planos de manter sua virtude, de entregar a sua virgindade àquele que se fizesse seu esposo haviam desaparecido entre os pelos negros do peito semidesnudo que ela tocava e beijava sofregamente. Ele percebia que todo aquele desejo que ela demonstrava não podia ser recente. Aquela entrega nascera muito antes, e isso aumentou ainda mais a fome nele.

A jovem sentia seus laços sendo desfeitos, seus cabelos sendo libertos, sua saia sendo levantada. Mais uma vez, a solidez implacável apertava as calças do pintor e ela, percebendo aquilo, tratou de levar as mãos até onde o sangue se congestionava, resgatando o membro faminto por tantos dias. Num segundo, peças de roupas jaziam no chão, no divã e nas mesinhas. Francesca, a moça virgem que cheirava a alecrim, pediu no ouvido de Vincenzo:

— Quero que faças comigo… Faças como fizeste com Letizia. Toma-me daquela forma, Vincenzo… Com a mesma vontade…

— É impossível! Jamais senti tanta vontade como agora! — respondeu ele, empurrando-a sobre a pequena mesa de madeira que comportava tinturas, pincéis e rascunhos.

A mão máscula invadiu a saia em busca dela. Sentiu os pelos densos, ouviu de sua boca gemidos de aflição. Levou um dedo à sua vulva, querendo medir-lhe, sentir seu calor e sua umidade. Francesca franzia a testa, apertava os olhos, contorcia o tronco. A excitação era uma força esmagadora e incontrolável que a fazia querer gritar, sorrir e chorar ao mesmo tempo.

Enlouquecido, Vincenzo posicionou-se entre as belas pernas da mulher, preparando-se para atacá-la. Francesca o encarou. Boca entreaberta, feições desesperadas. Não havia qualquer rastro de sensatez rondando a sua mente. Tudo o que ela queria era senti-lo como uma mulher sente um homem. Foi então golpeada. Um grito de dor lhe fugiu enquanto sua carne era conquistada pela primeira vez. Doía, doía profundamente. Vincenzo quis se apiedar da jovem, mas, ao contrário, recuou apenas para penetrá-la novamente, ainda mais fundo, até que o sangue brotasse da pele fina e desvirginada.

Ao segundo golpe seguiu-se o terceiro, o quarto, o quinto… e, aos poucos, acomodou-se no corpo delicado da virgem, transformando-o em fruto maduro, era como o mapeamento de uma terra conquistada. As unhas de Francesca cravaram-se nos braços de Vincenzo em busca de vingança — ou de uma defesa inútil. E a dor, apesar de intensa e latejante, passava a coexistir com uma sensação confusa de completude. Devagar, fazia sentido. Devagar, se fazia sentir, e o sofrimento agudo se convertia em alívio. Francesca passava a aceitar o destino, a não resistir à incursão violenta de Vincenzo. E o homem, prestes a perder a sanidade, fechou os olhos, sem saber se o que partia de si era doação ou roubo, pois, naquele momento, sentia-se roubado do equilíbrio, da sensatez, da noção de limites, do autocontrole... Ali, entre as coxas molhadas de Francesca, Vincenzo era nada além de um corpo em fuga em busca frenética do gozo.

Quando enfim foi arrebatado pelo orgasmo brutal, gemidos angustiados lhe escaparam à garganta no mesmo compasso que o sêmen e as forças se esvaíam de seu corpo. Apoiou-se numa das mãos, pois com a outra segurava a coxa muito branca da jovem. Cabeça baixa, olhos cerrados, suor a descer pela testa e têmporas. Pernas trêmulas e fôlego parco.

Francesca mantinha fechados os olhos, querendo reter um pouco mais do momento. Sentiu em seus lábios os beijos arfantes de Vincenzo, e então agarrou-o num abraço possessivo, com braços e pernas, já prevendo a separação. O veneno da paixão corria por suas veias e não queria sequer pensar nos dias que viriam. Somente naquele momento. Após alguns minutos de silêncio, Vincenzo perguntou, com voz rouca:

– Estás bem? Como te sentes?

Dando um longo suspiro, Francesca respondeu:

– Sinto-me... viva! Em chamas!

O artista sorriu e, delicadamente, se pôs de pé, retirando-se dela. A jovem sentiu uma forte ardência, que se mostrou em sua expressão de incômodo na face. Vincenzo se culpou:

– Machuquei-te, não foi? Perdoa-me, Francesca, temia por isso, não consegui me controlar...

– Está tudo bem, Vincenzo. Aliás, nunca estive tão bem.

Ajudando-a a levantar, ele exclamou:

– Estou faminto!

Ela riu e respondeu:

– Sinto o mesmo. Vem, vou preparar algo.

Seguiram para a cozinha, onde cearam em silêncio. Francesca sentia as bochechas comicharem graças ao roçar da barba do rapaz.

Após a refeição, Vincenzo disse, encarando-a muito seriamente:

– Francesca, é necessário que tomemos alguns... cuidados. Eu... Bem, não desejo que sofras do mesmo mal de Letizia. Quero dizer... não alimente sonhos pueris ou fantasias comigo. Não sou um cavalheiro, nem um romântico...

Entendendo a mensagem e sentindo a tristeza alfinetando seu peito, ela se apressou em dizer:

– Não te preocupes, Vincenzo. Não ouso alimentar planos contigo, nem pretendo tolher tua liberdade...

Mordendo o lábio, o rapaz baixou a cabeça, envergonhado com o tom melancólico com o qual ela proferira a última frase. Resolveu se retirar.

– Bem, eu vou me recolher.

– Tudo bem... – respondeu ela. E completou: – Boa noite.

– Boa noite.

Capítulo 13

FRANCESCA NÃO CONSEGUIRA DORMIR. Um turbilhão de sentimentos transformava sua mente num bolo caótico, de onde não conseguia retirar quase nenhum pensamento lógico. Sentia-se queimar, tanto em sua intimidade quanto no fundo do coração. A paixão pelo pintor era irreversível. Dividia em si mesma a alegria infinita da primeira experiência, por ter sido correspondida em seus anseios carnais; a vergonha por saber que seu pai, seus irmãos e até mesmo sua mãe – se ainda estivesse viva – estariam decepcionados; o medo pelos dias seguintes, afinal, Vincenzo dissera que ela deveria deixar a residência; a ansiedade absurda por não saber o que se passava na cabeça do pintor. O que ele sentia por ela? Seria mera fome luxuriosa? Ou teria deixado sentimentos mais profundos crescerem em seu peito? Todas essas questões inundavam a moça desde que Vincenzo se trancara no quarto. O que, afinal, o belo artista sentia?

E Vincenzo sentia angústia. Pura e cristalina. Como agir dali em diante com a moça? Como poderia tirá-la de lá depois do que houvera? Como lidaria com o fogo que lhe escaldava as entranhas? Como poderia evitar a paixão, agora que recebera a ferroada fatal? E como estaria se sentindo Francesca? Tão bela e virgem, agora feita mulher graças à fraqueza dele! Remoía-se por dentro. Francesca não era como Letizia – mulher experiente e dada às libertinagens desde muito antes de conhecê-lo.

Francesca chegara até ele pura e íntegra e não pretendera, sequer imaginara, desvirginá-la. Mesmo tendo sido atraído pela beleza impecável da jovem desde o primeiro momento, o pintor não intencionava levar o desejo até as últimas consequências. Mas Francesca, ainda que tão casta e inofensiva, fizera tremer os joelhos de Vincenzo e desintegrara toda a proteção que ele construíra em seu peito contra a afeição. Parecia-lhe uma sina terrível a de ser acuado pela delicadeza da jovem.

Com todos os pensamentos angustiosos tomando-lhe a mente, Vincenzo assistiu ao céu clarear-se pelo sol que trazia um dia novo. Ouviu, de seu quarto, o som da porta de Francesca sendo aberta e distinguiu seus passos descendo as escadas. Demorou a descer e calar o estômago vazio. Usava a mesma vestimenta da noite anterior e descia os degraus ajeitando febrilmente os cabelos, num gesto inconsciente que denunciava sua ansiedade.

Francesca retirava do forno um pão assado e começava a apagar a lenha quando ouviu:

– *Buongiorno*!

Deu um salto. Estava tão distraída com memórias que não percebera a aproximação do rapaz.

– Oh, Vincenzo! *B-buongiorno*… Estás de pé, afinal! Tens fome? Acabo de preparar este pão.

– *Sì*, tenho fome.

Encontravam-se numa situação muito constrangedora: ambos silenciosos, a manter as bocas cheias na tentativa de evitar o diálogo, a desviarem o olhar um do outro, a adiar ao máximo uma possível conversa sobre o que houvera.

Por fim, com a desculpa de concluir algumas telas, Vincenzo aboletou-se na sala e se envolveu com os pincéis. Francesca entendia bem o que acontecia e não se atreveu a romper o isolamento tácito. Mas a febre perdurava. Queria novamente, mesmo machucada e amedrontada. Descobriu tarde demais que, uma vez liberto, o desejo não seria novamente prisioneiro da consciência. E Vincenzo penava para manter o que restara da dele.

A moça passou a manhã cozinhando e fazendo costuras no quarto. O coração jamais acalmava, jamais desacelerava. Quando a tarde se anunciou, a jovem cedeu à inquietação e desceu silenciosamente as escadas. Fitou-o de longe, cheia de fome, como uma predadora que analisa sua presa antes de atacar. Vincenzo trabalhava nas sombras que encobriam o rosto sóbrio de Piero. Sem que o homem percebesse, ela aproximou-se vagarosamente por trás dele e, num ato de insano atrevimento, levantou a saia até o quadril, revelando não apenas suas pernas macias, mas a totalidade do sexo desnudo. Chamou numa voz trêmula e rouca.

– Vin…Vincenzo…?

O pintor, mergulhado em seu trabalho, hipnotizado como sempre ficava pelas pinceladas, virou-se distraidamente. Sua face transformou-se ao encarar, a alguns centímetros do rosto, a vulva densa de Francesca. Boquiaberto, chocado, excitado, ele a fitou. Gostaria de reprovar o gesto, mas nenhuma palavra lhe saía da boca. Fitou a jovem, que disse:

– Quero-te novamente… por favor… não penso noutra coisa…

Sentado na banqueta, nem se atreveu a tentar evitar o pecado. Deixou cair ao chão pincéis e paleta, levou as mãos aos calcanhares da jovem e, delicadamente, fez seus dedos subirem pela parte de trás de suas pernas. Panturrilhas, atrás dos joelhos e coxas, nádegas. Francesca sibilava e já sua respiração não respeitava aos comandos do cérebro. Ele a puxou para ainda mais perto, aproximando o rosto do sexo dela até sentir seu cheiro. Tomou-lhe uma das pernas, fê-la apoiar-se na mesa e, ajoelhando-se defronte a ela, aspirou profundamente o aroma salgado dos pelos pubianos, fechando os olhos, embriagado. Francesca gemia. Aquela proximidade lhe era estranha e deliciosamente degenerada. Não se conteve:

– O que estás fazendo?

E ele, abrindo os olhos e encarando-a como um animal embrutecido pela fome, respondeu:

– Provando de ti.

A moça sentiu então a carícia úmida da língua de Vincenzo abrindo-a como a primeira flor da primavera: tímida, leve e fresca. O clitóris despontava aceso e túrgido, seu ventre latejava em resposta àquele toque atrevido. Francesca acariciou os cabelos revoltos do homem, puxou-lhe alguns fios. Ela tinha os olhos fechados, a face tensionada, o calor e a excitação brincando com sua sanidade. Vincenzo aprofundava-se ainda mais, abria os lábios e verdadeiramente extraía daquela flor rosada o néctar agridoce que ela deixava escapar.

Ela quase gritou, trêmula, desajeitada, quase em desespero:

– Não… Não, Vincenzo… Estou enlouquecendo!

Incitado pelas súplicas da moça, o homem a segurou pelas nádegas puxando-a para mais perto ainda. Esfregava o próprio rosto contra aquela pele molhada, batizando-se com aquele mel enquanto suas calças já não suportavam a pressão do seu desejo. Lambeu-a seguidamente, com fome e sede, como se quisesse mesmo rasgá-la. E então, repentinamente, ela deixou pender o corpo para frente, quase arrancando os cabelos do pintor, sendo invadida por magníficos choques de delírio e prazer. Jamais sentira tamanho deleite e tão logo seu corpo serenava, sentia as pernas fracas, ameaçando não a sustentar de pé. Abraçou a cabeça de Vincenzo. Sentia-se como uma pluma, sem peso nem resistência. Aquela calmaria ela só experimentara antes nas colinas frescas de San Gimignano, sentindo o aroma das plantações de açafrão. Queria deitar-se.

– Vi-vincenzo… preciso sentar…

Então ele a tomou no colo para deitá-la sobre o divã. Ela tinha o rosto suado e as bochechas vermelhas, alguns fios dourados grudados no rosto. Acariciou sua testa e a ouviu dizer:

– Não… não sei o que aconteceu, Vincenzo. Senti uma… onda quente e agradável se espalhando pelo meu corpo… fazendo-me tremer de maneira incontrolável! E depois… minhas pernas perderam a resistência – dizendo isso, passou a sorrir compulsivamente.

Satisfeito, o artista respondeu:

– Chama-se orgasmo, minha bela Francesca. É a recompensa destinada aos corpos que se atrevem a amar…

Fechando os olhos, ela sorriu e falou:

– É… formidável! Mais parece um desmaio, mas um desmaio bom, maravilhoso! Jamais imaginei tal… sensação!

Deitando-se sobre ela, ainda ofegante e teso, Vincenzo devolveu:

– Trata-se apenas do começo, Francesca. Tens muito o que explorar em teu corpo. É um acinte que tão belas formas não recebam o benefício do prazer, e isto posso oferecer a ti o quanto quiseres…

Em seguida, beijou-a ardentemente, inspirando seu hálito, engolindo sua saliva e libertando com a mão esquerda o membro petrificado. Aninhou-se entre as coxas alvas da jovem e cessou o beijo, ansioso por encará-la enquanto a penetrava. Um movimento do quadril e novamente a dor fina era sentida, mesmo que um pouco mais gentil. Para cada estocada, um gemido vinha como resposta, e mesmo que a dor diminuísse, os lamentos só aumentavam, obedecendo ao fato de que os melhores gemidos são filhos legítimos dos prazeres carnais.

Francesca fechou novamente os olhos, entregue e indefesa aos deleites daquele momento. Vincenzo partiu em direção aos momentos finais, quando nada há a fazer além de se deixar liquefazer pelo gozo. Agarrou o tronco da mulher com força, afundou-se por três vezes com mais rigor e deixou que tudo lhe escapasse e a inundasse. Gemia entre os seios suados, escoava-se por completo, até que não restasse mais sombras de dúvidas ou receios. A partir dali, apenas viveria. Ou melhor, vivenciaria! Experimentaria, enfrentaria, entregaria, cederia... Qualquer verbo que se fizesse entender que a paixão era real e inevitável para ambos.

Com o rosto pousado no colo suado da jovem, ele sussurrou:

– Francesca... Que fizeste de mim?

Sorrindo de olhos fechados, entendendo aquela frase como uma confissão, ela suspirou, devolvendo:

– O mesmo que tu fizeste... de mim.

Abraçaram-se com força, agarrando-se àquele sentimento recém-nascido de paixão mútua. Os dedos de Francesca passeavam suaves por entre os cabelos do pintor. Vincenzo respirava fundo, acalmava-se, sendo lentamente carregado ao sono tranquilo e sereno.

O cochilo foi interrompido por três batidas decididas na porta da frente. *Porca miseria*!, pensou o artista, vendo-se obrigado a se afastar do corpo que o abrigara com tanta perfeição. A última pessoa que ele gostaria de ver naquele momento era Letizia e as batidas contundentes na porta levaram seu pensamento diretamente a ela. Francesca, ainda estremecida, rosto afogueado, ficou de pé e se recompôs. Olhava em volta, como se buscasse indícios do ato cometido momentos antes. O homem se vestia com inegável mau humor e, antes de se dirigir à porta, beijou os lábios macios de Francesca, que sorriu, apaixonada. Observou Vincenzo ir em direção à entrada e percebeu sua surpresa ao abri-la:

— Não posso crer! Maurizio!

— Ora, viva! Vincenzo Mantovani! Dá-me cá um abraço, *ragazzo*!

A moça viu Vincenzo sendo agarrado alegremente por um senhor de cabelos grisalhos e ralos, barba bem aparada e indumentária sóbria, composta de um longo casaco que encobria o gibão, a beca e os calções. Ele portava um chapéu largo e achatado, que lhe dava um ar requintado e nobre. Francesca observava de um canto da sala, encabulada e curiosa. Ouviu então o velho dizer, enquanto se separavam:

— Estás corado, meu rapaz! Robusto como um puro-sangue!

Gargalharam os dois.

— Entra, entra, meu caro Maurizio!

— Espera, trago comigo uma companhia deveras especial.

Francesca viu quando o velho se afastou brevemente da soleira da porta, reaparecendo em seguida com uma companhia feminina. Escutou o nobre senhor apresentá-la à Vincenzo como "duquesa Alessia Sforza". Não conseguiu ver o rosto da mulher, apenas sua mão direita, delicada e elegante, sendo beijada por Vincenzo. O pintor sussurrou algumas palavras inaudíveis e convidou, por fim:

— Adentrai-vos! É verdadeira honra recebê-los em meu humilde estúdio.

Vincenzo abriu a porta de madeira, dando passagem para os convidados, ainda segurando a mão da nobre senhora. Francesca tinha as mãos cruzadas na frente do corpo e uma expressão preocupada na face. Sentia-se tensa, mesmo que não houvesse motivo aparente. Vincenzo fez as apresentações, enquanto fechava a porta.

— Maurizio, honrosa duquesa, esta é Francesca, uma moça de San Gimignano que está posando para mim e... ajudando-me enquanto Niccoletta, minha criada, goza de um descanso merecido em Bolonha. E Francesca, conheça o ilustre Maurizio di Ferrara e a nobilíssima duquesa Alessia Sforza!

A duquesa apenas ensaiou um sorriso, incomodada de ter que lidar com uma criada. A beleza da mulher era explícita e intimidadora. Usava sobre a cabeça um véu de tecido fino perolado, cobrindo seus longos cabelos negros perfeitamente acomodados numa trança que lhe caía sobre o ombro direito. O vestido imponente, de ricos detalhes e tecidos luxuosos, era coroado pela gola alta que se abria como um leque por detrás do pescoço e terminava num decote opulento e majestoso. Usava uma finíssima joia sobre o colo, com uma pedra azulada brilhante. Os olhos castanhos, a boca pequena e delicada, as maçãs do rosto bem pronunciadas e o queixo fino, levemente arredondado, uniam-se numa aparência deslumbrante. Francesca apenas se inclinou em direção aos visitantes numa reverência, mas Maurizio aproximou-se, tomando-lhe a mão esquerda e depositando nela um beijo respeitoso.

— Encantado, *signorina*.

Ela corou. Notou no velho o refinamento que demonstrava seu grande valor. Vincenzo ofereceu-lhes vinho, imediatamente aceito pelo homem. Enquanto o pintor ia em busca de taças, Alessia retirava o véu, acomodando-o em volta do pescoço. E, ignorando solenemente a presença de Francesca, passou a percorrer os espaços do estúdio, observando com interesse as obras lá dispostas. Admirava os contornos sisudos e as pinceladas dramáticas de Vincenzo ao retratar figuras notáveis da sociedade florentina, em sua maioria velhos conhecidos da Casa de

Sforza. Parou então defronte ao quadro de Francesca. Levantou uma sobrancelha e encarou a moça. Francesca sentiu a força do desprezo no olhar da nobre, o que a fez baixar os olhos, intimidada. E então ouviu, pela primeira vez, a voz da mulher dirigindo-se a Vincenzo:

— *Signor* Mantovani, venho guiada pelas tantas boas referências que escuto a teu respeito nesta cidade.

Vincenzo, que servia vinho a Maurizio, já bem acomodado no divã, virou-se para ela, sem esconder a curiosidade. A duquesa continuou falando quase distraidamente, tocando n'alguns pincéis em cima da mesa, impondo sua superioridade:

— E, de fato, algumas me deixaram nada menos que maravilhada, embora outras tenham caído na mesma vulgaridade cansativa de tantos...

Vincenzo arqueou a sobrancelha, contrariado e até mesmo ofendido com aquela afirmação. Resolveu manter a postura tranquila e retorquiu:

— Vulgaridade...?

Sorrindo, mostrando toda a beleza de seu rosto, a duquesa se aproximou do pintor para responder:

— Meu caro Vincenzo, hás de convir que já não há muito de especial em deusas desnudas...

Em silêncio, ele a encarou furioso e intimidado, observando-a se sentar numa cadeira.

— Desejo falar-lhe, Vincenzo, a respeito do que creio ser uma excelente oportunidade para ti. Podemos ter um pouco de privacidade? – perguntou ela, dirigindo languidamente o olhar a Francesca.

Vincenzo olhou também para a jovem, que, entendendo o recado, fez uma mesura antes de se retirar para o quarto, sentindo a curiosidade lhe fustigar por dentro. Suspirou ao fechar a porta, pois se viu temerosa e aflita – sensações típicas de quem tem algo a perder. Essa é a tal armadilha do amor: há sempre algo em risco, algo a ser defendido ou disputado.

A jovem deitou-se na cama e esperou. Sentia na pele o cheiro de Vincenzo. Suas bochechas se ressentiam do atrito da barba do amado. Brincava com os laçarotes do seu vestido, desfazia-os e refazia-os enquanto encarava o teto. Imaginava que não deveriam se demorar, afinal, a noite já se aproximava. Contudo, os minutos se passavam e nada acontecia, então adormeceu. Os sonhos levaram-na de volta à San Gimignano, aos campos vastos de açafrão, às oliveiras carregadas de frutos, ao sol cintilante pendurado no céu azul da Toscana. Corria pela relva, sentia-se livre e feliz. As vestes lhe caíam como por mágica e por onde passava abandonava saiotes, mangas, vestidos. Soltou os cabelos, balançando os fios dourados ao vento, num ato de brincadeira. Seu corpo perdera o peso e por vezes seus pés deixavam o chão, fazendo-a quase flutuar. Sorria. No sonho, nada parecia poder afligi-la, até que ouviu a voz grave do pai a chamá-la, gritando-lhe inúmeros enxovalhos. Olhou para trás e viu o velho de rosto avermelhado segurando na mão tiras de couro com as quais iria castigá-la. *Pietá! Pietá!*, pedia ela, já de joelhos, nua sob a grama, a chorar em desespero. E quanto mais seu pai se aproximava, mais alto ouvia-o gritar seu nome: "Francesca! Francesca! FRANCESCA!".

Acordou num susto, com o coração disparado roubando-lhe o fôlego. As velas em seu quarto estavam acesas e, ao seu lado, Vincenzo sorria, um tanto desconfiado:

– Francesca, o que há? Creio que sonhavas com algo assustador...

Sentando-se, ainda impactada pelo medo do próprio pai, ela respondeu:

— Sim, tive um sonho… Um sonho medonho!

Fechou os olhos e respirou fundo. Sentiu os dedos de Vincenzo afastarem os fios de cabelo de seu rosto e aquilo a acalmou. Ouviu-o dizer:

— Chamei-te insistentemente. Tens realmente o mais pesado dos sonos.

— Perdoa-me. Acho que estava cansada.

— Não há por que se desculpar — respondeu ele, beijando a boca fria da moça. Ela agarrou-o, meio tonta, confusa e agitada, recebendo grata os braços de Vincenzo em volta de sua cintura. Ele perguntou:

— Queres me contar esse sonho?

— Não. Já passou… — E, num estalo, lembrou-se da visita que Vincenzo recebera. Separou-se dele, encarando-o: — Mas e teus visitantes? Já se foram?

Ele suspirou.

— Sim. A duquesa me fez uma proposta… — disse ele, franzindo a testa.

Francesca arguiu:

— Uma proposta?

— Isso… Como *papà* já havia adiantado, esta *signora* deseja que eu faça para ela um afresco em sua *pequena* residência de verão. Deseja que retrate a visão de Santa Catarina di Siena.

Tentando disfarçar a insegurança, Francesca murmurou:

— É um belo tema, de fato…

— Sim, de fato… — respondeu ele, sem ânimo. E completou: — Contudo, antes deseja que pinte um retrato dela, um perfil. Retornará amanhã para começarmos o trabalho.

A Madona *e a* Vênus

Sentado à cama, Vincenzo retirava os calçados e as vestimentas sem perceber a amargura se apossando de Francesca. Ela não estava preparada para encontrar novamente a bela e poderosa mulher que, ao primeiro olhar, já parecia uma ameaça. Ficou em silêncio, perturbada com o tumulto em que sua mente se transformara. O jovem nu finalmente apagou as velas com um sopro, deitando-se ao lado da moça e puxando-a para si. Mesmo angustiada, aceitou a aproximação, o toque e o corpo de Vincenzo novamente antes de se aninhar em seus braços e atravessar assim a noite até a manhã seguinte.

Capítulo 14

Francesca despertara solitária e desarrumada sobre a cama. O brilho do dia e o canto dos pássaros já invadiam o pequeno quarto pela janela. Espreguiçou-se demoradamente e sentiu as coxas doloridas graças aos amores vividos na noite anterior. E tão logo sorriu de alegria pelas sensações, lembrou-se de que Vincenzo receberia novamente a visita ilustre da duquesa. Tratou de levantar e arrumar-se.

Ao descer, percebeu apenas o silêncio na casa. Imaginava que Vincenzo ainda dormia, até vê-lo compenetrado na sala, a separar telas, pigmentos, pincéis, carvões. Arrumava cadeiras e banquetas, abria cortinas, organizava quadros inacabados. Parecia extremamente tenso e preocupado em manter a ordem do lugar, e se surpreendeu com a voz de Francesca saudando-o:

— *Buongiorno!*

— Oh! *Buongiorno, bella mia!* — respondeu, fitando-a rapidamente com um sorriso, sem interromper a arrumação.

Mesmo com tantas perguntas na mente, a moça limitou-se a dizer:

— Já tomaste o desjejum?

– Uh… Na verdade, não. Podes preparar algo para nós?

Sem responder, Francesca virou-se em direção à cozinha para separar pães, frutas e geleias, recebendo em troca com alegria e receio um beijo molhado. Comeram em silêncio. Ele, concentrado, analisando a tela em branco posta sobre o cavalete, como se já visse nela os traços, as cores e as sombras do belo rosto de Alessia.

Já o silêncio de Francesca nascia da apreensão e dos ciúmes. Não entendia bem o porquê, mas o seu coração já batia enciumado por aquela proximidade nova, pela beleza e poder da duquesa e até mesmo pelo olhar de Vincenzo à tela em branco. E tão logo terminaram a refeição, batidas na porta foram ouvidas.

Respirando fundo, Vincenzo levantou-se, orientando:

– Leva daqui essa bandeja, Francesca. Quero a sala organizada. – E mostrando os dentes, perguntou: – Há algo em meus dentes?

Francesca se limitou a negar com a cabeça, enquanto juntava as migalhas e cascas de frutas sobre a bandeja. Seguiu em direção à cozinha ouvindo a porta se abrir e a maviosa voz adentrando o recinto:

– *Buongiorno, signor* Mantovani.

A moça sentiu a fisgada no peito – uma fisgada que não conhecia. Repousou a bandeja e passou a espreitá-los. A duquesa parecia ainda mais deslumbrante num vestido de veludo vinho, com uma tiara encrustada por delicados rubis ornando sua testa, e desaparecendo por entre os negros cabelos presos e lisos. Pequenos rubis e pérolas enfeitavam também o seu dorso, dando àquela mulher um ar elegante e extremamente sensual.

Vincenzo a tratava com especial cortesia, guiando-a até uma cadeira no centro da pequena sala, onde era de fato seu estúdio. Alessia sentou-se, bastante confortável e segura, como se dominasse a situação, o ateliê e o próprio pintor. Vincenzo percebia na mulher o ar de desafio e, se por um lado aquilo o inquietava, por outro, o incitava a mostrar que ninguém o amedrontava. Lançou-lhe a pergunta:

— Posso oferecer-te alguma coisa, duquesa?

— Sim, meu caro. Dá-me uma taça do teu vinho. *Tuo papà* presenteou-me com um cântaro de Lambrusco cultivado nas vinhas de tua família, e posso dizer que foi um dos sabores mais encantadores que já provei.

Indo em busca de cálices e de bebida, Vincenzo avisou:

— Devo-lhe adiantar que o que disponho aqui não chega aos pés dos que *papà* produz, mas tem sabor honesto — afirmou, estendendo-lhe um dos cálices.

Tomando um gole, sem opinar sobre o vinho, Alessia perguntou, arqueando a sobrancelha cheia de curiosidade:

— Onde está tua criada?

Incomodado com o título dado a Francesca, esclareceu:

— Ela não é minha criada. É alguém que me… auxilia, e posa para mim.

— Mas se bem me recordo, disseste que ela substitui tua criada…

— Bom, eu não utilizaria este termo…

Notando nele certo constrangimento, decidiu provocá-lo:

— Que mal há, Vincenzo? Te sentes culpado? É normal que alguém de sua estirpe possua servos. Diz, a moça cozinha para ti?

— Sim, mas…

— Mantém tua residência em ordem? Cuida do asseio de tuas roupas?

— Sim. Ela faz tudo isso, de fato. Porém…

— Então, meu caro, Francesca é tua criada. Tens a sorte de ter uma serva com todos os dentes e uma aparência até mesmo decente, eu diria. Não posso dizer o mesmo dos dois brutamontes que me acompanham aonde quer que eu vá… — disse ela, referindo-se aos guarda-costas que a aguardavam do lado de fora do ateliê. E insistiu em saber:

– Onde ela está?

– Chamaste-me, *signora*? – respondeu Francesca, da porta da cozinha, sentindo o sangue fervendo e esquentando o rosto.

Ela escutava a conversa e percebia na duquesa, desde o início, o desejo de diminuí-la. O pintor, de costas, voltou-se para a jovem, um tanto assombrado por seu atrevimento. E Alessia, percebendo o tom de desafio da bela moça, tratou de colocá-la no devido lugar:

– Vossa Graça.

– Perdão?

– Deves te dirigir a mim como *Vossa Graça*! E nunca como *signora*. E não, não te chamei, podes voltar aos teus serviços.

Francesca encarou Vincenzo. Sobressaltado, ele hesitou por um instante antes de confirmar:

– Não te chamamos, Francesca. Estamos bem, podes ir.

Revoltada e com o estômago embrulhado, a jovem se exilou em seu quarto. O ódio a intoxicava.

Alessia, por sua vez, fingiu que nada de mais acontecera e começou a simplesmente seguir as orientações de Vincenzo quanto à postura e posição corporal, sem esconder na face um leve sorriso, quase imperceptível, de vitória. E o pintor, por sua vez, tinha a mente turva, num misto de raiva e de receio em confrontar a duquesa, além da preocupação com Francesca.

Passaram-se algumas horas. Vez por outra Francesca ouvia uma risada mais animada, geralmente feminina, e seu rosto se esquentava de pura raiva. Sentia o coração bater na garganta e aquela fúria lhe era inédita. Nem mesmo Giane ou Gastone, os piores homens que conhecera, foram capazes de plantar nela aquela contundente vontade de estrangular um pescoço! Imaginava que a tal duquesa estivesse naquele momento despejando todos os seus encantos sobre Vincenzo, o homem por quem a jovem de San Gimignano se apaixonara perdidamente. Rezava para que ele repelisse Alessia da mesma forma como repelira Letizia quando, inesperadamente, a porta do seu quarto se abriu, dando-lhe um bom susto.

– Nossa!

– Francesca… Tudo bem? – perguntou ele, um tanto acanhado.

Recompondo-se e tentando disfarçar a enxurrada de sensações, ela respondeu:

– Sim, eu… esperava que terminásseis o trabalho.

Vincenzo permaneceu na soleira da porta, desconfiado. A moça notou que algo não parecia certo:

– E então? Terminastes? Ela se foi?

Ele adentrou o quarto vagarosamente e fechou a porta atrás de si, explicando:

– Sim, a duquesa se foi… Ainda não finalizamos, falta algum trabalho. Bastante trabalho, aliás…

Vincenzo esfregava a testa com a mão, como sempre fazia quando algo o incomodava. Francesca não se segurou:

– O que há? Algo errado?

– Não… Nada de errado… Bom, devo sair mais tarde… Vou a um encontro. Uma reunião, na verdade.

– Que encontro? – ela indagou imediatamente. Percebendo o tom enérgico em sua voz, paliou: – Digo… se me permites perguntar…

O homem sentou-se sobre a cama e inspirou fundo. Francesca, de pé frente à janela ensolarada, encarava-o aguardando a resposta:

– Haverá um jantar logo mais no Palazzo di Médici, que reunirá nomes importantes, mecenas, políticos, artistas, intelectuais, poetas e, bem… A duquesa me pediu que a acompanhasse. Não achei de bom-tom recusar…

Imediatamente, os olhos da moça inundaram-se de lágrimas difíceis de conter. Francesca virou-se para o exterior, buscando controlar os sentimentos e esconder de Vincenzo os ciúmes e a indignação. Era estranho, mas já se sentia traída. Vincenzo perguntou:

— Francesca, estás bem?

— Sim! Sim, por que não estaria?

Aproximou-se dela e, percebendo em seus gestos a contrariedade, o pintor falou calmamente:

— *Bella mia*... Sinto muito pelo que aconteceu... Não queria... Lamento pela forma como a duquesa te tratou...

Sem resistir, ela lhe direcionou um olhar faiscante:

— Se sentes tanto quanto dizes, por que não me defendeste? Por que deixaste que me tratasse como sua mera criada, Vincenzo?

Acuado, ele se defendeu:

— Francesca, vamos, não foi nada de mais, não exageremos. Pessoas da elite agem desta forma, necessitando impor sua grandeza sobre os outros. É lamentável, eu sei, mas...

— Mas natural. Natural que ela venha até aqui e me trate com desprezo. Afinal, quem eu sou, não é mesmo, Vincenzo?

O pintor se impacientava. Compreendia plenamente a raiva da jovem, e até dividia do mesmo sentimento, mas não podia externá-la.

— Por Deus, não levemos por este caminho! Deixemos de lado esse assunto, peço-te! Já estive bem há pouco envolto nas confusões dantescas de Letizia e não estou pronto para atravessar novos conflitos deste tipo.

Tremendo de fúria, Francesca apenas o encarou silenciosamente. Mesmo porque as únicas palavras que lhe sairiam da boca naquele momento seriam as mais chulas que conhecia. Talvez prevendo isso, Vincenzo ponderou:

— Creio que devemos nos acalmar um pouco. Se insistirmos, colheremos arrependimentos. Estarei descansando em meu quarto. Minhas costas doem e minha cabeça lateja!

Sem mais delongas, retirou-se. Francesca queria chorar! De zanga, de revolta! Mas não queria que ele a ouvisse despejar suas lágrimas e seu lamento, então desceu até a sala e ficou a caminhar de um lado a outro, sentindo o peito estreito e ânsia de vômito!

A tarde já se iniciava, mas a fome do almoço não se atreveria a chegar tão cedo. Num ímpeto raivoso, decidiu sair. Caminhou sem destino buscando respirar ar puro, refletir e acalmar o coração. Pensava se devia sair da casa de Vincenzo, talvez aceitar a proposta que ele fizera dias antes de se mudar para a oficina do tal amigo. Entretanto, tal pensamento a entristecia mais do que quando fora expulsa de San Gimignano.

Caminhou por becos infindáveis sem encarar os outros pedestres, levantando a saia para que não se sujasse e temendo tropeçar nas calçadas. Parou, enfim, não muito longe do ateliê, diante de um prédio branco em mármore de formato octogonal. Caminhou mais um pouco e logo atrás viu a esplendorosa catedral: a tão festejada Santa Maria del Fiore. Diversos passantes paravam diante dela a fim de contemplar sua beleza e a extraordinária façanha do famoso Brunelleschi, arquiteto que falecera décadas antes e ainda fascinava a população florentina graças ao famoso *duomo* da catedral.

Francesca ouvira falar do tal *duomo* e do campanário, mas não os tinha visto até então. Admirou por alguns minutos a esplêndida obra diante de si. Via as honradas senhoras florentinas de braços dados aos seus acompanhantes, algumas com belos vestidos importados e joias cujo brilho incomodava olhares mais humildes como o dela. Viu-se novamente como uma camponesa, a simples moça de San Gimignano que jamais possuíra tiaras, pulseiras ou colares tão finos quanto os que via nos pescoços daquelas mulheres.

Sentia-se inferiorizada como nunca. Em San Gimignano, Francesca jamais se importara com adereços e adornos, pois tudo de que necessitava morava quase ao lado dela, e em seu coração. Contudo, em Florença, os adornos possuíam um sentido, uma função, pois serviam para mostrar a importância daqueles que os ostentavam. Sempre era alguém com nome, sobrenome e, muitas vezes, um título. Alguém como a duquesa Alessia, ou *Vossa Graça, Duquesa Alessia Sforza*. Ao lembrar-se da bela mulher encheu-se de angústia, e as lágrimas que escondia de Vincenzo puderam finalmente cair. Sentada no canto de um dos degraus brancos da catedral, Francesca derramou seu sentimento de derrota e inferioridade. Estava claro para ela que Vincenzo logo cederia aos apelos da bela duquesa e, consequentemente, ela estaria novamente sozinha, abandonada e com o coração partido.

Escondia o rosto entre as mãos e soluçava baixinho enquanto imagens de Vincenzo e Alessia surgiam em sua mente. Seu nariz escorria e as lágrimas caíam sem parar quando ouviu um pigarro discreto, muito próximo a ela. Soluçou, levantou um pouco a cabeça e viu uma mão oferecendo-lhe um lenço. Nem ao menos foi capaz de olhar a pessoa que o oferecera. Simplesmente aceitou, agradeceu e enxugou os olhos e o nariz. Tinha vergonha de olhar ao redor, pois se percebia numa situação deveras constrangedora.

Respirou fundo com o lenço sobre os olhos uma, duas, três vezes, deu as últimas fungadas e, finalmente, virou-se para agradecer. Era um homem. Pele branca, barba espessa, cabelos loiros encaracolados e profundos olhos azuis. Vestia uma túnica cor de salmão até o joelho e sandálias de couro, trazendo na face uma serenidade que até contrastava com sua indumentária incomum.

Era muito bonito e Francesca se sentiu envergonhada como nunca. O lenço estava sujo e a jovem preferiu não o devolver, dizendo apenas:

– *Grazie*, *signore*.

Ele assentiu suavemente e perguntou:

– Te sentes melhor, jovem?

Suspirando, ela respondeu:

– Sim… Sinto-me mais calma. Peço perdão por… – Ela franziu a testa levemente. Gaguejando, Francesca completou: – … p-por ter atraído tua curiosidade. E sujado teu lenço.

Ele sorriu.

– Ora, com isso não te preocupes. E não me senti curioso, apenas solidário. Não é comum assistir a uma bela jovem lamentar em público dessa forma, portanto supus que algo terrível pudesse ter acontecido.

Francesca se sentia ainda mais constrangida. O homem falava pausadamente, com simpatia e ternura. Ela explicou:

– Bem, não que tenha sido algo terrível, ninguém morreu, afinal. Eu me sinto apenas…

Fechou os olhos e baixou a cabeça. Não queria dividir nada de sua vida com aquele desconhecido; contudo, não havia mais ninguém com quem pudesse desabafar sobre Vincenzo. Acabou deixando escapar algumas de suas angústias:

– Ahhh! Sinto-me injustiçada! Desde que cheguei a esta maldita cidade, encontro obstáculos atrás de obstáculos, enfrento tristes dificuldades, sem uma única alma viva que interceda por mim… E, de repente, quando finalmente conheço alguém que me toca o coração e a alma, surge esta *signora* rica e poderosa que não hesita em me humilhar e que pode sem esforço atrair a atenção desse homem que me é tão especial! Parece-me que não possuo direito algum à felicidade!

O homem ouvia a tudo com atenção enquanto Francesca gesticulava, cheia de apaixonada irritação. Ele então quis saber:

– De onde vens?

– De San Gimignano – respondeu, exausta.

– Ah, *San Gimignano delle belle torri...* – respondeu ele, distraidamente.

Francesca o encarou, olhar desconfiado e testa franzida. Ele parecia um tanto aéreo, acompanhando o insistente bater de asas de uma revoada de pombas que sobrevoava a catedral. A moça começou a imaginar que talvez fosse um louco. De repente, pousou sobre ela os olhos azuis e, sorrindo, perguntou:

– Como te chamas?

– Bem... Francesca. Chamo-me Francesca.

Ela já não queria mais continuar a conversa, percebendo o quão imprudente estava sendo. Pensava em se levantar e voltar para o ateliê quando ele se pôs a falar:

– Bem, Francesca, permita-me me apresentar: me chamo Leonardo. Como tu, não sou florentino. Nasci num vilarejo chamado Anchiano, em Vinci, a oeste daqui. Vim para estas terras há exatos doze anos, para me aperfeiçoar e aprender, aprender muito, aprender sempre. E o mais curioso é que, quanto mais aprendo, descubro que mais há a aprender...

Francesca não entendia exatamente o que ele queria dizer, se é que ele realmente tinha algo útil a dizer. Parecia mesmo que falava para os ventos. Ela fez menção de se levantar quando ele falou:

– E, mesmo pouco sabendo, minha jovem, posso talvez ter guardado na mente algum conselho que seja útil a ti. – E, virando-se para ela, completou: – Sabe, as provocações dessa *signora* de quem me fala são, a meu ver, como... o frio do inverno mais inclemente. Já tivestes a pele exposta ao frio?

– Sim... – Francesca apertava os olhos, concentrada no que ele dizia.

– Neste caso, bem sabes que o frio molesta nossa pele como se pequeninas agulhas tentassem penetrá-la. Mas para esse incômodo há uma solução: se te revestes de novas camadas de roupa, então proteges a pele do frio e este já não incomoda mais. Correto?

– Sim, correto...

E encarando-a profundamente, arrematou:

– Pois bem, minha cara Francesca, para cada provocação dessa dona, que tu te revistas de indiferença! Agasalha-te não permitindo que suas palavras e ações te abalem. Sê resiliente ante as pirraças e ultrajes que essa *signora* ou qualquer outro te remetam. E então nunca mais sentirás a angústia apresando o coração novamente, pois serás soberana de tuas próprias emoções.

Francesca refletiu sobre o que o homem dizia e buscava palavras para respondê-lo, mas foi surpreendida:

– Bom, infelizmente preciso ir, minha jovem. Há pendências à minha espera, mas é certo que eu gostaria de fazer-te companhia durante mais tempo.

Levantou-se. A moça pôde ver que a túnica lhe caía até pouco além dos joelhos. Havia algo de cômico que ela não conseguia distinguir. O homem, tomando a mão direita de Francesca, saudou-a com um beijo suave:

– *Addio*, bela jovem.

– *Addio*, *signor* Leonardo. E muito obrigada.

Viu-o sorrir antes que desse para ela as costas e desaparecesse numa ruela. Francesca já se acalmara e refletia sobre as palavras que acabara de ouvir. Decidiu que faria o possível para não se deixar abater pelas ofensas da duquesa. Pensou consigo que, mesmo não sendo uma mulher de posses e refinada, conseguira conquistar não apenas o desejo de Vincenzo, mas a própria sobrevivência até ali.

Sentir-se insegura e diminuída não a ajudaria em nada. Decidida, levantou-se, ajeitou os saiotes do vestido e respirou fundo. Passara um bom tempo desde que saíra, e seu coração se acalmara o suficiente. A tarde já se alaranjava e a fome começava a apertar. Era hora de voltar.

Capítulo 15

Vincenzo se arrumava com o suor a lhe descer pela face. O coração batia apressado e a testa franzida denunciava seu intenso nervosismo. Onde estava Francesca? Ela temera até mesmo sair para comprar vestidos, como pudera se ausentar sem sequer avisá-lo? Sentia um misto de raiva e angústia enquanto vestia peça por peça da indumentária sóbria. A cada som que ouvia, imaginava ser Francesca enfim retornando, mas seus ouvidos lhe enganavam. E se a moça decidisse não retornar? E se tivesse fugido ou desistido de permanecer no ateliê? Talvez tivesse tentado retornar para a taverna ou quem sabe para San Gimignano.

Parou por um momento na tentativa de organizar as ideias. Respirou fundo uma, duas, três vezes. O sol tomava o rumo do poente assumindo tons de vermelho e laranja, nuances soberbas que ele mesmo já havia tentado reproduzir. *O que Francesca fez? Onde está, por Deus?*, perguntava-se continuamente enquanto descia as escadas. Sabia que já passava da hora de ir ao encontro da duquesa para acompanhá-la ao tal jantar. Porém, se não estivesse tão ansioso pela oportunidade, teria desmarcado o compromisso e ido à procura da moça em cada beco da cidade. Esperou o máximo que pôde, então decidiu deixar um bilhete em cima da pequena mesa da sala.

Francesca, bella mia,
Peço-te que te mantenhas desperta até meu retorno.
Creio que necessitamos conversar. Não me demorarei.

Do teu,
Vincenzo.

Saiu sem trancar a porta, maldizendo a camponesa por isso, e se dirigiu à bela residência de uma tia de Alessia, onde a nobre se hospedava sempre que visitava Florença. Caminhou buscando Francesca por entre os passantes, até chegar ao local, já próximo à Piazza della Signoria. A criadagem o recebeu com o solene cuidado que se destina a visitantes especiais. Vincenzo recusou o vinho que lhe foi oferecido e aguardou a duquesa, permitindo-se distrair pelas tantas obras de arte expostas nas paredes das salas. Reconheceu os traços de Perugino numa têmpera e uma tela ao lado era sem dúvida um Botticelli. Eram inquestionavelmente belas, mas havia nelas alma? Havia nelas muito além do suor do rosto e da perfeita harmonia das cores? Seus questionamentos silenciosos foram interrompidos por uma voz feminina atrás de si:

— Apesar de magníficas, não se comparam às suas, Vincenzo.

Virou-se, surpreso, e viu a duquesa, esplêndida num vestido vinho e azul, com laçarotes a lhe descerem pelos cotovelos. Cabelos presos novamente numa longa trança e decote talvez um pouco mais profundo que o aconselhado para nobres formosas. O homem retomou a compostura após rápidos segundos de encantamento.

— Digníssima duquesa, sou grato pelos elogios, mas não me atrevo a comparar minha obras a de mestres como estes.

— És um deles, Vincenzo. És mais uma cria de Florença, mais um talento que merece toda a exposição e sucesso. O que falta em ti é tão somente a oportunidade, meu caro. E isso darei a ti com prazer — disse ela, sorrindo maliciosamente enquanto se aproximava do pintor, deixando-o com a boca seca. Sem responder, ofereceu a ela o braço direito e, sem mais delongas, retiraram-se rumo ao Palazzo di Médici.

Tempos depois, o belo casal adentrava os portões da imponente construção. A ansiedade lhe transbordava e buscava enxugar o insistente suor da testa. Alessia caminhava de braços dados com o pintor alheia ao seu estado, sorrindo com simpatia para os tantos conhecidos da nobreza florentina.

Ela apresentou Vincenzo para alguns convidados como um artista promissor a quem ela escolhera apadrinhar. Falava animadamente sobre os talentos do rapaz, mesmo que sequer conhecesse a fundo seu trabalho, o que o incomodou e o deixou ligeiramente irritado com aquele modo efusivo de Alessia. Suas palavras, ainda que gentis, soavam falsas aos seus ouvidos. Parecia que ela era sua mestra, e ele um pupilo. Manteve a compostura e simpatia; no entanto, reconheceu dentre os tantos convidados reunidos no pátio alguns colegas talentosos e já muito famosos, como os pintores Sandro Botticelli e Ghirlandaio, o filósofo Pico della Mirandola, o poeta Poliziano, todos elegantemente vestidos, íntimos e à vontade entre si.

Em dado momento, enquanto caminhavam pelo majestoso pátio do palácio, Alessia cochichou ao ouvido de Vincenzo:

– Estão aqui absolutamente todos os grandes mecenas de Florença, meu caro. Todos ávidos por descobrirem novos talentos, novos nomes que alimentem suas famas e prestígios. E os que não estão aqui por esta razão, estão certamente em busca de empréstimos do banco – ela explicou, sem esconder o desprezo.

Vincenzo apenas escutou. Primeiro, porque não se sentia ainda tão tranquilo entre aquelas pessoas meticulosamente adornadas por joias e ouro. Segundo, porque Francesca não lhe saía da lembrança. Rogava para que a jovem já estivesse em casa, aguardando-o.

Alessia então sussurrou:

– Lá está Lourenço. Venha, meu querido, vou apresentá-lo.

Com o coração disparado, ele a acompanhou até o grupo de senhores em volta de um homem de postura altiva, nariz protuberante, chapéu de veludo vermelho e uma elegante túnica azul. O Soberano *de facto* de Florença sorria discretamente, sem disfarçar, no entanto, a enorme satisfação que sentia por estar rodeado de expoentes das artes e da política – sentimento herdado de seu bisavô Giovanni di Bicci. A duquesa, com sua beleza e desenvoltura, abriu espaço entre eles sem dizer qualquer palavra. Lourenço, sorrindo largamente, exclamou:

– Duquesa di Sforza! É verdadeira honra ter em minha residência sua reluzente beleza!

Recebendo na mão direita um beijo, ela respondeu:

– A honra pertence toda a mim, nobre amigo.

Fizeram ambos uma reverência, e Alessia falou:

– Permita-me apresentar-te a quem creio ser um dos maiores talentos do nosso tempo. Caro amigo, este é Vincenzo Mantovani, aprendiz de Alessandro Bellini que agora produz, em seu próprio ateliê, obras nada menos que magníficas!

Erguendo as sobrancelhas, Lourenço respondeu:

– Oh, sim! Já muito ouvi falar de teu trabalho, meu jovem. Conheço teu pai, Bento. Homem muito digno e valoroso! E, portanto, é para mim uma alegria finalmente conhecer-te.

Surpreso, Vincenzo respondeu:

– *Messer* Médici, não conheço palavras que expressem com justiça o quanto sinto-me honrado por enfim encontrar com o Magnífico Florentino.

Lourenço sorriu com simpatia, ao que ouviu de Alessia:

– Vincenzo estará em Roma muito em breve para produzir uma versão de Santa Catarina di Siena.

– Um belíssimo tema, meu jovem.

– Sem dúvida, *messer*. Espero estar à altura do desafio.

Uma voz atrás de Vincenzo os surpreendeu e afirmou:

– Mesmo que desconheças a natureza de tal desafio, estou certo de que estás sim à altura, caro amigo!

Seu portador foi recebido acaloradamente pelos três que conversavam:

– Leonardo! *Amico mio*! – exclamou Vincenzo, abraçando-o e recebendo de volta a mesma alegria.

Ato contínuo, Leonardo reverenciou a duquesa e Lourenço respeitosamente.

– Mas então? A que foste desafiado?

– Falávamos de uma comissão feita pela nobre duquesa Alessia Sforza ao vosso amigo, Leonardo.

– Ora, mas que maravilha! E permita-me dizer, Vossa Graça, Mantovani está à altura de qualquer trabalho que exija talento.

– Estou certa disso, Leonardo. Aliás, digo o mesmo de ti. Tua fama ultrapassa os limites de Florença, estejas certo.

Com as mãos cruzadas na frente do corpo, Leonardo sorriu com humildade ante o comentário. Discretamente, a duquesa se aproximou de Lourenço, falando-lhe algo ao ouvido. Em seguida, o ilustre homem pediu licença e se afastou na companhia de Alessia.

Leonardo e Vincenzo trocam um olhar cúmplice, pois bem sabiam do que iriam tratar: dinheiro e negócios. Os dois pintores caminharam por entre os demais convidados, parando ocasionalmente para saudar um e outro presente.

Vincenzo confidenciou:

— Não consigo compreender como consegues te acostumar a isso, Leonardo...

— A que te referes, meu caro?

— Toda essa... bajulação! Entenda-me, bem sabes que sou talvez teu maior admirador! Aprendi contigo técnicas que sequer poderia imaginar sozinho. És o merecedor de todos os louvores e ainda mais. Contudo, sinto o fétido aroma da dissimulação pairando sobre certos sorrisos e acenos neste salão.

— De fato... Mas, infelizmente, é um cheiro ao qual precisamos nos acostumar se quisermos ter algum espaço. Talvez tenhas alguma dificuldade agora para disfarçar tua contrariedade, mas com o tempo aprenderás a dissimular tão bem quanto eles. Repito a ti o mesmo que disse hoje a uma bela jovem que chorava aos pés da catedral: sê resiliente!

Vincenzo encarou o amigo.

— Uma jovem que chorava...?

— *Sì, sì.* Encontrei por acaso uma moça sentada nas escadarias, estava vestida decentemente e não me parecia uma mendicante. Ofereci a ela um lenço para que enxugasse as lágrimas e, para minha surpresa, confidenciou-me dores do coração. Contou-me que enfim amava um homem muito especial, mas que temia que seu romance fosse ameaçado por certa dama aristocrata.

Vincenzo parou a caminhada, forçando o amigo a repetir o gesto. O coração do pintor pululava.

– Como... Como era esta moça?

– Bem, cabelos loiros apresados no alto da cabeça, pele muito branca, olhos esverdeados, traços muito finos e delicados. Não me recordo o nome, mas disse-me que viera de San Gimignano...

Vincenzo abaixou o olhar com o rosto tenso e aflito. Não sabia ao certo o que pensar sobre o que escutara, mas certamente aquelas palavras surtiram grande efeito.

Leonardo não teve dificuldades para entender o que se passava:

– Bom, pela tua reação, posso facilmente supor que és tu o homem especial. E já me ocorre quem seria a tal dama ameaçadora... – afirmou ele, olhando de soslaio em direção à duquesa.

Vincenzo sequer tentou desmentir:

– O nome dela é Francesca. Conheci-a por acaso, era criada na Taverna de Gastone até ser expulsa de lá. Ofereci abrigo e em troca ela posaria para mim, mas terminei por deixar a sensatez escapar e... me permiti envolver.

Leonardo o escutava atentamente, percebendo nele o profundo embaraço.

– Vincenzo, meu amigo, é dos sentimentos que nasce todo o conhecimento. Não te censures!

O pintor virou-se para observar Alessia, que conversava atentamente com o Soberano de Florença, alheia aos pensamentos sufocantes de Vincenzo sobre a camponesa. Desejou que aquela reunião terminasse logo.

Algumas horas mais tarde, quando uma lua cheia já reinava no céu, silenciando as casas, embalando o sono dos florentinos e os amores dos poetas, Vincenzo enfim retornou ao lar. Tudo parecia igual a como estava antes de sua partida.

– Francesca? – chamou, sem ouvir resposta.

Trancou a porta e observou que o bilhete estava intocado sobre a mesa. Seu coração deu um salto. Na cozinha, ninguém. Subiu as escadas vencendo dois degraus por vez. Bateu à porta da moça.

– Francesca?

Girou então a maçaneta e viu a jovem deitada de lado, de costas para porta, a dormir um sono profundo. O homem inspirou e exalou demoradamente, deixando que o alívio o tomasse por inteiro. Entrou devagar, sentou-se à beira da cama e tornou a chamá-la, em voz baixa:

– Francesca?

Nada acontecia e o pintor, impaciente, tocou-lhe o ombro, balançando levemente, e chamando-lhe uma última vez:

– Francesca?

– Hum…?

– Acorda, desejo falar-te…

A jovem virou-se vagarosamente, sonolenta e irritada.

– Que há?

– Tu não viste o bilhete que deixei para ti?

– Sim, o vi.

– Então por que não me esperaste? Pedi que não adormecesses, que me aguardasses…

– Não sei ler, Vincenzo! – respondeu ela, aborrecida.

O pintor foi acometido pela vergonha de ter exigido dela uma habilidade que nenhuma camponesa teria. Baixou o olhar e perguntou:

– Onde estiveste durante a tarde?

Encarando o teto, ela respondeu:

– Desejei caminhar um pouco... Tomar um ar puro...

– E por que não me chamaste para acompanhá-la? Ou ao menos me avisaste? Preocupei-me contigo.

A moça notou certa mágoa na voz dele e um calor apaixonado ameaçou invadir seu coração, contudo, se manteve firme.

– Eu não quis perturbá-lo. Imaginei que estavas adormecido.

Cansado daquele diálogo frio e distante, Vincenzo pousou sua mão na dela, apoiada sobre o ventre. Francesca arrepiou-se, mas fez-se forte. Ouviu-o rogar:

– Por Deus, *cara mia*, não desapareça assim. Senti-me angustiado, temi que... – suspirou, finalizando: – Temi que me tivesses abandonado.

Francesca sentou-se. Aquela frase a despertara por completo. Ainda tentando disfarçar a imensa emoção que sentia, perguntou a ele:

– Ora, mas não era o que devia ter feito? Não é o que tu crês ser melhor? Até já encontraste lugar para mim...

Foi silenciada pelo dedo em riste do homem encostando em seus lábios. E, no olhar, uma quase proibição:

– Shhh! Não diga novamente estas palavras! Quero-te aqui ao meu lado. Esta agora é tua casa e será pelo tempo que quiseres. Pelo tempo em que... – e olhando-a com doce aflição, completou: – Pelo tempo em que ME quiseres.

Às favas com a força! Às favas com a mágoa que sentira dele e com a raiva que sentira da duquesa. Francesca abraçou-o, com arrepios tomando-lhe o corpo inteiro. Que maravilha era escutá-lo rogar para que ela ficasse! Que alívio saber que ele a queria por perto. A moça segurou o rosto do pintor, tomada de paixão e atrevimento, e sussurrou:

A Madona *e a* Vênus

– Aqui ficarei, meu amor. Pelo tempo que tu me quiseres!

Beijaram-se, amordaçando os medos, calando as dúvidas, expulsando as tristezas. A doce moça de San Gimignano percebia, enquanto tinha seu corpo desnudado pelo ansioso pintor, que até ali não tivera ideia do que era realmente a paixão. O calor que Giane lhe proporcionara era nada mais que um sopro morno se comparado ao fogo ardente que Vincenzo ateava com o mais leve toque. Francesca puxava os grossos tecidos que encobriam o corpo viril premiando com um beijo molhado cada pedaço de pele revelada.

Vincenzo sibilava, gemendo no ouvido da moça:

– Quero-te, Francesca! Quero-te agora! Desejei-te por horas incessantes e já não suporto mais a espera...

– Anda! Toma-me de uma vez! Faz de meu corpo tua vivenda, *caro mio*...

Entrelaçaram-se um ao outro, confundindo pernas e carnes. As unhas da moça riscavam a pele do homem, que gemia enfurecido pela provocação. Vingou-se com mordidas em seus lábios e pescoço, deixando também nela marcas apaixonadas. E, repentinamente, agarrou-a pela cintura, fazendo-a sentar sobre ele. Os seios pendendo firmes e acesos, os cabelos selvagens salpicados em caracóis dourados, e o olhar famélico eram imagens que Vincenzo jamais esqueceria. Mas Francesca, naquela posição exposta como nunca, permaneceu estática sobre ele, sentindo a cupidez rude do pintor em sua pele.

– Anda, *bella mia*. Tira proveito do meu corpo como quiseres.

– Mas... Eu... Como eu...?

Sorrindo, ele respondeu com o olhar malicioso:

– Já cavalgaste alguma vez?

– Sim, mas...

Interrompendo-a, ardendo de desejo e ânsia, explicou:

– Pois não é muito diferente. Move-te sobre mim como se cavalgasse...

Vincenzo então guiou o membro como a lança que guia o guerreiro à cobiçada vitória. Ela se encaixou e pôde senti-lo preenchendo-a de uma maneira nova, voluptuosa, com movimentos suaves dos quadris no início, que logo se transformaram em estocadas abruptas e contundentes.

– Meu amor, adoro-te... Adoro teu corpo... – gemia ela, olhos fechados, face voltada para cima, em êxtase por não apenas se entregar ao prazer, mas por comandá-lo.

– Adoro-te eu, *bella mia*! Quero ser teu pedestal e teu trono... Quero ser teu súdito e teu reino...

Afundando-se cada vez mais, meneando-se enquanto esfregava os seios no peito de Vincenzo, Francesca se tornava a mais lasciva das mulheres. E foi neste momento tomada por espasmos delirantes, seguidos de maravilhosos tremores que lhe retesaram o corpo inteiro. Assistindo ao gozo, Vincenzo apressou-se em sentar e agarrar-se às ancas redondas da amada, abraçando-se a ela enquanto era engolido entre as suas coxas. Sem demora, um orgasmo violento ceifou dele o que restava de consciência e força. Demoraram-se naquela posição até finalmente abrirem os olhos. Ela quebrou o silêncio:

– Vincenzo...

Uma longa pausa se fez até que ele afastou o rosto, a fim de encará-la.

– *Sì, amore mio?*

– Tu... e-eu... – Francesca gaguejava, temerosa em deixar sair as palavras. Ele a incentivou.

– *Sì?*

E fixando seu olhar no dele, pediu:

– Não me deixas?

Beijando-a docemente, sendo abarcado pela leveza de um sentimento correspondido, ele jurou:

– Nunca, *mia dolce* Francesca! Jamais!

A moça sabia que era cedo demais para promessas. Mas deixou que aquelas palavras reverberassem em sua mente enquanto se aninhavam nos braços um do outro, antes que o sono serenasse os corpos dos amantes apaixonados.

Capítulo 16

Encostado à janela, Vincenzo observava a manhã nascer, devagar e silenciosa. As cores clareavam lá fora e se iluminavam com o sol do verão. Na cama, atrás dele, Francesca dormia de bruços, as feições tranquilas, quase pueris. Mas enquanto no exterior reinava a serenidade, por dentro o pintor se consumia em dúvidas angustiantes. Perguntava-se se a duquesa seria mesmo o passaporte para o reconhecimento pelo qual tanto ansiava. Vira, na noite anterior, que ela era mesmo dotada de grande prestígio e desenvoltura entre os grandes nomes da sociedade florentina. Porém, a maneira como se referia ao seu trabalho parecia-lhe tão entusiástica quanto falsa. Alessia não parecia se interessar verdadeiramente pelo seu trabalho. Ao menos não tanto quanto Alessandro, Leonardo ou até Enzo se interessavam. O discurso da bela nobre soava ensaiado e meticuloso, e isso incomodava o artista profundamente. Por outro lado, talvez aquele fosse o método de todo grande mecenas. Talvez aquela profusão de elogios fosse verdadeira e Vincenzo apenas não estivesse acostumado à bajulação, ou talvez sequer fosse bajulação.

O pintor se deixava tocar pelos primeiros raios do dia na esperança de que pudessem iluminar também seus pensamentos, mas era inútil. Logo resolveu descer e organizar os materiais antes que Alessia voltasse. Pretendia finalizar seu retrato o mais rápido possível para assim poder refletir sobre sua ida a Roma, que devia acontecer dentro de semanas. Buscou a tela quase finalizada, ainda em processo de secagem. Examinou a boca suave e carnuda, o nariz levemente arrebitado e o olhar capcioso. Retocou alguns fios que lhe caíam logo abaixo do queixo, acentuou a luz das velas refletindo em sua pele branca e límpida. *A perfeição deve ser a busca interminável de todo bom artista!*, pensava, com um dos pincéis entre os dentes, enquanto com outro mais fino somava mais um ou dois cílios aos olhos castanhos da duquesa. Sem que percebesse, a manhã se estabelecia e Francesca logo descia as escadas.

— *Buongiorno, amore mio* — ela o cumprimentou no fim dos degraus, com alguns laços ainda desfeitos e cachos desobedientes sobre a cabeça.

Vincenzo encarou-a e sorriu, deixando cair o pincel:

— *Buongiorno, mia amata!* — respondeu, feliz em ouvir uma frase de amor.

Ela devolveu o sorriso e, aproximando-se, abraçou o pescoço dele por trás. Beijou-lhe o rosto e a boca, perguntando:

— Já comeste?

— Não, *bellissima*. Esperava por ti.

Francesca sorriu e olhou para o quadro quase finalizado. Estava impecável! Vincenzo conseguira reproduzir a beleza da nobre em seus pequeniníssimos detalhes e isso a deixava admirada e enciumada. Respirou fundo, tentando disfarçar o segundo sentimento.

— Bravo, Vincenzo! Está maravilhoso!

O pintor limitou-se a suspirar. Pela primeira vez, a pessoa retratada interferia na sua arte, se não pelas palavras, pela presença altiva. Pausou o trabalho para tomar café da manhã com Francesca, beijando-a na boca entre um gole e uma mordida. A jovem respondia com olhares acesos e sorridentes, ainda em estado de graça pela noite anterior. Contudo, no instante em que terminavam a refeição, ouviram batidas na porta. Os dois se entreolharam tensos com a chegada da duquesa. E, numa atitude surpreendentemente segura, Francesca falou:

— Deixa que arrumo tudo, Vincenzo. Melhor que vás receber tua visitante.

O pintor se pôs de pé, beijou a jovem uma vez mais e seguiu para a entrada. Alessia, perfeita num belo vestido branco e dourado, cabelos semipresos, encarou-o com um sorriso nos lábios. Devolvendo a gentileza, Vincenzo segurou-a pela mão e guiou-a até o interior, enquanto os dois homenzarrões apeavam os cavalos do lado de fora. A duquesa observou rapidamente o ambiente, não encontrando sinais femininos. *Bom*, pensou ela.

— Vincenzo, meu querido. Trago-te notícias maravilhosas!

Inquieto e surpreso, perguntou:

— Verdade, minha cara? Ora, pois tens minha atenção integral!

Satisfeita, Alessia sentou-se no divã, puxando-o pela mão.

— Saiba que deixaste uma bela impressão em Lourenço!

— É *vero*?

— *Sì*, ele cogita até mesmo destinar a ti uma comissão em breve. Claro que minhas indicações foram cruciais para tal.

— Honrosa duquesa, sou profundamente grato! Sequer sei o que dizer.

— Não te preocupes, não precisas dizer nada. Terás ainda muitas oportunidades de demonstrar tua gratidão.

Disse a última frase deixando que faíscas escapassem de seus olhos. Embaraçado, Vincenzo sorriu e desviou o olhar ao chão. Em seguida, apontou para a cadeira já disposta no centro da sala, dizendo apenas:

— Que achas de continuarmos seu retrato? Imagino que estejas ansiosa para vê-lo concluído.

Indo em direção à cadeira, ela disparou, ainda e sempre sedutora:

— De fato, meu querido. Mas a ansiedade pode ser coisa boa quando provocada em razão das pessoas certas...

Vincenzo se sentia sufocado! E Francesca, discretamente, escutava tudo da cozinha, vez ou outra espreitando-os atrás da parede e sentindo o estômago fumegar. Logo ouviu a frase semelhante a que ouvira no dia anterior:

— E tua insolente criada? Digo, tua *ajudante*? Ainda dorme a esta hora do dia?

Vincenzo endureceu a tez sem perceber e antes que pudesse responder, ouviu a voz de Francesca, mais doce e firme do que nunca:

— Olá, *signora* duquesa, aqui estou. Desejas algo?

Alessia ouviu aquela frase como se uma lança lhe trespassasse os ouvidos. A raiva dominou seu coração, se refletindo no semblante colérico ao encarar a audaciosa jovem:

— De ti desejo apenas a ausência. Deixa-nos a sós, anda!

Espumando de ódio, mas mantendo a postura confiante, Francesca olhou para o pintor, que, respirando fundo, buscava manter a calma diante da estupidez gratuita da nobre.

Ele lançou um olhar com doçura à camponesa, dizendo:

— Francesca, *bella mia*, posso chamar-te se precisar de ti?

E remeteu-lhe o mais belo sorriso. Sorrindo de volta, Francesca saudou-o com uma reverência e se exilou na cozinha, ignorando completamente a presença da duquesa, que naquele momento sentia a fúria atingir o ápice!

Então suas desconfianças estavam corretas: Vincenzo e Francesca tinham mesmo um caso! *Quão estúpido ele pode ser?*, pensou, enquanto o observava sentar-se defronte à tela. O silêncio tomou conta do recinto pelo tempo necessário para que Vincenzo quase completasse a obra. Um silêncio necessário também para que Alessia reagrupasse seu equilíbrio e frieza numa brilhante ideia. Esperou o tempo necessário para que o trabalho fosse concluído e o pintor, por fim, levantasse esticando todos os seus ossos:

— *Finito*!

Segurou a tela cuidadosamente e virou-a para a nobre, que não escondeu a profunda admiração:

— Oh, que esplêndido trabalho fizeste, Vincenzo! Ainda que saiba o quanto és talentoso, não imaginava que me retrataria com tamanha perfeição! Tem-me encantada!

Ela sorria com sinceridade. O pintor, lisonjeado e aliviado, retrucou:

— *Bene*, fico feliz que esteja do teu agrado, duquesa. Levará algum tempo para que complete a secagem e então poderás levá-lo em segurança para Roma.

— Quanto a isso não temo, já que estarei em tua companhia.

Aproximou-se dele, acrescentando:

— Partiremos amanhã cedo para Roma, meu querido. Não tenho dúvidas de que és o indicado para pintar o afresco e desejo que inicies o trabalho imediatamente.

Pego de surpresa, o pintor titubeava, incrédulo:

— Mas, duquesa, eu... imaginei que deveria viajar em algumas semanas apenas. Eu... Bem, não estava preparado para ir tão rapidamente...

Arqueando a sobrancelha, ela perguntou:

— Estás rejeitando o trabalho que ofereço?

Mais que depressa, tratou de esclarecer:

— Não, jamais cometeria tal temeridade!

— Tens então algum trabalho pendente?

Ele olhou rapidamente para as telas inacabadas, nenhuma delas parte de grandes comissões.

— Bem... não...

— Neste caso, posso supor que estarás pronto para partir amanhã ao nascer do sol?

Vincenzo inspirou longamente. Expirou. E confirmou:

— Sim, Vossa Graça. Estarei pronto ao amanhecer.

— Ótimo, meu caro! Não te arrependerás!

E sem maiores cerimônias, a bela nobre depositou um beijo suave no rosto do artista, dirigindo-se em seguida à porta. Vincenzo se adiantou à frente dela, dando-lhe passagem para o exterior, onde os dois guardiões a aguardavam no coche. Antes de se retirar, Alessia encarou-o mais uma vez, dizendo:

— Até amanhã, *signor* Mantovani. E estejas preparado para uma longa e magnífica temporada em Roma.

Vincenzo sorriu e acenou, sem conseguir ser honesto em nenhum dos gestos. Tão logo o veículo desapareceu entre as ruelas, o pintor fechou a porta, encarando o nada, perplexo. Foi trazido de volta pela voz de Francesca, cujo tom não escondia a contrariedade e a tristeza.

— Então, é isso. Ela conseguirá o que tanto deseja.

Voltando-se para ela, mãos na cintura, o jovem retrucou:

— Do que estás falando?

— De nós, Vincenzo. Ela finalmente conseguirá separar-nos, levando-te para longe de mim.

Balançando a cabeça em negação, ele correu até ela em passos firmes e, segurando-a firmemente pelos braços, exclamou:

— Não haverá separação alguma, *capisci*? Nem Alessia, nem Letizia, nem qualquer mulher ou homem poderá afastar-me de ti! Somente tu poderás, Francesca *bella*! Apenas tu, no dia em que não mais me quiseres...

— Amares! — ela cortou. Embevecido, ele corrigiu:

— No dia em que não me amares mais.

Abraçaram-se. Francesca não queria chorar, mas as lágrimas caíram teimosas. Ouviu Vincenzo falar:

— Tu ficarás aqui, cuidando de nossa casa. Deixarei minhas provisões e economias, meus quadros, meu trabalho, minha casa, todos os meus pertences sob teus cuidados! Queres maior prova do meu retorno?

Francesca apertou-o fortemente, decidida a não o deixar ir, numa certeza ilusória natural das paixões avassaladoras. Na sala mesmo, sobre o divã, amaram-se honestamente. Buscavam, através da pele, aquietar a angústia que oxidava o coração de ambos. Vincenzo a tomava cheio de aflição e se entregava para logo retornar a ela. Francesca beijava-o e agarrava-o como se pedisse socorro, como quem sente a vida escorrer entre os dedos. E seguiram nesta dança carnal até muito tarde, quando adormeceram exaustos, um sobre o outro, no divã impregnado de suor. Acordaram pouco antes do amanhecer, quando o tempo restante serviria apenas para que o pintor organizasse a bagagem e o quadro da duquesa, antes de ouvirem batidas na porta da frente. Era chegada a hora da despedida.

— Francesca, *amore mio*, não te aflijas! Estarei de volta antes mesmo do que imaginas! Prometo a ti que o verão não terá findado quando estiver novamente em teus braços. — Afastaram-se, beijaram-se e Vincenzo tornou a falar: — Escrever-te-ei sempre! Sabes onde guardo o dinheiro, utiliza-o sem receios. Não deixa que Letizia entre aqui em minha ausência, está bem? Só recebe Enzo e Alessandro. Leonardo, o homem com quem conversaste na catedral, é um grande amigo. Receba-o, caso venha prestar uma visita...

Novas batidas na porta, dessa vez mais contundentes. Francesca tinha os olhos marejados de saudade e medo, e mal conseguia demonstrar a surpresa por saber que confessara seus sentimentos a um amigo de Vincenzo. A despedida dramática denunciava o temor de ambos pelo futuro. Beijaram-se uma derradeira vez, antes de tornarem a ouvir batidas insistentes e o pintor ter que finalmente embarcar no coche que o conduziria a Roma, levando consigo a saudade ansiosa no coração a bater descompassado no peito.

Capítulo 17

CRUZARAM A PONTE MÍLVIO ao cair da tarde do quarto dia. A essa altura, já se tratava de um comboio formado por ao menos dez cavaleiros e alguns coches. Eram servos da duquesa ou hóspedes convidados que se juntaram ao grupo em Montepulciano e Orvieto. A passagem do séquito chamava a atenção dos passantes, cientes de que se tratava de alguém de grande importância. Alessia focou sua atenção em Vincenzo durante todo o percurso, ora agindo docilmente, ora buscando impor superioridade.

O pintor atravessava o Tibre sentindo nada além de alívio! Estava exausto da longa viagem e suplicava intimamente por um momento de solidão, no qual pudesse planejar o afresco e pensar em Francesca com um pouco de paz. Com todos aqueles dias de viagem, tivera de reaprender a mágica da paciência e da tolerância suportando os ímpetos de arrogância de Alessia. Ela era formidavelmente bela e, não estivesse tão mergulhado na paixão por Francesca, talvez até se deixasse ceder pelas investidas da nobre. Porém, seu coração estava ocupado e tudo o que conseguia sentir era impaciência e saudade. *Acalma-te, Vincenzo! Vieste por uma razão e tu hás de honrá-la!*, repetiu mentalmente algumas vezes durante o trajeto.

Contudo, por maior que fosse seu desconforto, não havia como se manter incólume à grandiosidade da prodigiosa Roma. O Coliseu, o Fórum, o Arco de Constantino, construções tão vivas de um passado que se buscava reviver e reinventar. E por um momento, talvez o primeiro desde que saíra de Florença, animou-se com as oportunidades que se abriam. Estar em Roma poderia ser o início do tão sonhado reconhecimento, da tão buscada afirmação.

Dirigiam-se aos pés do monte Capitólio, onde se encontrava a portentosa residência da duquesa. Atravessaram trotando os largos portões de ferro e, em poucos minutos, desembarcavam. Servos se apressavam em descarregar as bagagens e guiar os hóspedes aos seus cômodos: três casais cujos homens eram ligados ao comércio e grandes aliados de Ludovico, il Moro. Permaneceriam apenas alguns dias antes de seguirem para o norte, em direção a Milão. Vincenzo esperava que um dos servos o levasse até seus aposentos, mas foi surpreendido pela mão de Alessia tomando a sua:

— Vem, querido. Mostrarei teu dormitório.

Acompanhou-a pelo grande salão de entrada, ornamentado com peles de caças e brasões da Casa de Sforza. Seguiram por corredores e jardins de inverno até o amplo pátio no centro da residência, repleto de flores, plantas ornamentais e diversas esculturas em bronze e mármore. Nas paredes, distribuídas por cada ambiente, tapeçarias e obras de inestimável valor. Em cada espaço, em cada detalhe, lembranças de que se estava na morada de uma nobre, cujo sobrenome era um dos mais poderosos da Itália. Mesmo cansado, o pintor se deixou admirar pela beleza soberba do lugar. Subiram alguns degraus de pedra até o primeiro andar e atravessavam um longo corredor de onde se tinha uma visão privilegiada do pátio num lado, e portas ricamente entalhadas no outro.

Alessia, parando em frente à penúltima porta do corredor, anunciou ao abri-la:

— Esta será tua morada nas próximas semanas, *caro mio*.

Diante deles abriu-se um quarto amplo e arejado, muito bem iluminado por dois grandes janelões com detalhes em *pietraforte*. Havia duas mesas redondas de madeira nas quais repousavam arranjos de flores e frutas frescas, uma cama larga e limpa, impecavelmente arrumada. Pratarias e obras de arte também compunham o ambiente. No lado esquerdo, uma portinhola levava ao lavabo, onde havia jarras de água limpa, bacia de prata, toalhas e uma tina de madeira. Estava claro que a duquesa e seus criados haviam cuidado dos mínimos detalhes, não apenas para deixá-lo confortável, mas para também impressioná-lo. Porém, o que verdadeiramente chamou a atenção do pintor foi o imponente cavalete disposto defronte à janela, acompanhado de banquetas, paletas, pincéis, carvão, pigmentos, óleos e cumbucas para misturas. Parecia que ele próprio havia cuidado de tudo!

Virou-se para ela, sem esconder a surpresa:

— Honrosa duquesa, não tenho palavras para agradecer tamanha hospitalidade. Aliás, tuas providências vão muito além do que eu poderia imaginar! Como sabias que utilizo todos esses materiais?

Sorrindo, aproximando-se com desenvoltura, disse apenas:

— Sou observadora, Vincenzo. E, bem, tenho meus métodos.

Parou em frente a ele, encarando-o. Seu olhar passeava entre os olhos e a boca do pintor, que logo sentiu o coração acelerar no peito. Sem demora, buscou se desvencilhar.

— Tens minha mais profunda gratidão, duquesa. Sabes realmente como acolher teus visitantes. — Beijou-lhe as mãos e, levantando as sobrancelhas, arguiu: — Agora, que achas de me mostrar o espaço que acomodará o afresco? Tenho domado minha curiosidade desde que deixamos Florença.

A duquesa piscou para ele, sorriu e, guiando-o para fora, disse: — Vem comigo, meu caro. Será no salão principal.

Desceram as escadas, atravessaram corredores amplos e arejados, iluminados por finos candelabros até adentrarem num imenso salão, dotado de uma vasta biblioteca e inúmeros souvenirs. Janelões deixavam a brisa entrar e permitiam que se ouvisse o canto de passáros, cadeiras imponentes de madeira rodeavam uma mesa redonda no canto esquerdo. Belos tapetes de peles disfarçavam os sons dos passos de ambos.

Alessia falou, num gesto que abarcava todo o salão: — Vê, meu querido, é aqui que realizamos alguns saraus, organizamos reuniões e apresentações teatrais encantadoras. É um dos meus lugares preferidos em toda a residência. E esta será tua tela — explicou, puxando com delicadeza uma longa cortina vermelha que encobria uma parede de tijolos, medindo aproximadamente quarenta metros quadrados.

O pintor observou atentamente o espaço vazio e, como por mágica, toda a obra se desenhou em sua mente. Jamais havia feito um painel daquela magnitude e sabia que estava diante de um desafio que lhe tomaria semanas, mas o tempo que demoraria não importava, pois a cena seria a mais bela que seu talento poderia criar. O pintor se aproximava e se afastava da parede, passando repetidamente as mãos sobre os cabelos revoltos, piscando e fazendo movimentos quase imperceptíveis com os lábios, como se contasse um segredo a si mesmo. Alessia o observava com curiosidade e alegria. Percebia nele uma excitação genuína e mal conseguia conter a sua própria.

A certa altura, Vincenzo pediu:

— Duquesa, perdoa-me o atrevimento, mas, eu poderia tomar uma de suas cadeiras?

— Bem, claro! Mas são bastante pesadas.

Ele sequer escutara o restante da frase. Buscou uma delas, que pesava realmente mais do que imaginara, pôs-se de pé sobre ela e passou a medir a parede com a mão: oito metros de largura por cinco de altura. Depois de minutos, ele afirmou, descendo do móvel:

— Duquesa, este será de fato um grande desafio para mim. Mas estejas certa de que imprimirei toda a minha dedicação e conhecimento neste trabalho.

Satisfeita, respondeu:

— Terás tudo o que necessita, querido. Quando desejas começar?

— Nos próximos dias, eu creio. Preciso apenas realizar alguns estudos, fazer medições exatas, desenhar alguns esboços...

— Maravilha! Mal posso esperar para vê-lo em plena atividade. Aliás, há um pedido especial que gostaria de fazer a ti.

Vincenzo, próximo à parede, de costas para ela, virou-se curioso:

— *Sì?*

A nobre deu alguns passos, molhando os lábios antes de pedir, em voz baixa, com o rosto muito próximo ao dele:

— Quero que me tenhas como modelo.

Arqueando a sobrancelha, verdadeiramente surpreso, perguntou, como se buscasse ter certeza do que acabara de ouvir.

— Quer dizer... Desejas que eu reproduza a Santa Catarina... à tua imagem?

Alessia sorriu, contente por tê-lo surpreendido.

— Sim, meu caro, é exatamente o que desejo.

Lá estava. Como sempre temera, seu trabalho seria usado para canonizar alguém de posses. Esforçou-se para conter a contrariedade e apenas concordar:

— Como quiseres, honrosa duquesa.

Mostrando a perfeição dos seus dentes num largo sorriso, a bela mulher falou:

— Excelente! Estou certa de que farás o mais brilhante painel jamais visto! Agora vamos. Se aproxima a hora da ceia e desejo ainda vossa ajuda para encontrar um bom lugar para o retrato que trouxemos.

Recolheram-se. Vincenzo teve a grata surpresa de encontrar a tina cheia d'água morna e essências. Despiu-se e se deixou relaxar, afundando o corpo nas águas agradáveis enquanto a cabeça refletia. Suspirou profundamente por longos minutos desejando que Francesca estivesse junto a ele, também despida, cabelos molhados e lábios quentes. O corpo, mesmo cansado, cedia aos apelos das lembranças e logo o sangue corria para a pélvis. A saudade começava a falar em voz alta e a martelar sua mente.

Resolveu terminar o banho, pois seus pensamentos o levariam sem querer para Florença, lugar muito distante naquele momento. Enxugava-se com um grosso tecido de linho e, ainda nu, seguiu até o quarto. Enquanto enxugava os cabelos, uma inspiração desavisada fez surgir uma nova obra em suas ideias. Uma obra instigante e soberba, que traria a dualidade à qual ele próprio estava submetido. Passava o tecido pela cintura, cabelos ainda pingando, pensamento absorto, quando ouviu um rangido. Virou-se assustado e se deparou com a duquesa no quarto, usando apenas roupas de baixo sob um vestido fino de seda a cobrir-lhe corpo. E só então notara uma pequena porta num canto, que passara despercebida por uma flâmula com o brasão dos Sforza.

— Duquesa?! — exclamou, constrangido. Buscava com o olhar algo mais que o cobrisse além de um mero retalho de linho. Alessia não se intimidou.

— Tu deverias ser imortalizado, meu querido. Teu corpo possui a perfeição que nossos antepassados sonhavam em eternizar.

A nobre foi em direção a ele, que agarrava o tecido na cintura, com a intenção de censurá-la pela invasão.

— Duquesa, perdoa-me, mas não esperava que entrasses aqui sem aviso.

— Faço-te mal, Vincenzo?

Alessia estava agora à sua frente, exibindo o corpo que vibrava ondas elétricas de desejo. O artista gaguejava.

— N-não! Não é isto, é que... Digo... Não acho que seja apropriado que nos encontremos. Veja, estou numa situação... vulnerável!

Ela sorriu. Mordeu os lábios. E lançou, pouco a pouco, o seu veneno.

— Que mal há em estar vulnerável, se já tiveste tantas mulheres vulneráveis a você... como estás a mim agora?

— Não foi o que quis dizer...

— Sabe, Vincenzo, é famosa a afirmação de que os homens são incapazes de resistir às belezas femininas, de que não possuem habilidade de domar seus ímpetos... concupiscentes. Sempre me perguntei se seria verdade ou exagero...

Dizendo isso, Alessia levou a mão ao pescoço, retirando o colar que adornava o peito. O homem estava estático! Que fazer diante daquela situação tão escandalosamente constrangedora?

— Duquesa... e-eu... Por favor, devemos manter a compostura...

— E quanto a tu, Vincenzo? Já foste capaz de resistir aos apelos de uma bela mulher?

Ela deu um passo perigoso em direção a ele, de modo que apenas centímetros separavam uma pele de outra. Instintivamente, o pintor afastou-se, pegou um lençol em cima da cama e o enrolou também na cintura a fim de estar menos exposto.

Depois, virando-se para a duquesa, que ainda estampava no olhar a chama do desejo, respondeu:

— Minha caríssima duquesa, é verdade. Creio que de fato os homens são incapazes de resistir às belezas femininas.

E dando um passo em direção a ela, completou:

— Contudo, Deus nos compensou esta fraqueza com a habilidade de amar um corpo sem jamais abrir o coração!

A expressão da mulher se fechou imediatamente. Sentiu-se desafiada.

— Vocês, tolos homens, sentem-se realmente protegidos, não? Pois digo a ti, meu caro, cuidado! Talvez descubras muito em breve que és mais fraco do que acreditas.

A nobre então se dirigiu à portinhola por onde viera, comunicando antes de fechá-la:

— O jantar será servido em instantes. Estarei à sua espera.

Capítulo 18

Em Florença, Francesca se via diante de mais uma situação inédita na vida: lidar consigo mesma. Pela primeira vez, estava sozinha. Não abandonada, ignorada ou enxotada, apenas sozinha, com uma casa, dinheiro e tempo somente para ela. Nos primeiros dias, mesmo sentindo uma saudade atroz de Vincenzo, ela não pôde evitar a excitação: cozinhar, comer, vestir-se e dormir de acordo com sua vontade eram coisas às quais não estava acostumada. Nenhuma ordem nem chamado, nenhuma obrigação a cumprir, nenhum impedimento ou proibição. Era apenas ela e o que sua vontade decidisse. Testou receitas e ingredientes novos, plantou sementes e temperos, comprou novas sandálias e alguns poucos adereços com os quais pretendia impressionar o amado quando ele voltasse. Costurou as camisas e calças puídas do pintor, limpou armários e gavetas, tirou o pó e as teias de aranha que se acumularam durante anos.

Podia sair para tomar ar fresco sem receios, sabendo que havia um teto para acolhê-la quando o sono chegasse e a fome apertasse. Explorou mais e mais a bela cidade, as igrejas e afrescos, as estátuas e as flores, os mercadores e artistas. Tinha esperança de encontrar Enzo ou Leonardo nesses passeios, mas jamais conseguira. Contudo, o passar dos dias e as noites solitárias começavam a cobrar seu preço e a saudade passou a sufocá-la mais e mais.

Após duas semanas da ausência de Vincenzo, gastava longas horas na janela, a observar os passantes na esperança de que alguém lhe trouxesse notícias de Roma. Mas nada chegava. E mesmo sofrendo os maus-tratos da angústia, Francesca mantinha-se firme na certeza de que o pintor a amava e logo estaria de volta para os seus braços. Uma tarde, porém, foi suficiente para que suas convicções fossem duramente abaladas. Francesca acabara de se inclinar para escolher algumas batatas e grãos no Mercato Vecchio quando uma voz feminina se fez ouvir às suas costas.

– Ora, ora... se não é antiga *musa* de Vincenzo...

A moça se pôs de pé rapidamente e fitou Letizia logo atrás de si, com os cabelos desgrenhados, e o andar claudicante que aparentava embriaguez.

– O que tu disseste?

– O que tu ouviste, querida!

Francesca tentou disfarçar a raiva e o constrangimento fazendo menção de voltar a escolher os legumes, ignorando a presença incômoda. Mas ouviu uma provocação:

– Sabes, sinto ainda muita falta daquele estúpido. Não creio que alguém tenha se dedicado a amá-lo como o amei e isso me machucará para o resto dos meus dias! Mas ao menos agora ele está com alguém realmente melhor do que eu.

– Do que estás falando, Letizia?

– Ora, vamos! Não há como competir com uma duquesa bela e fina como Alessia Sforza, minha cara! Valemos menos que a poeira que impregna nossos sapatos!

— Vincenzo a acompanhou a trabalho, Letizia. Sei que em breve estará de volta.

Foi interrompida por uma sonora gargalhada, que chamou a atenção de todos ao redor. Debochada, Letizia devolveu:

— És mesmo tão idiota ou apenas finges, garota? Vincenzo JAMAIS voltará a esta cidade, exceto como esposo da duquesa, ostentando ele mesmo algum título de nobreza! Está inalcançável para mulheres como nós, Francesca. Entristeço-me por nunca mais vê-lo, mas tenho meu consolo sabendo que ele também nunca mais estará na tua cama! — E gargalhou outra vez.

Francesca sentia o sangue borbulhar em suas veias! Certamente não cederia à vontade de estrangulá-la apenas por sequer ter fôlego para respirar! Sentia ódio tamanho que desistiu das compras e retornou ao ateliê, bufando e suando. Fechou a pesada porta de madeira com violência, jogou no divã o cesto que levara e arrancou os laçarotes e as fitas que a enfeitavam. *Letizia não passa de uma marafona, Francesca! Acalma-te!*, repetia para si enquanto ia em busca de algo para pôr na língua, uma fruta, um cálice de vinho, qualquer coisa que a obrigasse a engolir e a ajudasse a respirar melhor.

Contudo, sua raiva originava-se da possibilidade de Letizia estar certa. Dias se haviam passado sem que recebesse qualquer notícia, nem mesmo um recado de Vincenzo. Roma não havia de ser tão longe. E se Letizia tivesse razão? Se Vincenzo estivesse, naquele exato momento, entregue aos encantos da duquesa que a desprezara desde o princípio?

E Vincenzo, naquele momento, escrevia a terceira carta para Francesca. Uma carta repleta de palavras saudosas e amorosas, que ele ansiava serem entregues à sua amada por um mensageiro de Alessia. Escrevera a primeira carta já no dia seguinte à sua chegada. Tentou descobrir um meio de fazê-la chegar às mãos de Francesca quando Alessia o interceptou, garantindo que seu criado não apenas entregaria a carta, como também a leria para a camponesa. O pintor não tinha escolha a não ser entregar a correspondência lacrada para a duquesa e torcer para que ela realmente fosse entregue conforme o prometido.

Ao terminar de assinar a terceira carta, guardou-a numa das gavetas de um pequeno criado-mudo ao lado da cama e desceu ao pátio, onde prepararia a argamassa para mais uma parte do afresco. A arte consistia na imagem da Santa em meio a vegetações rasteiras, ajoelhada ante a visão milagrosa de um anjo que a visitava. A luz incandescente do ser etéreo contrastava com a sobriedade das vestes escuras da Santa e destacava ainda mais sua pele empalidecida pelos jejuns frequentes. Suas mãos, elevadas aos céus, davam graças pela visita extraordinária. E o anjo, com a mão direita elevada sobre a cabeça de Catarina di Siena, dava a bênção de Deus à moça humilde que dedicara sua vida a servi-Lo.

Contrariando as expectativas, a duquesa posara para Vincenzo sem recorrer a qualquer tentativa de seduzi-lo. Tratava-o com extrema educação e apreço, e os olhares inflamados e as mordidas nos lábios haviam desaparecido como mágica. E, mesmo estranhando o comportamento da nobre, Vincenzo se sentiu aliviado. E, do alívio para o conforto, o caminho não foi tão longo.

Preparava a argamassa no pátio, sentindo o sol da tarde bronzeando ainda mais suas costas nuas, enquanto gotículas de suor brotavam de todos os poros. Teria ainda longos dias de trabalho, mas compensava-se com o orgulho de fazer um trabalho inédito e merecedor de potencial reconhecimento. Tão logo finalizava o preparo, vestia novamente a camisa e retornava ao salão para a aplicação da argamassa, seguida da pintura da superfície ainda úmida. A técnica de afresco exigia dele completa atenção e destreza. Nada poderia sair errado, pois não havia meios de corrigir a pintura após a secagem.

Ocupava-se em finalizar o primeiro terço do painel. Já desenhara Santa Catarina com as inegáveis feições da bela duquesa. Partiria então para a figura do anjo à esquerda e, por fim, o céu, as rochas e a natureza ressequida dos arredores. Talvez outros de seus colegas fizessem o mesmo trabalho de maneira diversa, mas Vincenzo acostumara-se a aprender tentando, sendo este inclusive um dos motivos pelos quais discutia com Alessandro na juventude. Horas se passaram diante da parede que ganhava vida aos poucos. As luzes das velas já substituíam a do sol que se fora. Sentia a coluna arder, como em quase todas as noites, e alongava-se quando um dos criados o interrompeu:

— *Signor* Mantovani, a duquesa Alessia o aguarda em seus aposentos.

— Oh, sim. Já irei. *Grazie!*

O jovem empregado fez uma mesura antes de sair do salão. Vincenzo arrumou rapidamente os materiais que usara, fechou a cortina e subiu as escadas em direção ao quarto de Alessia. Deu três batidas na porta, sem resposta. Ao percebê-la destrancada, entrou devagar:

— Duquesa? Perdoa-me a invasão, mas fui comunicado de que desejas falar-me.

— Sim, Vincenzo. Entra, estou aqui.

A duquesa se encontrava sentada numa pequena mesa à luz de velas, rodeada por papéis e pergaminhos. Os cabelos estavam completamente soltos, o que era quase tão íntimo quanto a nudez do corpo, e Vincenzo não conseguiu evitar o arrebatamento. Alessia escrevia observações, fazia cálculos. Era, sem dúvida,

A Madona *e a* Vênus

uma mulher culta, fina e inteligente, como poucas de seu tempo. Ouviu dela o convite:

— Senta-te, meu querido. Estou apenas concluindo uma correspondência para Ludovico. Meu mensageiro retorna de viagem nos próximos dias e deve levá-la a Milão. O primo aguarda esta carta... — explicou, sem disfarçar a exasperação.

O pintor puxou uma cadeira, sentou-se de frente a ela e aproveitou para inquiri-la:

— Oh, imagino que seu mensageiro deve passar por Florença no caminho, não?

— Sim, como sempre. Desejas algo? — perguntou ela, distraidamente, sem tirar os olhos do papel no qual escrevia agilmente.

Ele então respondeu:

— De fato, desejo enviar uma correspondência para Francesca.

A nobre desviou o olhar rapidamente do papel, sem, contudo, encará-lo. E fingindo normalidade, respondeu:

— Claro! Tua carta pode seguir junto à minha.

— Aproveitando, duquesa, pergunto-me se Francesca não teria encaminhado alguma resposta para mim, afinal, enviei a ela duas cartas às quais não obtive qualquer resposta.

— *Bene*, Giácomo esteve com a moça nas duas ocasiões, leu para ela teus recados, mas nunca recebeu dela qualquer réplica para ti.

Vincenzo franziu a testa e desviou o olhar, tentando disfarçar a contrariedade e o estranhamento. A duquesa então tratou de abordar outros assuntos.

— Sabes, Vincenzo, nos últimos dias recordei-me do encontro que tive com *tuo papà* quando ele esteve em Milão.

O pintor se mostrou prontamente curioso.

— Ah, sim! *Papà* mencionou esse encontro.

— Foi um momento deveras agradável. Bento é homem de excepcional perspicácia nos negócios. Ajudou-me e aconselhou-me como nem mesmo Ludovico jamais fizera. Meu primo é também homem de visão, mas figura de difícil convivência.

Alessia falava alternando seu olhar entre os papéis que buscava organizar e o belo homem à sua frente. Continuou a falar:

— Mas, apesar de extremamente interessada no que *tuo papà* me dizia sobre acordos e comércio, minha fascinação pairou sobre ti — afirmou, depositando a pena num vidro repleto de tinta e encarando-o demoradamente.

Vincenzo encorajou-a.

— Sobre mim? Peno a imaginar *papà* falando qualquer coisa a meu respeito que pudesse despertar alguma fascinação.

Os dois riram do comentário. Alessia se mostrava cortês e relaxada, como se conversasse com um bom e velho amigo.

— Creia-me, Vincenzo, quando Bento se pôs a falar sobre ti e de teu inegável talento, seus olhos chamuscavam de orgulho.

Orgulho?, pensou ele. Aquilo parecia incoerente. Permaneceu em silêncio, deixando-a contar o episódio.

— *Tuo papà* me contou que foste aprendiz de Alessandro e que havias iniciado o trabalho em seu próprio estúdio. Contou-me sobre tua paixão pela pintura desde a infância, e também sobre teu traço e estilo. Falou-me com tanto encantamento que me senti impelida a conhecer de perto o que ele dizia. E não me arrependi! Temia que fosse mera bajulação paterna, mas percebi que Bento fora apenas justo em seus comentários.

Vincenzo sorriu, encabulado. Custava a crer que o patriarca tivesse realmente desfiado tal rol de elogios. Alessia respirou fundo, recostou-se à grande cadeira dourada, fitou o pintor por alguns segundos e anunciou:

A Madona *e a* Vênus

– Planejo realizar em breve uma exposição com teus melhores trabalhos aqui no pátio da residência. Instruí Giácomo a buscar tuas melhores telas e trazê-las para mim.

– Uma exposição? – Vincenzo sentia o coração batendo no meio da garganta.

– Sim, meu caro. Faremos teu nome ser ouvido até que jamais seja esquecido! Penso mesmo em convidar o Papa Sisto para prestigiá-lo, e que Lourenço não desconfie… – disse ela, com um risinho malicioso.

– Duquesa, isto é… Eu… não estou certo de que meu trabalho já esteja à altura de teus convidados! É de fato uma grande honra, algo que não poderia imaginar! Estou mesmo sem… palavras!

Vincenzo sentia-se igualmente confuso, surpreso, temeroso e empolgado! Era o que ele mais almejava – assim como qualquer artista de sua época. Tratava-se de uma oportunidade magnífica de enfim alçar seu nome à constelação dos grandes pintores da Itália.

A duquesa o olhava com alegre satisfação e, após uma breve pausa, perguntou:

– E então? Estás feliz?

– *Sì*! Não há meios de me sentir diferente! É um sonho a tornar-se realidade!

A mulher então levantou-se da cadeira, colocando-se ao seu lado.

– Então levanta-te e dá-me cá um abraço como prova de gratidão.

Sem titubear, Vincenzo obedeceu. Abraçou a duquesa fortemente e logo a sentiu aspirando-lhe o pescoço. Não conseguiu evitar os arrepios e, ao tentar se afastar, ouviu-a rogar:

– Espera, Vincenzo.

Ela então se pôs a beijar o pescoço do pintor delicadamente. Roçava seu rosto contra a barba masculina, eriçando-o por inteiro, o que o fez perceber que era hora de se desvencilhar.

– Duquesa, eu... – Parou de falar ao encará-la.

– Vincenzo, sabes há quanto tempo espero por este abraço?

– Duquesa, não seria apropriado...

– Beija-me!

O pintor arregalou os olhos.

– Perdão?

– Beija-me, Vincenzo! Mostra-me a tua gratidão.

Vincenzo não conseguia respirar! Lá estava ela, lançando seu veneno. Então aquela seria a condição? Alessia era ainda mais ardilosa do que ele imaginara! Tentou mais uma vez se afastar, mas tal e qual uma cobra constritora, ela o enlaçou o pescoço, dizendo as palavras fatais:

– Disseste há pouco que realizo teu sonho. Pois então, meu querido, sacia a minha vontade! Beija-me como jamais beijaste qualquer mulher antes de mim!

Ele podia sentir dela o hálito e o aroma. Parecia ter se banhando em pétalas de rosas frescas. Seus cabelos soltos eram tão diferentes dos caracóis dourados de Francesca, mas não menos atrevidos e sensuais. Como negar-se à mulher que abriria para ele portas há tanto tempo trancadas? Ceder faria dele homem tão baixo e sujo como acreditava? Pensava em Francesca, na decepção de sua amada se soubesse do ocorrido, mas, por outro lado, perguntava-se por que ela silenciara? Por que não respondera aos seus apelos apaixonados? O que a teria calado?

Tantos pensamentos o sufocavam à medida que a duquesa, de olhos fechados, aproximava seus lábios para o tão cobiçado beijo e, parando de refletir, Vincenzo retribuiu. Beijou-a com fúria e desejo, ainda que lhe faltasse a paixão. Sentiu dela a língua atrevida, as mãos a passearem por seus cabelos revoltos, o cheiro de rosas tão diferente do suave alecrim ao qual estava acostumado.

Alessia falava, entre gemidos, na boca de Vincenzo:

— Quero-te, Mantovani! E sei que também me queres. Posso sentir...

Em seguida, a mulher abriu a camisa ainda suada do pintor, quase rasgando-a, enquanto abaixava-se para beijar-lhe o tórax, a barriga, o baixo ventre. Permitiu que ela, ajoelhada, desabotoasse sua calça e o beijasse na virilha. Vincenzo deixou escapar um gemido culpado e aceso quando lábios famintos o engoliram, sua calça caída até os calcanhares. Olhou para baixo e viu Alessia encarando-o sem cessar o ato erótico, sem tirá-lo da boca. Era excitante, mas, ao mesmo tempo, sujo — não que tivesse se transformado num santo. Jamais havia feito promessas de fidelidade a mulher alguma e aventuras carnais faziam parte de sua rotina desde muito jovem. Contudo, jamais havia se apaixonado antes. Os olhos da duquesa brilhavam como os de uma serpente satisfeita e vitoriosa. Ele foi então invadido por um ímpeto de repulsa, de ódio e decidiu que, se fosse obrigado a ceder aos caprichos de Alessia, o faria a seu modo.

Agarrou-a pelo braço, levantando-a, e logo se pôs a despi-la sem traços de cortesia ou carinho, levado pelo instinto furioso. Ela sorria e sibilava.

— Sabia que guardavas um animal em ti, meu caro.

— De fato, e se desejas a cólera animalesca, assim a terá!

Tendo-a nua, agarrou-a pelos cabelos, beijou-a com hostilidade e, em seguida, empurrou-a de bruços sobre a mesa, para que não tivesse de ver seu rosto enquanto a possuía.

— Vincenzo, o que farás? Não te atrevas a me machucar...

Falando ao ouvido dela, quase rugindo, ele respondeu:

– Pergunto-me que raça de animal obedeceria a tal comando estando prestes a devorar sua presa…

Dizendo isso, postou-se sobre as nádegas brancas e lisas, buscando a vulva encharcada, ansiosa pela invasão. Alessia deitara o rosto sobre os papéis, entregando-se ao desejo recém-descoberto de Vincenzo. Fechou os olhos e logo se sentiu preenchida por uma estocada decidida. E após a primeira, seguiram-se outras, cada vez mais intensas e profundas. Ela gemia, gritava, amassava papéis, sentia nas costas as gotas de suor quente que caíam do rosto do homem. O prazer e a dor se misturavam de maneira confusa. Ele a puxava pelos cabelos, empurrava-se com força impiedosa, como se a raiva pudesse disfarçar algo do prazer inevitável. E, sem demora, o sêmen escorreu em jatos violentos, arrancando de sua garganta um urro raivoso.

Repousou as mãos sobre a mesa, exausto. Alessia ainda ofegava e gemia de prazer, de surpresa… e paixão! Decidira conquistá-lo e dominá-lo desde que o conhecera, como era seu costume em todos os aspectos da vida. No entanto, fora fácil e surpreendentemente subjugada. Ele se retirou de dentro dela e começou a se vestir. A nobre apoiou os pés de volta ao chão, sentindo os joelhos trêmulos e as coxas fracas. Nua, virou-se para ele, ainda sem palavras que descrevessem suas sensações.

Vincenzo terminou de vestir a camisa, apanhou o vestido e entregou-lhe, que logo se encobriu com os tecidos. Sentia o líquido morno escorrendo entre as pernas, a marca dos machos sobre suas fêmeas. E então, recebendo um beijo no rosto, ouviu-o despedir-se.

– Cara duquesa, devo agora me recolher. Tenho o corpo extenuado pelo trabalho e por… bem… – disse ele, apontando com um gesto discreto para a mesa.

– Podes... Poderias dormir no meu leito, Vincenzo.

– *Grazie*, duquesa...

– Alessia! Chama-me Alessia.

– ... Alessia. Agradeço tua oferta, mas creio que não dormiríamos... – Ela sorriu, maliciosa. Ele continuou: – Além disso, é aconselhável preservar-se ante os olhos de teus criados...

– Sim, sim, devo concordar.

Aliviado, tentou sair

– *Bene*... boa noite, Alessia.

Mas antes que se dirigisse à porta, teve a camisa puxada por ela, que o beijou sofregamente por mais tempo do que ele poderia querer. E, por fim, encarando-o languidamente, respondeu:

– Boa noite, meu belo Vincenzo. Espero que teus sonhos tragam-no de volta a mim...

Sem responder, apenas ensaiando um sorriso, Vincenzo se desfez das garras de Alessia, saindo em seguida. Respirou fundo tão logo atravessou a porta. E o rosto de Francesca invadiu sua mente, enchendo-o de culpa. Provavelmente aquele sentimento o perturbaria outras vezes enquanto fosse hóspede naquele lugar...

Capítulo 19

FRANCESCA COCHILAVA NO DIVÃ, o braço direito cobria o rosto e o esquerdo estava caído ao chão. Era um cochilo cansado e suado do início da tarde. A jovem evitava sair desde que encontrara Letizia no *mercato*, pois não tinha certeza de que controlaria o ímpeto de espancá-la se provocada uma segunda vez. Contudo, o que a prendia mesmo em casa era a tristeza profunda. Passava horas a cheirar as roupas do amado em busca do seu aroma, a rever suas obras em busca das lembranças de cada momento que vivera com ele até então.

Ainda o amava com honestidade, mas seu peito já amargava ressentimentos. Vincenzo não escrevera uma única carta desde sua partida para Roma, tempo que já se prolongava para quase um mês. Mas ela acreditava que ele voltaria. Ele TINHA de voltar, afinal, deixara todos os seus trabalhos e objetos numa boa casa em Florença. Era impossível que simplesmente abandonasse todos os seus pertences. Francesca não podia acreditar naquela possibilidade que lhe ulcerava o estômago. Ele voltaria. Tinha de voltar.

Seu cochilo foi bruscamente interrompido por batidas fortes na porta. Levantou assustada, zonza, cabelos emaranhados colados no rosto. Correu a abrir, mas se deteve ao tocar o ferrolho:

– Quem é?

– Giácomo del Piero, mensageiro da duquesa Alessia Sforza de Milão.

Mais que depressa, Francesca abriu a porta para encarar um homem franzino, franja mal cortada na testa oleosa, acompanhado de dois homens fortes e carrancudos. Foram entrando sem explicação, deixando-a boquiaberta e revoltada.

– Aqueles lá! Separem e levem para a carroça. E façam com cuidado, seus imbecis! – ordenou Giácomo, apontando para as tantas telas dispostas no chão da sala.

A moça se impacientou:

– Mas o que significa isso? O que estão fazendo? Estou responsável pela casa a pedido de Vincenzo Mantovani, o proprietário! Para onde estão levando suas obras?

– Escute, moça, cumpro ordens expressas de Vossa Graça, a duquesa. Devemos levar essas telas para Roma, onde serão expostas. É tudo o que sei e o que posso dizer, *capisci*?

Em seguida, após medi-la de cima a baixo com um olhar nada discreto, o rapaz se pôs a estudar a casa, andar de um lado a outro e alcançar a cozinha. De lá, saiu comendo uma maçã.

Francesca se irritava com o atrevimento do homem:

– A duquesa solicitou essas obras?

– A própria – respondeu ele, recostado displicentemente numa das mesas de trabalho de Vincenzo.

Os homens entravam e saíam carregando os materiais, e a jovem não conteve a curiosidade.

— E quanto ao *signor* Vincenzo Mantovani? Nada trazem sobre ele? Nenhuma correspondência ou recado?

Giácomo meneou a cabeça e isso a entristeceu ainda mais.

— Saberia me dizer como ele está?

O mensageiro observou-a sarcasticamente enquanto mordia os últimos pedaços da fruta e jogava o resto num canto da sala. Cheio de ironia, respondeu:

— Ouça, moça, qualquer um que detenha tão especial atenção da duquesa estará sempre em maravilhosa situação.

Os homens, ouvindo a chacota, se puseram a rir com malícia. O estômago de Francesca revirou. Não satisfeito, o insolente homenzinho apontou para a tela na qual a moça jazia desnuda e alfinetou:

— Talvez a *signorina* devesse procurar outro artista para quem... posar. Dadas as suas formas, duvido que demore a encontrar quem queira despi-la. Eu mesmo poderia fazê-lo num piscar de olhos...

A expressão do verme encheu-a de asco e poderia ter vomitado não estivesse tão aflita e temerosa. Ele a encarou até que foi chamado por um dos ajudantes do lado de fora, pois tinham problemas para acomodar algumas das telas. Giácomo gritou para eles:

— Seus inúteis! Tomem cuidado com essas porcarias ou seremos esfolados vivos!

A jovem permaneceu parada em silêncio na sala enquanto os homens entravam e saíam, deixando terra e lama endurecida de suas botas e levando em troca todos os trabalhos de Vincenzo – e a esperança de Francesca. E sequer haviam trazido uma mensagem. Nada! Os empregados de Alessia terminaram o serviço e Giácomo se despediu, arrogante e debochado:

— *Arrivederci, signorina* Francesca! *E in bocca al lupo!*

Alguns segundos se passaram até a moça ter coragem de ir à porta e fechá-la. No que ela acreditaria? Na voz que lhe dizia que Vincenzo não mais voltaria? Ou no amor que insistia em manter acesa uma última chama de esperança? Sua vontade era chorar de raiva, mas as lágrimas, mesmo acumuladas em seus olhos, não caíam. E, talvez por ter chegado ao limite de sua paciência, decidiu sair. Arrumava o cabelo numa trança malfeita enquanto caminhava entre tantos florentinos cobertos pelo sol do quase verão.

Encarava um por um dos transeuntes, buscando reconhecer Enzo ou Leonardo. Queria respostas. Queria saber o quão distante era Roma, queria notícias de Vincenzo, queria ajuda para ir até ele. Sim, estava decidida a não esperar mais. Do que adiantaria, se a espera só esmagava pouco a pouco seu coração? Ficou nas ruas até o anoitecer, sem encontrar um olhar conhecido, mas ainda não estava vencida. Na manhã seguinte, após o café da manhã, saiu novamente, agora em busca do ateliê de Alessandro.

Sua caçada por informações surtiu efeito após algumas horas e finalmente encontrou o tal lugar. Porém, um jovem aprendiz a informara que o mestre estava em viagem para o sul. *Provavelmente em Roma,* signorina, respondeu o rapaz ao ser perguntado onde Alessandro estaria. Roma. A cidade que engolira Vincenzo.

E, nesta cidade, o pintor corria contra o tempo. Não era exatamente um tempo que lhe fora imposto por terceiros, mas por si mesmo. Desde que se envolvera com Alessia, acordava cedo e passava o dia inteiro, até o anoitecer, a pintar o afresco. Queria tê-lo pronto o mais rápido possível! E diariamente, antes de se deitar, destinava algumas pinceladas a uma obra pessoal: uma tela antagônica e representativa de tudo o que ele vivia naquele momento: a luz e a escuridão. As trevas e a revelação. A prisão e a verdadeira liberdade! Alessia o chamava todas as noites para seu quarto, tentando seduzi-lo e vencendo-o em muitas ocasiões. A bela duquesa, altiva e poderosa, apaixonara-se pelos toques rudes e coléricos de Vincenzo, sem saber que nele havia amor e doçura guardados para outra mulher – uma camponesa de cabelos cacheados por quem nutria franca saudade. E a angústia do pintor só aumentara quando Giácomo retornou com suas telas, mas sem qualquer mensagem de Francesca. *A moça? Parecia bem, signore. Não trocou mais que duas palavras conosco*, comunicara o mensageiro enquanto descarregava as telas.

Alessia, prostrada diante de uma janela no primeiro andar, observava o diálogo com um sorriso não tão discreto nos lábios. E de novo a sensação de que algo estava errado o invadira. Precisava voltar a Florença o quanto antes.

O trabalho incessante permitiu que, dez dias depois, o afresco estivesse enfim terminado. Uma obra de fato soberba: as cores, o estudo das luzes, o *chiaroscuro*, o *sfumato*, o movimento dos corpos, todas as provas de que o autor carregava imenso talento! E, finalmente, Alessia comunicava entre lençóis:

– Tenho uma excelente notícia para acalmar tua ansiedade, *caro mio*. Exporemos tuas obras durante um grande banquete em alguns dias. Certifiquei-me de que virão os mais influentes de Roma e Florença para te prestigiar.

Surpreso e aliviado, ele quis saber:

– De fato uma notícia excelente, duquesa! De quantos dias estamos falando?

– Em torno de sete dias. É o necessário para alguns convidados se acomodarem na cidade. Amanhã tiraremos suas medidas com meu alfaiate. Quero-te impecável e mais belo que nunca!

Passou a descrever os arranjos de flores, pratos exóticos e sobremesas finas a serem servidos, entretanto, Vincenzo conseguia

A Madona e a Vênus · 225

apenas fingir que a escutava. A ansiedade lhe corroía! *Sete dias!*, pensou ele. Rezava para que o tempo voasse enquanto Alessia se insinuava mais uma vez.

Os dias, mesmo lentos, cheios de saudade e remorso, passaram. A movimentação no palacete de Alessia começara três dias antes da inauguração do afresco, com convidados a chegar de diversos lugares e conversando a portas fechadas com a duquesa. Nesses momentos, Vincenzo se recolhia para se exilar em sua tela. Nela, duas mulheres se encaravam, postadas frente a frente: à esquerda, uma mulher de cabelos castanhos, pele clara, hábito azul-escuro e capa branca numa clara alusão às vestimentas religiosas, posicionada à soleira de uma casa humilde na qual pendia um crucifixo dourado acima da porta. Seus traços eram severos. Imperava nela o *sfumato* e o *chiaroscuro*, como seriam num futuro não tão distantes as obras ditas maneiristas. Em oposição à sacrossanta figura, à direita, uma jovem seminua, coberta apenas por finos tecidos, cabelos livres e loiros como o pôr do sol, de pé sobre a relva verde, florada e fresca. Cores vibrantes, repleta de luz e sensualidade, olhar lânguido, pedinte... e apaixonado! A treva e o clarão. A santa e a pagã. A razão e o desejo. A bênção e a paixão.

– *A Madona e a Vênus*! – exclamou Vincenzo, exaltado ao mirar o quadro finalizado.

Era a manhã do sétimo dia. Ao entardecer, estaria diante do seu maior desafio como artista. O coração pululava. Não conseguira dormir nem satisfazer Alessia nas noites antecedentes alegando estar cansado, o que de fato era verdade. Mas o que travava seu corpo era mesmo a ansiedade pela oportunidade tão aguardada. O sol alaranjado invadia seu quarto quando Alessia entrou para convocá-lo a descer. Estava na hora. Ao mirá-la, ele não pôde negar: ela estava nada menos que deslumbrante num vestido vermelho e dourado, exuberante com os cabelos enfeitados por laçarotes e pedras preciosas. A duquesa o encarou, admirada:

— Estás mais belo do que poderia imaginar, meu querido.

— Digo o mesmo de ti, duquesa.

E então, oferecendo o braço esquerdo para a bela nobre, saíram juntos em direção ao grande salão. Vincenzo emocionou-se ao ver todas as suas obras dispostas elegantemente nas paredes ou sobre cavaletes dourados, enquanto convidados conhecidos e desconhecidos punham-se em frente a elas, conversando entre si e gesticulando animadamente. O afresco, contudo, restava coberto por uma cortina vermelha, causando em todos uma excitante curiosidade. Sem demora, Vincenzo notou que as telas para as quais Francesca posara como modelo não estavam ali. Frustrou-se, mas não se surpreendeu.

Tão logo adentrou o recinto, foi recebido por mesuras, apertos de mão e gentilezas. Duques, *condottieri*, cardeais, lá estavam tantos nomes e sobrenomes, tantos títulos acumulados num mesmo salão, tantas *famiglie* quanto possível. Conversava com os presentes, recebia elogios e propostas, explicava seus trabalhos aos que tinham dúvidas. Ouvia lances sedutores de um e de outro. O suor descia por suas têmporas. Abateu um cálice cheio de vinho em poucos goles. E viu então, de soslaio, a duquesa conversando com um senhor muito bem vestido, ralos fios brancos não disfarçando sua calvície avançada. Era Bento Ferrarezi, seu pai, que ali estava para prestigiá-lo. Tão logo o velho percebeu a aproximação de Vincenzo, fez um gesto sutil para a duquesa, cessando o diálogo.

— *Papà*! Que honra inesperada!

— Ah, *figlio mio*! Dá-me cá um abraço!

Bento envolveu Vincenzo como jamais havia feito. Mesmo

feliz, o pintor não evitou certo estranhamento. Afinal, desde quando seu *papà* era capaz de arroubos entusiasmados?

– Ah, Vincenzo, que orgulho me deste! Ouço de todos os cantos deste refinado recinto elogios pungentes às tuas obras! Que seja apenas o início de um glorioso futuro, *figlio mio*. E, obviamente, não existem palavras que meçam minha gratidão à graciosíssima duquesa Alessia Sforza! – exclamou, voltando-se para a mulher ao lado, que os observava com a expressão satisfeita.

– Não há o que agradecer, meu amigo. O talento de teu filho é grande demais para não ser reconhecido. O mundo merece admirar a beleza e a genialidade de suas telas.

O pintor sentia o rosto corar. Pela primeira vez, percebeu a honestidade nas palavras de Alessia, que o encarava com os olhos a brilhar de encantamento. Vincenzo conheceu outros integrantes da Casa di Sforza, e alguns mecenas de Veneza e Milão disputavam sua atenção.

A todo momento, desde que vira os primeiros raios de sol daquele dia, pensava no quanto gostaria que Francesca estivesse ali. *Até a maior das alegrias é incompleta se não dividida com a pessoa amada*, pensou ele. Foi acordado do devaneio pela voz inconfundível de Alessia a pedir para si a atenção de todos:

– Meus caríssimos amigos: quero que saibam, antes de tudo, que minha gratidão pela presença de todos não pode ser posta em palavras e enfim tenho a chance de agradecer-lhes à altura, apresentando-lhes para vosso deleite e meu orgulho profundo, a obra-prima desse artista que hoje reverenciamos. Encantem-se, como eu, por este magnífico afresco que agora lhes apresento... – fez um gesto rápido para que os dois criados que seguravam finos cordões nas laterais da cortina a abrissem, no que Alessia acrescentou:

– ... a visão de Santa Catarina di Siena!

Vincenzo mal conseguia respirar! Uma exclamação admirada foi entoada por todos, em uníssono. Aplausos se seguiram enquanto os convidados se amontoavam para observar a obra em sua magnitude e a perfeição dos pequenos detalhes. Os olhos de Vincenzo marejavam e seu coração enchia-se de gratidão ao observar seu *papà* estático e boquiaberto perante o afresco.

— Bravo, *signor* Mantovani! Bravo! — excitava-se alguém.

Não poderia imaginar o quão doce era o sabor do reconhecimento. Respirou fundo e prometeu a si mesmo que aquela noite gloriosa não só permaneceria para sempre na memória, como seria apenas o primeiro degrau de uma subida longa e permanente.

A festança seguiu seu curso. Um banquete suntuoso e impecável foi servido, seguido de apresentações teatrais cômicas que entretinham os nobres convidados. Vincenzo atravessava a noite em êxtase, tal como Alessia e até mesmo Bento. Só muito perto do alvorecer, os convidados e hóspedes se entregaram ao cansaço e a festança se deu por terminada. A duquesa e seu protegido recolheram-se juntos em direção aos aposentos dela.

Contudo, por mais cansado que estivesse, o sono não o vencia. Por sorte, Alessia dormiu logo, permitindo que Vincenzo ficasse a sós com seus pensamentos. Lembrava de ter ouvido o pai mencionar que retornaria a Bolonha já no dia seguinte e se perguntou se não deveria aproveitar a oportunidade e voltar à Florença; afinal, já havia finalizado o painel e feito muitos contatos valiosos. Talvez não fosse mais tão indispensável permanecer na companhia de Alessia quando tinha o coração preso em Florença.

No auge da manhã, após o desjejum, observou o pai a se despedir da duquesa, repetindo pela milésima vez palavras de agradecimento. Em seguida, acompanhou-o até o coche para ter com ele uma conversa particular.

— Pai, estava pensando em acompanhá-lo na viagem e ficar em Florença no caminho. Receio já ter ficado tempo suficiente para incomodar a duquesa.

— Acalma-te, Vincenzo. A duquesa possui ainda grandes planos para ti. Não deves deixar Roma tão cedo, escutas o que te digo.

— Mas, meu pai, tenho uma vida em Florença. A minha vida! Possuo trabalhos inacabados, meu ateliê está parado há semanas.

— E o que temes? Teu ateliê não sairá do lugar. E, se queres saber minha opinião, deverias mesmo era se desfazer daquele lugar.

— Não! — rebateu Vincenzo, alterado. E tentando disfarçar, justificou: — Entende, meu pai, não estou pronto para deixar Florença. De fato, Roma me trouxe nessas últimas semanas a evolução que não tive em todos esses anos, e sou muito grato à duquesa. Mas, ainda assim, sinto que meu lar não é aqui. É em meu próprio estúdio, em Florença.

Vincenzo não queria mencionar Francesca, pois sabia que o velho fidalgo jamais compreenderia suas razões. Bento contraiu a testa, encarando-o, e finalizou:

— Pois saiba que as oportunidades para ti não estão em Florença, meu caro. Estão aqui em Roma! Estão em Milão! Estão em qualquer lugar em que esteja a nobre duquesa Alessia Sforza. Tens sorte de contar com o apadrinhamento de alguém como ela. E confio que tua inteligência seja capaz de entender isto!

O pintor se calou. Notava no pai a entonação autoritária de antigamente, como se desse uma ordem. E nessas situações, Vincenzo sabia que discussões eram vãs. Resolveu apenas despedir-se, deixando-o crer no que quisesse.

Vincenzo retornaria a Florença, e não estava disposto a esperar mais que alguns dias para isso. Precisaria tão somente de uma boa oportunidade para driblar o assédio de Alessia. E a oportunidade viria, amarga e implacável, em breve.

Capítulo 20

Aconteceu alguns dias após a festança dada pela duquesa. Francesca saía quase todos os dias e ia cada vez mais longe em busca de informações, de uma pista sobre Vincenzo, sobre Roma e Alessia. Com o auxílio de comerciantes humildes de Campi Bisenzio e Fiesole, chegou a pequenas comunas vizinhas à Florença. Ainda tinha guardado algum dinheiro que Vincenzo lhe deixara, mas já começava a se preocupar, tanto que chegou a remendar vestidos de algumas senhoras da vizinhança na tentativa de conseguir algumas moedas extras.

Começava a entardecer naquele dia e Francesca, faminta e com dores nos pés, retornava para o ateliê. Quando já se aproximava da Piazza di Santa Croce, reconheceu entre os transeuntes um homem loiro, de porte atlético, caminhando ao lado de dois outros rapazes, a conversar alegremente. Exultante, a moça correu em sua direção, gritando:

— Enzo! Enzo!

Ele então buscou com o olhar a origem daquele chamado.

Francesca surgiu em sua frente e ela sequer esperou que ele a reconhecesse. Apenas abraçou-o com força, exclamando:

– Finalmente! Finalmente, bendito seja o Menino Jesus!

Os homens que o acompanhavam testemunharam a cena com um misto de estranhamento e curiosidade, mas nenhum deles estava mais alarmado que o próprio Enzo:

– *Scusa*… Francesca, não é? – indagou, se desfazendo dos braços da jovem que mal segurava as lágrimas nos olhos. Tentou acalmá-la.

– Acalma-te, está bem? Conta-me, que está havendo? Por que tamanho desespero?

Os lábios trêmulos a atrapalhavam. Seus gestos eram frenéticos, como se tivesse pouquíssimo tempo para salvar o que podia ainda restar de amor entre ela e Vincenzo.

– Enzo, desculpa-me por tê-lo assustado e por me aproximar desta maneira, mas necessito de tua ajuda!

Os dois rapazes se afastaram discretamente, dando à dupla alguma privacidade.

– Ajuda? Mas por que, o que houve?

– Preciso encontrar Vincenzo!

Enzo franziu a testa.

– Como assim? O que queres dizer?

Mais calma, e bem mais envergonhada, Francesca se explicou:

– Bem, Vincenzo está em Roma há mais de trinta dias. Foi até lá a convite da duquesa Alessia Sforza. – Ela não conseguiu disfarçar o asco ao proferir o nome da mulher. – Acontece que ele não me dá notícias desde então! E me prometeu, me JUROU escrever e retornar logo! Para completar, dias atrás esteve na casa de Vincenzo um mensageiro da duquesa, que levou consigo todas as obras dele!

– Mas para que fim? – perguntou Enzo, intrigado.

— Disse que fora a mando da duquesa, que pretendia expor as obras dele em Roma.

— Mas isto é maravilhoso! Ah, maldito Vincenzo, nada me contou! Que notícia esplêndida!

Francesca não dividia da mesma alegria:

— Enzo, Vincenzo não me dá qualquer notícia! Deixou-me a cargo de seu ateliê e prometeu-me não demorar! Preocupo-me que ele...

Encarou-a, curioso.

— Que ele...?

A tristeza da moça morava na face, no tom de voz, nas palavras:

— Que ele não mais retorne!

— Ora, mas o que te leva a acreditar em tal possibilidade?

A moça corou. De fato, não tinha indícios concretos.

— Bem, para começar, Letizia provocou-me outro dia, jurando que ele jamais voltaria, exceto como cônjuge da duquesa.

Enzo gargalhou.

— Então estás a dar credibilidade à Letizia? Francesca, ela é tola e ciumenta! Tudo fará para atingi-la. Não aceita que Vincenzo a tenha trocado por você.

— Então por que ele não cumpriu com o prometido? Por que não me escreveu, não me enviou alguma mensagem? Roma não há de ser assim tão longe.

— Sabes ler?

Constrangida, admitiu:

— Bom... não...

— Então provavelmente esta é a causa, minha querida. De que adiantaria Vincenzo escrever a ti se não poderias saber o que ele havia escrito?

— Eu poderia pedir que alguém lesse para mim.

– Escuta, Francesca, os bens de Vincenzo estão na casa dele, correto?

– Sim, fora as telas, está tudo lá.

– Então, não deves temer nada! Vincenzo tem verdadeira adoração pelo ateliê, dedica-se de corpo e alma àquele lugar. Creia-me, não deves alimentar tantas preocupações pois ele irá voltar, estou certo disso.

Francesca baixou os ombros. Sentia-se derrotada, cansada, desesperançada. Encarava o chão.

– Eu não sei o que fazer, Enzo.

– Bem, se disseste que cuidaria do ateliê, então por Deus, faz isso! Talvez tu não entendas, mas sei o que aquele lugar significa para ele. E digo-te mais: ele JAMAIS a deixaria a cargo de tal responsabilidade se não nutrisse por ti a mais completa confiança.

Francesca respirou fundo uma, duas, três vezes. Enzo tomou-lhe o queixo, fazendo-a encará-lo.

– Confia em Vincenzo, Francesca. Meu amigo pode ter muitos defeitos, mas é homem de palavra! Ele voltará. Precisas confiar e ter um pouco mais de paciência. Tudo bem?

Entregue, ela concordou.

– Sim, tudo bem.

Enzo abraçou-a, tentando confortá-la.

– Irei visitar-te em breve. Quem sabe a origem da tua angústia esteja também na solidão?

Ela ficou em silêncio, sem saber ao certo. Enzo separou-se dela, arrematando:

– Bem, preciso ir. Meus amigos me esperam. Confia no que Vincenzo disse a ti: ele voltará! E creio que muito em breve.

A moça assentiu e ensaiou um sorriso ao observar os homens à distância.

— Até a vista!

— Até...

A moça suspirou. Retomou o caminho de casa como se carregasse o peso do universo nas costas. Então não havia o que fazer. Teria de esperar, e esperar, e esperar... Observou a casa de Vincenzo, a solitária casa que ela deveria guardar. E o que viu quase fez parar o coração: a porta da frente estava aberta, quase escancarada. *Vincenzo!*, pensou ela, eufórica mais uma vez. Finalmente ele voltara!

— Vincenzo! VINCENZO! – gritava ao entrar rápida como o vento na residência.

Espantou-se ao ver três desconhecidos no meio da sala, um deles bastante elegante. Francesca ralhou:

— O que fazeis aqui? Quem sois vós? Esta residência pertence a Vincenzo Mantovani, como vos atreveis a invadi-la desta maneira?

O homem bem vestido não demorou a se impor:

— Sou Bento Ferrarezi Mantovani, PAPÀ de Vincenzo e homem que o presenteou com esta residência para que montasse seu ateliê!

Sem esconder a raiva, Bento deu três passos ameaçadores em direção à jovem, antes de inquiri-la:

— E a *signorina*? Quem serias?

Trêmula e de olhos arregalados, ela respondeu em voz baixa:

— Sou... Sou Francesca, *signore*. Francesca di Boscoli. Estou... Teu filho pediu-me para tomar conta do ateliê enquanto estivesse fora, até que retornasse de Roma.

Sem desfazer a expressão enérgica, irritado com o forte aroma de alecrim que ela trazia, Bento devolveu:

— Receio que meu filho não necessita mais de teus serviços, *signorina* Francesca.

— Não entendo...

— Vincenzo não retornará. Irá se estabelecer em Roma, sob a proteção da duquesa Alessia Sforza.

O mundo girou ao redor dela. Imaginou estar ouvindo coisas.

— Não, *signore*. Vê, deve haver algum engano. Vincenzo ama este lugar, prometeu-me retornar em breve...

— Vincenzo mudou de ideia, *signorina*! Graças à bendita influência da duquesa, meu filho percebeu que nada havia de promissor para ele em Florença.

Os outros dois homens apenas observavam ao diálogo tenso. Um deles, um rapaz alto, jovem e robusto, carregava o que pareciam ser armas cortantes presas à cintura. O outro, já quase idoso, vestia-se e se portava de maneira respeitável e arrogante, ainda que não tão garboso quanto Bento.

Francesca dava-se conta de que perdera tudo. Uma vez mais. O desespero a dominou completamente a partir daí.

— *Signore*, perdão, mas, não consigo crer! Vincenzo, ele... não mentiria! Não tomaria tal decisão sem que... sem que...

O choro a interrompeu. Sem se afetar pela tristeza da moça, Bento falou:

— Digo-lhe com toda a certeza que meu filho não retornará à Florença. Estive há apenas alguns dias prestigiando a formidável exposição que a duquesa organizou para ele, que foi um sucesso extraordinário! E ouvi dele mesmo que pretendia permanecer em Roma. A concorrência nesta cidade é exacerbada, sem contar a quantidade de egos inflados...

Francesca chorava com a mão cobrindo a boca. Estava chocada, decepcionada, destruída! Bento falava sem cessar:

— ... por isso vim transferir a posse desta residência ao *signor* Guido Montanari, que inclusive já pagou o preço acertado pela aquisição.

O velho Guido acenou positivamente. A moça resistia em crer.

— Mas *signore*, eu tenho vivido aqui! Tenho pertences nesta casa. Por Deus, o que farei? E há ainda os bens de Vincenzo...

— Quanto aos pertences de meu filho, não te preocupes, pois irei recolhê-los com o auxílio do meu ajudante. Quanto às tuas coisas, sugiro que as recolha imediatamente, *signorina*. Prometi a este respeitável *signore* que ainda esta noite teria a casa disponível.

O criado de Bento cruzou os braços, deixando evidentes os músculos, num aviso silencioso de que a força bruta não seria evitada, caso necessário. A jovem tremia com lágrimas escorrendo sem cessar e na sua cabeça só tinha uma pergunta: o que faria? Como Vincenzo teve coragem de simplesmente abandoná-la? Ela tinha algum dinheiro, algumas roupas e poderia juntar alguns poucos mantimentos. Mas para onde iria? Subia as escadas com dificuldade, e pôde ouvir Bento falar:

— Perdoe-me tal inconveniente, *signore* Montanari. Não fazia ideia de que meu filho havia deixado essa moça aqui...

Francesca juntava os vestidos, as moedas, as sandálias... Queria poder levar os adornos que comprara, mas não havia como. *O que faço, meu Deus? O que faço?* Lembrou-se de que Vincenzo conseguira um espaço para ela com um colega alfaiate. Era sua única esperança ou teria que arriscar voltar para San Gimignano. E percebeu que não queria voltar. Sua vida se transformara demais para se encaixar novamente à rigidez de seu pai. Juntou alguns sacos de pano com o que poderia carregar. Pediu licença para ir à cozinha pegar pães, frutas e ramas de alecrim.

— Terminei — sussurrou ela, sem conseguir encarar Bento, sem conseguir levantar o olhar e ver as janelas, as cortinas, o divã, as mesinhas repletas de pinceladas coloridas. Vivera os mais felizes momentos de toda sua vida naquela casa e não estava pronta para dizer adeus.

– *Bene*! Então boa sorte! – afirmou Bento, apontando em direção à porta da frente.

Francesca apoiou os sacos nas costas e, sem se demorar, saiu sem olhar para trás. Melhor seria ter uma perna ou um braço arrancando... Doeria menos que ser expulsa daquela maneira do lugar onde fora tão amada e bem cuidada. Caminhava pelas ruelas, buscando em todas oficinas e guildas alguma informação sobre o tal amigo de Vincenzo que a teria aceitado. Nada descobria.

Suas andanças a levaram de volta à Piazza della Signoria e notou que estava menos movimentada do que quando chegara meses antes. Suas lágrimas secavam e se derramavam para secarem novamente. Caminhou pela Piazza sentindo os sacos pesarem em seus ombros, os olhos arderem pela água salgada.

Olhou à sua volta, tudo parecia igual. Ou quase. Encarou novamente o leão dourado que a amedrontara na primeira vez que o vira, só que desta vez a escultura não lhe incitava qualquer temor ou incômodo. Percebeu, aliás, um desgaste acentuado em seus traços. Talvez algo tivesse mudado... Continuou caminhando, refazendo sem perceber o mesmo caminho que fizera quando chegara à Florença. A *piazza* parecia menor, as ruas menos obscuras, os passantes já não transmitiam tanta empáfia e desconfiança. Algo havia, definitivamente, mudado. Alcançou enfim a ponte Vecchio – sua porta de entrada meses atrás. Ainda estava abarrotada de comerciantes e vendedores histéricos, ainda repleta de compradores e negociantes.

O sol já se alaranjava e sua consciência a obrigou a reconhecer que não encontraria nunca o tal amigo de Vincenzo, pois dele não sabia sequer o nome! E se demorara tanto tempo para reencontrar Enzo, sabe-se lá quando conseguiria vê-lo novamente, ou a Leonardo. Deixou os sacos caírem no chão, estava exausta, sem fôlego até para chorar, e sentou-se próximo à entrada da ponte. Comeu algumas frutas, mas o nó em sua garganta a obrigava a comer devagar – um nó que jamais seria desfeito, pois sentia, além da tristeza, a ira! Ira da tal duquesa, ira do pai de Vincenzo, ira de sua condição paupérrima que lhe impedia até de ir tirar satisfações com o homem que acreditara ser o grande amor de sua vida e que, simplesmente, a abandonara de maneira ainda mais vil que o ex-noivo!

E, de súbito, um pensamento corajoso lhe subiu à cabeça: e por que não ir tirar satisfações com Vincenzo? Por que não obrigá-lo a olhar em seus olhos e admitir que foi um fraco, mentiroso e covarde? Por que não despejar sobre ele aquela cólera que não a deixava sequer engolir uma fruta? Dentro de si, dois sentimentos se misturavam e se confundiam: o ódio de Vincenzo e a esperança de que fosse tudo uma grande mentira de Bento. E havia apenas um meio de descobrir.

Decidida, levantou-se, limpou com as mãos o pó do vestido, pegou os sacos nos ombros e atravessou a ponte. Iria em busca de mercadores na estrada, comerciantes a caminho do sul. Uma carona até Roma era tudo de que ela precisava naquele momento e, por Deus, haveria de conseguir! Enquanto caminhava, tinha a certeza de que a mudança realmente ocorrera, mas não estava na paisagem, não estava nas ruas ou nas esculturas: a mudança estava em si mesma.

Capítulo 21

Vincenzo esperara somente a saída do pai para conversar com a duquesa durante o almoço:

— Duquesa, estive pensando e acho que devo retornar a Florença.

Alessia encarou-o, primeiro assustada, e depois com indignação, mas tentou disfarçar:

— Ora, mas por que a pressa, meu caro? Apenas demos início aos nossos trabalhos aqui em Roma, ainda há muito a fazer.

— Bem, estou há mais de quatro semanas longe do meu ateliê. Preocupo-me com obras que deixei inacabadas — mentiu ele. A expressão da duquesa não deixava dúvidas de sua contrariedade, então completou: — E, além disso, sinto-me desconfortável por incomodar-te há tantos dias.

Ao ouvir a última frase, a nobre sorriu maliciosamente.

— Meu querido, bem sabes que tem feito o oposto de incomodar-me.

O pintor desviou o olhar, sorrindo. Precisava ir embora, precisava rever Francesca, precisava de seu amor, de seus braços e de seu perdão, ou a culpa o mataria! Não disposto a abandonar a conversa, ele insistiu.

— Minha cara Alessia, não conheço palavras que façam justiça ao tamanho de minha gratidão, entretanto, devo retornar. *Preciso* retornar!

Alessia, vendo que não conseguiria convencê-lo tão facilmente, resolveu simplesmente ganhar tempo até descobrir um meio de não o deixar partir.

— Compreendo tua angústia, Vincenzo. Mas ao menos aguarde mais alguns dias, *si*? Ainda quero apresentar-te a alguns amigos aqui em Roma que certamente se interessarão por teu trabalho e podem garantir a ti excelentes comissões.

O pintor hesitava. Sabia da importância de novos trabalhos em Roma e sabia o que significariam novas comissões. Mas sabia também que a duquesa estaria sempre disposta a encontrar meios de prendê-lo junto a ela, fosse em Roma ou em qualquer lugar da Itália! Mais alguns dias eram o limite e depois desse prazo seria capaz de voltar sem sequer se despedir de Alessia.

A nobre reforçou suas intenções:

— Façamos desta forma: essa semana apresentar-te-ei a alguns aliados dos Sforza que certamente hão de contratar-te. Se por um equívoco do destino eu estiver errada, levo-te eu mesma a Florença. De acordo?

Vincenzo encarou-a e assentiu, cedendo, enfim. Continuaram a refeição e o assunto se deu por encerrado, ao menos para a duquesa. Mentalmente, Vincenzo tentava adivinhar se ainda havia algum dinheiro para Francesca. Preocupava-se com sua condição, com sua proteção. Fora atormentado por pesadelos nos quais retornava para casa transbordando de saudade, mas encontrava seu ateliê abandonado e vazio. Ele sabia que era tudo obra de sua ansiedade, mas ainda assim era o suficiente para lhe tirar a paz.

Os dias que se seguiram foram repletos de encontros oficiais, visitas, cálices de vinho, jantares, conversas, acordos e promessas. Conhecera alguns dos Orsini, família poderosa de Roma. Contemplou incansavelmente diversas ruínas daquele que havia sido o maior império da humanidade. E a cada nascer do sol, perguntava-se quando poderia finalmente retornar. Uma semana após o grande evento patrocinado por Alessia, Vincenzo teve a resposta da pior maneira possível.

Haviam passado boa parte do dia a conversar com cardeais leais ao Papa Sisto, numa tentativa de aproximar Vincenzo da Grande Santidade. Somente após o jantar Vincenzo pôde descansar. Sentia-se exausto! Tentou, sem sucesso, desviar a atenção da duquesa, mas outra vez as chantagens o venceram e o leito da nobre acomodou os corpos, gemidos e suores de ambos. Contudo, ele não queria passar toda a noite ali, ansiando pela solidão e pelo silêncio. E assim, após longa espera, quando enfim a duquesa caíra no sono profundo, Vincenzo se desfez dos braços femininos, levantou-se e se vestiu, sem fazer barulho. Apanhou os sapatos e, ao alcançar a camisa de linho branco sobre a mesa, deixou cair vários de seus papéis e pergaminhos. Deitada de costas para ele, a bela mulher se mexeu delicadamente, mas continuou a dormir. Aliviado, ele apanhou o material que havia derrubado e distraidamente leu algumas linhas: nomes e sobrenomes, títulos nobiliárquicos, datas, valores. Reconheceu os nomes de muitos dos convidados presentes à sua exposição. Ao lado, alguns valores: sete moedas de ouro, dez, quinze. E mais ao canto, os nomes das telas adquiridas por cada um deles. Percebeu logo que se tratava de um controle financeiro referente às aquisições feitas durante a exposição. Porém, algumas folhas abaixo, viu algo que o deixou confuso: pareciam recibos. Novamente, nomes e valores. Novamente, os mesmos nomes dos seus compradores, e ao lado destes, valores que ultrapassavam em muito o preço que haviam pagado pelas telas.

O pintor não entendia. *Mas como é possível? Pagaram e receberam tanto de volta?* Ao que sabia, Alessia não guardava dívidas com ninguém, pelo contrário. Ruminou sobre as informações por alguns segundos até que a revelação lhe veio fulminante: os convidados haviam sido... pagos. Ou melhor, contratados! Aqueles nobres cidadãos, tão encantados com o trabalho de Vincenzo, estavam na verdade... atuando! Fingindo! Estavam apenas cumprindo sua parte nos acordos escusos fechados com a duquesa.

Logo veio à sua mente as tantas reuniões a portas fechadas ocorridas dias antes do banquete. O ar evaporou de seus pulmões. Esfregava a testa com a mão, completamente aparvalhado. Seria possível que tudo fosse uma grande e bizarra mentira? Alessia seria tão ardilosa e dissimulada? Não conseguia crer, não conseguia aceitar que toda a felicidade, todo o orgulho que sentira de si mesmo dias antes era nada além de ilusão arquitetada por uma mulher perversa!

O peito se apequenou, sua visão escureceu, sentiu tonturas e deixou-se cair bruscamente sobre a mesa, derrubando uma taça de bronze e acordando a duquesa. Alessia se virou, assustada, vendo Vincenzo quase vestido apoiado sobre a mesa, visivelmente agitado.

– Vincenzo, o que houve? Estás bem?

O homem a encarou. O suor lhe descia pelo rosto e seu olhar carregava um ódio fulminante. Sem fôlego, penando para conter a agressividade, perguntou:

– Eles foram pagos, não foram?

– Quem? Do que estás falan...

– OS CONVIDADOS, Alessia! Os convidados que vieram à exposição! Foram todos pagos, não é verdade? Tu pagaste para que viessem!

A nobre arregalou os olhos, atônita. Buscava na mente algo convincente.

— RESPONDE-ME, ALESSIA! Ele foram contratados para que viessem aqui, não?

A mulher permaneceu em silêncio, encarando-o e tentando desesperadamente disfarçar a surpresa. Vincenzo insistia. Custava a crer que aquilo fosse real. Na verdade, rezava para que tudo não passasse de um grande engano.

— Por que pagaste? Por que mentiste para mim?

Assustada, mas tentando manter a altivez, ela respondeu:

— Vincenzo, tudo o que fiz foi promovê-lo! Foi para tornar-te conhecido pelas pessoas certas!

A confirmação era amarga.

— NÃO, Alessia! Não me promoveste, não me fizeste reconhecido! Tu me ENGANASTE da mesma maneira que se engana um fedelho birrento! Preparaste um espetáculo, um delírio para que eu acreditasse… — As lágrimas começavam a descer, quentes e raivosas. — … para que eu acreditasse que me admiravam verdadeiramente.

A duquesa apressou-se em levantar do leito, cobrindo-se com os lençóis. Já não conseguia disfarçar o tremor em suas mãos.

— Vincenzo, ouve! As pessoas que te prestigiaram ficaram de fato admiradas com teu trabalho! Praticamente todos os teus quadros foram vendidos…

— NÃO MINTAS PARA MIM! — rosnou ele, com o dedo em riste quase encostando nos lábios da nobre. Vociferou:

— EU VI os teus papéis! Vi que todos receberam, que foram pagos para ENCENAR para mim! Por quê, Alessia? Por que fizeste isso? Por que me fizeste passar tamanha VERGONHA E HUMILHAÇÃO?

A duquesa tentou se aproximar:

— Vincenzo…

– NÃO! Não te aproximes! NUNCA MAIS te aproximes de mim!
– Respirava fundo, balançando a cabeça, totalmente incrédulo. –
Não sei o que fiz a ti para merecer tal golpe! Espero somente que
lhe tenha valido, pois não me darás o desprazer de tua companhia
por mais tempo!

Dizendo isso, o pintor virou-se, abandonando o quarto da nobre a passadas firmes. Alessia gritava:

– Vincenzo! VINCENZO! Volta aqui e me escuta!

Mas o homem ignorava seus chamados. Alcançou sua tela embaixo da cama, a única que conseguiria levar, colocou as botas, o casaco e o sobretudo, pegou o dinheiro que tinha guardado consigo, rezando que fosse suficiente para comprar uma montaria, ou ao menos uma carona para Florença.

A mulher apareceu em sua porta, transtornada:

– Vincenzo! Que pensas que estás fazendo?

– Estou indo embora! Não fico mais um minuto neste lugar!
– exasperou-se, com a tela embaixo do braço, pisando firme e apressadamente.

Alessia agarrou-o pelo braço:

– NÃO, VINCENZO! Tu não podes ir! Não podes me deixar depois de tudo o que fiz por ti!

– Depois de tudo o que fizeste? Enganando-me a fim de ter-me em tua cama todas as noites? Fazendo-me crer na mais perversa das ilusões?

Os empregados apareciam às portas dos aposentos, boquiabertos com a discussão no meio da noite.

– Falas como se não tivesses tirado bom proveito desses dias! Tu podes mentir para quem quiser, mas não para mim! E MENOS AINDA PARA TI MESMO!

Alessia gritava do alto da escadaria que levava ao grande hall de entrada. Bastava atravessá-lo e Vincenzo alcançaria a porta.

Aos pés da escada, ele se virou para encará-la:

– Sim, minha cara duquesa. Fiz bom proveito de tua muito *calorosa* acolhida! Mas não te esqueças do que falei a ti nos primeiros dias: podemos amar um corpo sem jamais abrir o coração! E meu corpo era apenas o que havia para ti!

Deu dois passos rumo à porta e ouviu-a gritar, aos prantos:

– VAIS CORRENDO AO ENCONTRO DAQUELA CAMPONESA MEDÍOCRE?

Vincenzo parou e inspirou, fechando os olhos. Percebeu o quanto estava ansioso para rever Francesca ao se virar pela última vez e dizer:

– Sim, Vossa Graça. E irei tão rápido quanto Deus permitir!

Fez então uma mesura respeitosa, abriu a grande porta de madeira e saiu. Atravessou os jardins pedindo que lhe abrissem os portões e enfim estava fora do grande palacete, livre das mentiras e das ilusões de Alessia. Seu coração sangrava de raiva e decepção. Sentia vergonha de si mesmo, de acreditar que poderia ter algum talento, de crer na farsa que lhe fora tão meticulosamente apresentada. Seu único alento era Francesca. Era o que lhe restava e o que de fato mais queria naquele momento.

Capítulo 22

Os ossos de todo o corpo estalaram quando Francesca foi acordada por Apollinare, o gordo líder da récua que seguia em direção a Nápoles.

— *Ragazza*! Oh, *ragazza*! Chegamos, esta é tua descida. Estás em Roma!

A jovem sentou-se devagar. Estava encostada em caixotes de madeira e o intenso cansaço era a justificativa pela qual conseguira pegar no sono naquela posição.

— Que lugar é este?

— Aquela é a Santa Maria del Popolo, vês?

A jovem virou-se, mirando o que parecia ser uma basílica.

— Sim... Uma igreja.

— Pois bem, estás em Roma, como prometido. Agora *andiamo, andiamo*! Nápoles não fica nada perto!

Francesca desceu da carroça com muita dificuldade, pois todo o corpo latejava de dor. O sol brilhava quente e incômodo sobre ela enquanto a récua seguia viagem. Ainda tinha algo para comer no saco já empoeirado e bem mais leve, afinal, além de dinheiro, negociara alguns de seus pertences pela carona. O que lhe faltava era água, estava sedenta e enjoada. Parou numa pequena fonte que enfeitava um dos muitos jardins da cidade para se refrescar. Sentou-se um pouco, comeu uma maçã – uma das poucas frutas que sobrara –, e pensava em qual seria o próximo passo.

Como descobrir onde a duquesa morava? Roma lhe parecia muito maior que Florença e os passantes aparentavam acentuada rigidez de humor. Percebeu que não havia outro meio além de pedir informações. Algumas pessoas a ignoravam solenemente, outras a olhavam com indisfarçável desprezo. Mas algumas, mesmo desconfiadas, foram lhe indicando o caminho. As sandálias quase já não lhe protegiam a sola dos pés, tão gastas estavam. As pernas doíam miseravelmente, bem como as costas e os quadris. Entretanto, todo aquele sofrimento valia a pena ante a possibilidade de confrontar Vincenzo.

Ela caminhava em direção ao monte Capitolino ciente de que seria capaz de despejar toda a sua fúria sobre ele. Tinha vontade de cuspir nele e socá-lo à exaustão! Caminhou por quase uma hora seguindo a famosa Via Lata, na qual residia grande parte da célebre história romana: o Ustrino e o Mausoléu de Augusto, a Coluna de Marco Aurélio, o rio Tibre. Em todos os pontos, havia um lembrete do passado glorioso de Roma, de seus imperadores e deuses. Era diferente de Florença, mas não menos grandiosa e intimidante.

Ao aproximar-se do monte, o cansaço lhe vencia, então sentou-se embaixo de algumas árvores que ladeavam a estrada. Retomou o fôlego assistindo a algumas carroças e caminhantes passarem por ela, indiferentes. Levantou-se e foi ter com um senhor de longa barba branca, pobre e franzino, que andava com o auxílio de um pedaço de madeira:

– *Signore*! Por favor, *signore*...

O velho parou para escutá-la:

— Perdão incomodá-lo, *signore*. Venho de longe à procura da... — Deu-se conta de quão absurda sua busca soaria aos ouvidos do ancião. — Bem... Procuro a residência da duquesa Alessia Sforza.

O homem a encarou parecendo descrente e desconfiado. Ela teve de se explicar:

— Na verdade, preciso encontrar uma pessoa que trabalha na morada da duquesa.

O homem continuava calado. Ouvia-se ao longe o som de galopes ligeiros que se aproximavam.

— *Signorina*, eu não saberia informar onde mora pessoa tão respeitável, mas asseguro a ti que aquele é o coche da duquesa.

Francesca olhou para a direita e percebeu um elegante coche puxado por dois cavalos, vindo justamente em sua direção.

— *Il signore* tem certeza?

— Sim. Vês nos cabrestos dos cavalos? O brasão dos Sforza — disse ele, apontando para o símbolo formado por dois dragões e dois pássaros negros sobre os focinhos dos animais.

Francesca se afastou do velho, imaginando um meio de parar o veículo. E a euforia, inimiga da ponderação, a fez se atirar na frente do coche, balançando os braços freneticamente:

— Para! PARA, por favor!

O cocheiro só teve tempo de puxar com força as rédeas, fazendo os cavalos pararem quase em cima da moça.

— Estás maluca? — gritou ele, enquanto curiosos paravam para observar o desespero da jovem.

— Por favor, *signore*! É uma emergência! Necessito falar com a duquesa Alessia!

— *Ma che*? Do que estás falando? Afasta-te, anda, anda!

O cocheiro fez menção de sacudir as rédeas, mas Francesca atirou-se diante dos cavalos novamente. Irritado, o homem desceu da montaria para tirá-la da frente:

– Queres morrer, *ragazza*? Já falei para te afastares! – O cocheiro agarrava-a pelos braços e a sacudia, fazendo a moça gritar ainda mais e chamar cada vez mais a atenção dos passantes.

– NÃO! Por favor, não entendes? Preciso falar com ela, preciso falar com a duquesa...

– *Dio santo*, o que está acontecendo aqui?

A voz feminina e autoritária cessou imediatamente o embate entre Francesca e o condutor.

– Perdoa-me, Vossa Graça. Esta moça atirou-se na frente dos cavalos e se nega a sair...

– FRANCESCA?! – exclamou Alessia, com olhos arregalados. Tamanha era sua surpresa quanto intensa era sua raiva em revê-la. Perguntou: – O que fazes aqui?

O cocheiro, percebendo que Alessia se encarregaria de lidar com a jovem, soltou-a e se afastou, buscando acalmar os animais que haviam se agitado com a confusão. Os curiosos observavam de longe a cena inusitada.

Francesca, ofegante e desesperada, inclinou-se respeitosamente diante da nobre:

– Duquesa, perdoa-me o atrevimento. Eu não queria causar a ti qualquer prejuízo, mas procuro por Vincenzo. Necessito falar com ele assuntos urgentes!

Se o ódio de Alessia se transfigurasse num ser vivo, seria decerto um monstro medonho a mastigar as vísceras de Francesca.

– Assuntos urgentes? Que assunto pode ser tão urgente a ponto de trazer-te até aqui?

Francesca baixou o olhar. Sentia-se diminuída pelo cansaço, pela pobreza e pela postura altiva de Alessia.

— Eu... *perdonami, signora*. Digo, Vossa Graça, mas prefiro tratar com Vincenzo.

A mulher analisou Francesca, de cima a baixo: estava pálida, assanhada e suja. Sentia tanta ojeriza e desprezo que poderia chutá-la como um animal repugnante. E, de repente, veio até ela o pensamento de que Francesca poderia estar grávida de Vincenzo. Seria aquele o assunto urgente que teria a tratar com ele? O simples pensamento amargou sua língua e foi esse veneno que a fez dizer:

— Então, tu não soubeste, não é?

— Eu não soube de quê? — Se Francesca já estava pálida, naquele momento sua pele se tornava quase translúcida. Suava em bicas.

Alessia, fingindo um grande pesar, comunicou:

— Vincenzo... faleceu poucos dias atrás.

As palavras soaram secas e vazias, quase sem significado.

— Como... O que disseste?

— Infelizmente, disse exatamente o que ouviste. Vincenzo morreu, Francesca. Foi tomado de uma febre incurável, passou dias acamado, sem se alimentar, tendo alucinações... Vieram tratá-lo os melhores médicos de Roma, mas não houve o que pudesse ser feito para evitar. Morreu em meus braços, falando coisas desconexas, contudo, antes de morrer, num súbito momento de lucidez, disse-me palavras que jamais esquecerei: *Amo-te, minha duquesa*. E então os anjos o levaram... — e Alessia forçou um choro, fazendo com que o cocheiro abaixasse a cabeça, constrangido pelo teor daquela farsa.

Francesca estava estática, se negando a crer na duquesa:

— Não... Não é possível, ele estava bem de saúde, muito bem, aliás! Não pode ser, e-eu não posso crer...

— Alguns médicos suspeitaram de intoxicação pelas tintas que utilizava. Trataram-no com todas as fórmulas, chás e remédios, mas nada funcionou. Nada pôde salvá-lo.

Era mentira. TINHA DE SER uma mentira! Ainda sem conseguir acreditar, Francesca questionou:

— Onde... onde ele está?

Alessia respirou fundo, fingindo enxugar os olhos com um lenço de seda enquanto pensava numa resposta.

— Em Bolonha. Bento esteve aqui para buscar o corpo...

— *Signor* Bento esteve no ateliê em Florença poucos dias atrás e nada comunicou sobre Vincenzo estar doente, duquesa!

Alessia foi pega de surpresa. Ainda assim, insistiu:

— Bento deixou Roma logo após a exposição de Vincenzo, Francesca. Foi quando ele adoeceu. Como Bento poderia comunicar algo que ainda não sabia?

Francesca não estava convencida — ou não queria crer naquele pesadelo. A nobre acrescentou:

— Aliás, essa minha viagem que interrompeste é justamente para visitá-los. Estou levando alguns objetos pessoais que restaram... — Mais uma vez, Alessia fingiu chorar. E, virando-se em direção ao coche, deu por finalizada a conversa.

— Agora, deixe-nos ir. Não possuo condições para falar sobre qualquer coisa...

— Leve-me contigo!

A voz de Francesca soou desafiadora e mais alta do que o aconselhável para uma pobre camponesa diante de uma aristocrata.

— Que disseste? — Alessia perguntou, encarando-a, incrédula.

Francesca não se intimidou. Se Vincenzo estava morto, ela tinha também o direito de lhe prestar as últimas homenagens.

Além disso, só conseguiria acreditar naquela tragédia se visse a sepultura com os próprios olhos.

— Leva-me contigo. Quero vê-lo... Visitar seu túmulo.

Furiosa, a duquesa aproximou-se da camponesa, farta daquela presença.

— Agora, escuta-me bem: sai já do meu caminho ou farei com que meus cavalos te pisoteiem até que não reste nada além de tua carcaça imunda! E nunca mais cometas a imprudência de te dirigires a mim desta forma, ou passarás o resto da vida enjaulada por desacato!

— Estás mentindo, não é mesmo? Vincenzo não está morto! Mentes apenas para mantê-lo afastado de mim!

De imediato, Alessia desferiu um forte tapa na face esquerda da jovem, chocando os observadores. Francesca sentiu a pele queimando dolorida e a cólera apossando-se de si. Não saberia nem em mil anos explicar como conseguira segurar o ímpeto de devolver o golpe. Com a mão no rosto dolorido, encarou a duquesa, que, sem dizer mais nada, deu as costas e dirigiu-se ao coche, ordenando ao condutor:

— *Andiamo*!

Um grito e uma sacudida nas rédeas bastaram para os cavalos retomarem o galope, levantando uma cortina de poeira no caminho. Aos poucos, as pessoas se dispersaram, ignorando a jovem que se atrevera a ficar no caminho da duquesa e recebera o castigo merecido. Ainda com a mão sobre a bochecha, Francesca tentava ordenar seus pensamentos.

Onde estava Vincenzo? Não sabia. O que faria para encontrá-lo? Não sabia. Para onde iria? Não sabia. Onde passaria a noite? Não sabia. Tais incertezas eram sufocantes, apertavam-

-lhe o peito e estrangulavam-lhe a alma. Roma não era Florença. Vincenzo… Onde estava? Estava vivo? E mesmo se estivesse, como encontrá-lo? Por onde começar a procurar? Até quando conseguiria procurar? As árvores, a estrada, as torres e construções, tudo passou a girar ao seu redor. O enjoo voltou intenso, mas antes que pudesse expulsar algo do estômago, sua visão se anuviou e sua consciência foi engolida pela escuridão.

Capítulo 23

Passaram-se exaustivos três dias até que Vincenzo enfim cruzasse a caótica ponte Vecchio em direção ao coração de Florença. Conseguira comprar de um mercador romano uma égua já não tão jovem, mas ainda capaz de alguns galopes. Dormiu em vilarejos para se proteger do frio e de saqueadores que poderiam tirar-lhe a única obra que lhe restava. Talvez ele tivesse conseguido acolhidas muito melhores se apresentasse o nome do pai, mas carregava o peito esmagado pela raiva e pela decepção, e algo lhe dizia que Bento não estava isento de culpa pelo que ocorrera.

Durante todo o trajeto, relembrava momentos de sua *exposição*: os olhares de admiração, os aplausos, as reverências acaloradas... A mentira deslavada, a falsidade de todos. A repulsa que aquelas memórias lhe causavam era indescritível! Porém, quanto mais próximo de Florença, mais suas esperanças se renovavam. Fora enganado, decerto, entretanto prometia a si mesmo que aquela experiência serviria como uma grande lição para que ouvisse as próprias intuições. E não estava disposto a abandonar a pintura e a arte por causa da patifaria de uma nobre mimada! Estava ferido, mas não estava vencido.

Com Francesca ao seu lado, conseguiria reerguer suas esperanças. Ouvia o som lento e oco dos cascos do animal atravessando a Piazza della Signoria com uma alegria impaciente. Sentia fome, sede, dores na coluna e uma saudade febril! Mal podia esperar para agarrar em seus braços a bela Francesca, com o intuito genuíno de não se separar dela nunca mais. Mas antes, parou no ateliê de Alessandro para deixar o quadro que trouxera. Não queria mostrá-lo ainda a Francesca — na verdade, naquele momento, não queria mostrá-lo a ninguém.

Abílio, o jovem aprendiz de Alessandro, o recepcionou:

— Ora, viva! *Signor* Vincenzo! Há muito tempo não o vejo aqui no ateliê do mestre!

— Abílio, dá-me cá um abraço! — exclamou, sem esconder a alegria em ver um rosto florentino conhecido.

Sentiu o olhar curioso de Abílio sobre ele.

— *Come stai?* — perguntou o aprendiz, notando as olheiras profundas e a expressão de exaustão do colega pintor.

— Estou cansado, meu caro, mas vivo! Diga-me, onde está Alessandro?

— Mestre Alessandro está em viagem, desta vez para o sul.

Vincenzo balançou a cabeça. De súbito, franziu a testa.

— Para o sul? Disse para onde exatamente? Sempre dizia ter vontade de visitar a Sicília...

— Não creio que tenha ido tão longe. Garantiu retornar em poucas semanas.

— Estaria ele em Roma?

— Sim, sem dúvida. Ao menos comentou que passaria alguns dias por lá fazendo observações, tirando medidas, quem sabe conseguindo alguma comissão?

Vincenzo começou a suar! Se Alessandro já estava em Roma durante sua exposição, decerto nem fora convidado! Afinal, com todo o seu conhecimento e perspicácia, Alessandro poderia desmascarar o teatro infame da duquesa lá mesmo, diante de todos. A raiva retornou como um punhal cravado no peito.

Abílio perguntou:

— Meu caro Vincenzo, estás bem? Me pareces pálido.

— Oh, estou, estou bem sim, amigo. Apenas exausto. *Bene*, quero pedir a ti um grande favor.

— Claro, o que posso fazer?

— Peço que guarde este quadro em um local seguro, aqui mesmo na oficina. Virei buscá-lo em breve.

— Bem, hum… Sim, claro! — concordou o jovem, estendendo as mãos para receber a obra mal embrulhada num saco de pano.

Vincenzo pediu:

— Sei que estará em segurança, mas devo dizer que esta é a única obra de minha autoria que restou…

Abílio o encarou, surpreso:

— Como assim?

Após um longo suspiro, o pintor respondeu:

— Bem, acontece que estive também em Roma durante algumas semanas e… minhas obras ficaram por lá. Um dia contarei a ti essa história, meu amigo. No momento, porém, necessito de descanso.

— Claro, claro! Não te preocupes, estará em segurança. Tens minha palavra!

Os dois deram-se um forte abraço, antes que Vincenzo continuasse o vagaroso trote até sua casa.

Quando enfim avistou seu ateliê, notou logo uma movimentação estranha: a porta da frente estava aberta, as cortinas haviam sido retiradas e duas crianças ajudavam um senhor a entrar com uma pesada mesa de madeira.

Desceu do cavalo sem saber direito o que pensar, já questionando os intrusos:

– *Ma che* está acontecendo aqui? Quem sois vós, o que fazeis na minha casa?

O velho encarou-o com os olhos arregalados. As crianças, assustadas, apoiaram a mesa no chão e correram para dentro. Vincenzo entrou pela porta e não reconhecia absolutamente nada: seu divã, seus móveis, seus quadros, seus materiais, nada estava lá!

Bufando, questionou o senhor que entrava na casa:

– *Ma che cazzo è?!*

O velho respondeu:

– Sou Guido Montanari e comprei esta residência de *signor* Bento Ferrarezi! E tu, tenhas a bondade de dizer quem és!

– O QUÊ? Como assim *compraste?* Como pode ter comprado algo que NÃO estava à venda? Bento Ferrarezi é meu pai, ele mesmo cedeu-me esta residência para fazer dela meu ateliê! E onde estão minhas coisas, o que fizeram com meus materiais?

A esposa de Guido estava parada à porta da cozinha, assustada, enquanto as duas crianças se escondiam atrás dela.

– Ambrogina, busca a escritura, *andiamo!* – A mulher subiu as escadas correndo, trazendo um papel amarelado e entregando-o ao marido. Cheio de raiva, o velho mostrou o documento a Vincenzo, e comentou: – Vês? Foi-me vendida pelo teu pai dias atrás.

Vincenzo tomou o papel nas mãos, sem crer no que acontecia. Viu a assinatura inconfundível do pai ao lado da assinatura simples e arredondada de Guido, e logo abaixo, a assinatura de um tabelião conhecido na cidade acompanhada do selo da República Florentina.

Sentiu a cabeça aérea e começou a gaguejar:

— M-mas... mas... não entendo como pode ter acontecido! Não dei ordens para que meu pai a vendesse, por Deus! Isto é... LOUCURA! E... e minhas coisas, onde estão meus móveis, minhas pinturas?

— Teu pai levou tudo que pertencia a ti – disse Guido, tomando de volta o precioso documento.

Vincenzo arregalou os olhos.

— E Francesca?

— Quem?

— A moça que morava aqui! Havia uma moça morando aqui, não?

— Oh, sim, teu pai a dispensou, disse-lhe que não necessitava mais dos serviços.

— DISPENSOU?! – exclamou em voz alta. As crianças se encolheram ainda mais.

O velho se manteve em silêncio, aborrecido com o fato de que Bento vendera a casa sem o conhecimento do filho. O pintor levava as mãos à cabeça, desesperado e confuso. Olhou em volta. Todas as suas cores, o aroma de tinta e dos pães de Francesca, nada mais restava. O ar quis lhe fugir dos pulmões, mas não podia se deixar desmaiar, pois tinha que encontrar Francesca!

— E onde... para onde ela foi?

— Eu não saberia dizer. Tudo que vi foi ela levando alguns poucos pertences consigo.

O que ele faria? Santo Deus, O QUE faria? Guido, percebendo a perturbação do jovem, acalmou-o:

— Ouve, meu rapaz, sinto muito que as coisas tenham ocorrido de tal forma. Eu mesmo não teria aceitado realizar tal compra se soubesse de toda essa… confusão. Mas gastei todas as minhas economias neste lugar. Eu e minha família não temos sequer para onde ir…

Vincenzo levantou a mão, num esforço para demonstrar que sabia que ele não tinha culpa, e que, portanto, nada faria para expulsá-lo de lá. Virou-se para ver as crianças, ambas com medo, agarradas ao saiote da mãe, que mantinha a expressão tensa e preocupada, sem esconder que já enfrentara ela mesma muitas batalhas na vida. Não havia mais o que fazer ali. Precisava procurar Francesca e confrontar o pai. Antes de sair, deu uma última olhada em sua velha casa e suspirou.

A angústia ferroava seu coração. De uma hora para outra, tudo lhe havia sido tirado: os planos, os sonhos, as certezas, o orgulho, o ateliê, o amor. Jamais havia experimentado tamanho desamparo, nem mesmo nos momentos em que seu pai lhe desdenhara na infância. Saiu da casa sem coragem de olhar para trás e, ainda assim, algumas lágrimas escaparam discretas de seus olhos. Apanhou as rédeas da égua que o aguardava do lado de fora e, percebendo-a emagrecida e cansada, decidiu ir a pé à casa de Enzo puxando o bicho. Precisava de ajuda.

O amigo abriu um largo sorriso ao atender a porta:

– Vincenzo! Estás de volta! – Sem esperar que o pintor respondesse, Enzo agarrou-o num abraço apertado, dizendo: – Ah, seu desgraçado! Então estavas conquistando Roma sem sequer contar aos amigos?

Ao se separar, Enzo notou enfim o desespero na face de Vincenzo e toda a alegria se esvaiu.

– Ora, o que houve? Tu te sentes mal?

– Amigo, aconteceu-me uma tragédia! Estive de fato em Roma com a promessa de conseguir excelentes comissões, de tornar-me conhecido…

— Sim? Anda, fala-me logo que me deixa nervoso!

— Era tudo mentira! Fui enganado, Enzo! A maldita duquesa apenas me manipulou para ter-me preso a ela! E tenho a amarga sensação de que *papà* sabia de tudo!

— O quê? Ma-mas como…

— E, para completar, chego a Florença apenas para descobrir que já não tenho casa e que Francesca foi expulsa de lá por meu pai!

— Mas do que está falando, Vincenzo? Estive com Francesca dias atrás!

— Tu estiveste? Conta-me, sabes onde ela está?

— Não, não faço ideia. Na verdade, agora me sinto bastante preocupado e culpado…

— Por quê?

— Francesca estava aflita, querendo notícias suas, perguntando-me de que forma poderia ir a Roma…

— Espera, ela pretendia ir a Roma?

— Bem, não creio que… Em todo caso, tentei acalmá-la, disse-lhe que tu voltarias e, de fato, cá estás.

— Enzo, Francesca foi à minha procura. Ela foi a Roma!

A frase saiu de sua boca trêmula banhada de convicção e medo. Francesca era uma mulher tenaz e decidida, isso ele já sabia. E sem dúvida seria capaz de se expor às mais robustas adversidades para encontrá-lo.

— Vincenzo, ela não iria! Não sozinha, não dessa forma. Seria insanidade!

O pintor encarava o vazio. Olhos arregalados, cérebro incendiado de pensamentos. Teria de voltar a Roma a fim de procurá-la.

— Talvez sim, meu caro amigo. Contudo, algumas circunstâncias exigem de nós uma boa dose de insanidade.

A Madona *e a* Vênus   263

Dizendo isso, puxou a égua para perto, oferecendo as rédeas a Enzo.

— Enzo, essa égua é tudo o que tenho no momento. Nada possuo além das poucas moedas em meu bolso, pois *papà* levou todos os meus pertences com ele. E eu quase nada trouxe de Roma. Preciso que me consigas uma montaria, um bom animal que suporte viajar durante dias.

— Vincenzo, por Deus, acalma-te um pouco. Mal chegaste de uma longa viagem, estás acabado, vê-se em teu rosto! Entra, descansa, come alguma coisa. Espera alguns dias, quem sabe Francesca aparece? Irei procurá-la contigo...

— Não posso, *amico mio*. Preciso encontrá-la, preciso saber se ela está bem. Jamais me perdoarei se algo acontecer a ela. Por favor, ajuda-me!

Enzo estava aflito. Não queria deixar o amigo sair novamente naquelas condições, mas como poderia negar-lhe um favor? Eram como irmãos desde que se conheceram, pouco depois de Vincenzo mudar-se para Florença. Resolveu ceder:

— *Va bene, va bene*... — Enzo resmungou, entrando em casa. Vincenzo aguardava à porta, compenetrado. Pouco depois, Enzo retornou com alguns florins que economizara.

— Toma. Aqui está. Creio que conseguirás trocar a égua no mercado por um animal mais robusto.

Vincenzo envergonhava-se, pois sabia que aquele dinheiro custara bastante a Enzo.

— Meu amigo, um dia hei de agradecê-lo à altura...

— Ora, vamos! Nada há a agradecer, Vincenzo! Peço somente que cuide de si e dê notícias assim que retornar, está bem?

— *Bene*.

Abraçaram-se fortemente, tensos e receosos. Vincenzo teria uma longa jornada até Roma, mas antes, destinaria um dia para ir a Bolonha, pois precisava fazer algumas perguntas ao seu pai. E, quem sabe, Bento Ferrarezi soubesse onde estava Francesca?

Capítulo 24

Em algumas horas, Vincenzo apeava em frente à opulenta residência dos Mantovani, em Bolonha. Conseguira comprar um bom cavalo, forte e robusto, que entregava a um dos criados de seu pai avisando que não demoraria, e pedindo que o animal fosse alimentado e hidratado. Em seguida, entrava na casa tão familiar, a casa onde teve seus sonhos oprimidos e de onde teve de sair para que pudesse realizá-los. Sua mãe descia a escadaria, exultante em rever o filho.

— Vincenzo, meu filho! Quanta saudade!

O pintor recebeu o abraço da mãe, sem conseguir retribuir a alegria. Seu peito apertado o impedia de respirar e a mãe logo percebeu seu abatimento.

— O que há, meu querido? Estás doente? Necessitas de algo? Pareces magro e estás pálido.

— Não, mãe. Não careço de nada, estou de passagem. Preciso apenas ter uma palavra com *papà*, onde ele está?

A mãe percebia que o filho penava para se conter. Estava trêmulo, suado e visivelmente nervoso. Ela então respondeu:

– *Tuo papà* está no escritório fazendo alguns cálculos, vou chamá-lo.

– Não, minha mãe, não precisa. Irei até ele.

Dizendo isso, Vincenzo subiu as escadas até o andar superior. Atravessou o longo corredor que findava em uma grande porta dupla de madeira. O pintor a abriu bruscamente. Ao ver o filho, Bento empalideceu. E, sem demora, tratou de guardar os papéis que jaziam sobre sua mesa. Tentou disfarçar.

– Ora, Vincenzo! Que fazes aqui? Não esperava receber tua visita.

– *Papà*, deixemos de cerimônia. Creio que sabes o que me trouxe até aqui. – E aproximando-se da grande mesa, questionou: – Por que vendeste meu ateliê? Como teve a coragem de se desfazer do meu bem mais precioso sem sequer me consultar?

Bento manteve a superioridade.

– E por que raios desejavas aquele ateliê se estavas morando em Roma?

– Não estava morando em Roma, bem sabes! Disse a ti, no dia em que deixaste a casa da duquesa, que eu pretendia retornar a Florença o quanto antes.

– Ora, imaginei que fosse um arroubo de saudade, nada mais. Alessia deixou-me satisfeito ao dizer que tu estavas bem adaptado, contente com seu novo lar, com as possibilidades que se abriam em Roma. Disse-me, inclusive, que estavam muito próximos um do outro.

– Ela MENTIU para mim, *papà*! Alessia não passa de uma nobre mimada e viperina que se põe a manipular todos a seu bel-prazer!

– Tenha modos, moleque! Como ousa proferir tais palavras sobre a dama que te auxiliou?

– Não falo menos que a verdade, *papà*! Alessia mentiu, chantageou-me, enganou-me com aquela exposição ensaiada!

Descobri sua farsa, descobri que ela pagou todos os presentes para ali estarem, apenas FINGINDO admiração!

— Do que estás falando?

— Vi todos os recibos, *papà*. Vi todos os nomes, os valores, as datas, tudo! E é tão verdade que ela mesma não negou.

Bento o fuzilava com o olhar.

— Não tiveste o desplante de dispensar o auxílio da duquesa, não é? Posso ter cometido mil erros com você, mas, por Deus, não admitiria que cometesse tal ato de ingratidão.

— O que esperavas que fizesse? Que continuasse lá sendo usado por ela, acreditando que me admiravam, quando na verdade só cumpriam ordens? Nunca foi esse meu desejo, *papà*! Sempre quis ser reconhecido, mas pelo meu genuíno talento, pelo meu esforço, e não como parte de uma farsa!

Furioso, Bento jogou ao chão um castiçal de cristal que estava sobre à mesa, espatifando-o.

— Tu não podias ter saído de lá, fedelho imbecil! Tens ideia do que fizeste?

— E por que não? Então preferias, de fato, que eu continuasse sendo manipulado? Sempre soube que *il signore* não depositava confiança alguma em mim ou em minha capacidade, mas confesso que ainda assim estou surpreso!

— Em que mundo tu vives? Então crês que tudo gira ao teu redor? Não se trata apenas de ti, Vincenzo! Eu havia fechado importantes negócios com a ajuda de Alessia e agora, graças ao teu melindre, estou certo de que todo o meu esforço terá sido em vão!

Vincenzo se deteve por um minuto. Pensava se valia a pena perguntar, se estava pronto para a verdade, quando percebeu que já alcançara um ponto sem volta.

— Negócios? Que negócios, *papà*?

– Negócios que não te dizem respeito! – respondeu Bento, sentando-se novamente na larga cadeira atrás da mesa.

Estava enraivecido como poucas vezes o vira. Vincenzo, porém, estava decidido a arrancar o que pudesse do pai.

– *Papà*, responda-me, que negócios tão valiosos tens com a duquesa? Sobre o que trataram quando *il signore* esteve em Milão, comentando sobre mim?

Bento o encarava, mas sua expressão dura e ofendida não intimidava Vincenzo.

– DIGA-ME, *PAPÀ*!

O velho respirou fundo, arqueou uma sobrancelha e respondeu:

– Ludovico Sforza tem feito importantes investimentos em Milão. Agricultura, arquitetura, artes, indústria de seda... De tudo tem feito para driblar a vigilância de Bona de Saboia e firmar-se como o governante que de fato já é! Se bem recordas, sou comerciante, Vincenzo. Importo e vendo insumos que certamente interessariam ao duque. E Alessia era peça importantíssima para que tudo se concretizasse!

– Importante como? O que planejavam?

Sem mais delongas, Bento explicou:

– Já imaginaste, estúpido filho meu, os ganhos que teríamos se nos uníssemos aos Sforza por laços matrimoniais?

Boquiaberto, Vincenzo gaguejou:

– O... o que disseste?

– Terias não apenas uma esposa, mas uma eterna protetora! E eu teria uma forte aliada.

– Planejavas que me casasse com Alessia?

– Desejava que acontecesse, mas não podia, em todo caso, obrigá-la a nada. Eu a presenteei com algumas centenas de florins de ouro e a convidei para conhecer-te e contratar teus serviços.

— Por isso... Por isso Alessia se interessou tão rapidamente por mim...

— Na verdade, tua beleza ajudou bastante. Alessia atraiu-se verdadeiramente por ti.

— Todos foram pagos... — Vincenzo tinha o olhar perdido. Sequer sabia o que fazer com aquelas revelações.

— Não exageres! Tu crês mesmo que bonanças caem do céu? Se queremos que a roda da fortuna gire a nosso favor, precisamos antes dar-lhe o impulso! Tudo o que fiz foi ajudá-lo e protegê-lo. E tu poderias estar entre os maiores artistas florentinos! Poderias agora mesmo estar pintando para o Santíssimo Papa, produzindo afrescos e painéis para reis e altos dignitários. Mas preferiste jogar tudo no lixo, graças ao teu orgulho mesquinho. E me levaste junto contigo. Espero que estejas enfim satisfeito!

Helena entrou segurando uma bandeja com alguns cálices. Ela sabia que o clima naquele ambiente não era nada amistoso, mas ainda assim assustou-se ao ver a expressão atordoada do filho.

— Vincenzo, querido, prova do nosso vinho. Creio que é nossa melhor safra...

O pintor chorava. Era a decepção, a vergonha, o ódio! Fora manipulado desde o início, antes pelo pai, depois por Alessia. Queria ajoelhar-se e ter a cabeça arrancada para quem sabe conseguir se livrar de pensamentos tão dolorosos. Com a voz trêmula, perguntou:

— E Francesca?

— Quem? — perguntou Bento, após tomar um largo gole de vinho.

— A moça... que estava no ateliê. Para onde a enviaste?

— Ora, ora, para lugar algum! Apenas a dispensei, não sei para onde ela foi.

A MADONA *e a* Vênus   271

Vincenzo encarou o pai. Bento não se comovia. Na verdade, acreditava que o filho apenas experimentava o castigo merecido. E, tão abruptamente quanto chegou, o jovem se retirou.

Helena correu atrás dele.

– Filho, aonde vais? Precisas descansar, te alimentares! Estás pálido e fraco, por favor...

Vincenzo não deu ouvidos. Queria sair daquela casa amaldiçoada, na qual praticamente só sofrera. Próximo à porta, ouviu o apelo choroso da mãe:

– *Figlio mio*, por Deus, me escuta! Não estás mais em Roma, já não tens morada em Florença, fica conosco! Esta é tua casa, somos tua família! Para onde irás?

O pintor, ainda com lágrimas nos olhos, se virou para a mãe, que sentia aquela cena como um punhal lhe atravessando o peito. E então, Vincenzo decretou:

– Vou para qualquer lugar longe daqui. Não pretendo pôr os pés novamente nesta casa enquanto viver. Adeus, minha mãe.

E saiu porta afora, sob os protestos de Helena. Nunca mais retornaria à Bolonha.

Tinha à frente longos dias de viagem até Roma e venceu boa parte do trajeto entre lágrimas. Sentia-se despedaçado. Perguntava a Deus por que incutira nele o desejo de pintar se aquele não era o seu destino, se não tinha talento para tal. O que poderia ele ter feito de tão errado para merecer tamanho castigo? O que faria então? Havia algo de bom, de aproveitável, entre seus talentos?

Durante dias e noites comeu pouco, dormiu mal e chorou muito. Observava cada mulher em cada vilarejo e imaginava ver Francesca em todas elas. Precisava encontrá-la, precisava dela mais do que nunca! Cavalgou até o limite, rezando para encontrar a única mulher que amara e a única que o amou de verdade, sem trocas, sem acordos, sem motivos escusos.

O pesar era absoluto ao cruzar os limites de Roma. Perdera alguns quilos, exibia a barba espessa e os cabelos desgrenhados. Suas roupas estavam imundas, cobertas de suor e poeira. A fadiga era quase insuportável. Não sabia sequer por onde começar, mas evitou os arredores da residência de Alessia. Começou a procurar por Francesca em armazéns, tabernas, oficinas, ateliês e igrejas. Logo se viu a perguntar a estranhos sobre uma moça jovem, de compridos e cacheados cabelos dourados, e brilhantes olhos verdes. As pessoas o evitavam. Temiam que fosse um louco ou um bêbado em virtude de sua aparência abandonada. Em nada lembrava o belo pintor florentino que arrebatara os corações de tantas mulheres magníficas. Atravessou alguns dias e noites ao relento, buscando, perguntando, procurando, até que numa manhã o desespero tomou conta do seu coração e Vincenzo começou a gritar por entre ruas e *piazze*:

— Franceeeesca! Ó, Francesca! Onde estás?

Gritava para o alto, para o nada. Às vezes sobre o cavalo, às vezes a pé.

— Francesca! Francesca di Boscoli, de San Gimignano! Onde estás? Escuta-me, Francesca!

Chamou-a por horas, até a voz se esvair de sua garganta.

— Fran... Francescaaaaa! Onde tu estás, minha Francesca...?!

Ajoelhava-se aos pés da Porta del Popolo, na praça que lhe dava nome, mesmo local onde Francesca desembarcara. Os passantes o olhavam com repulsa e desdém, mas alguns ainda lhe jogavam moedas ou pedaços de pão. Não tinha mais forças sequer para lamentar.

— Francesca... Franceeescaaaa!

Ouviu então uma voz familiar:

— Vincenzo?

O pintor levantou o olhar e quase não acreditou quando viu Alessandro diante de si.

— Alessandro? Por Deus, estou vendo coisas?

— Vincenzo, meu amigo, o que te aconteceu? Que fazes aqui?

Alessandro o levantava e emprestava seu ombro como apoio. Vincenzo estava cansado, faminto, fraco.

— Tu viste Francesca, meu amigo?

Caminhavam com dificuldade, pois Vincenzo apoiava-se em Alessandro.

— Esse cavalo é teu? Sobe nele que te guio até a hospedaria.

— Não, não consigo.

Vincenzo mal se aguentava de pé. Levaram longos minutos até alcançarem a estalagem na qual Alessandro se hospedara. O pintor manteve-se acordado apenas o tempo necessário para se alimentar. O cansaço era irredutível e rapidamente caiu num sono profundo.

Apenas no dia seguinte Vincenzo conseguiria contar para o antigo mestre toda a sua saga. Alessandro escutou sem esconder o choque diante de alguns detalhes. Por fim, disse aquilo que Vincenzo não queria ouvir:

— Meu amigo, sinto muito pela sua situação, mas, lamento, não conseguirás encontrar Francesca desta forma. Roma é três vezes maior que Florença. Estás fraco e adoentado, morrerias antes de encontrá-la! E sequer tens a certeza de que ela veio para cá. Talvez tenha mesmo retornado a San Gimignano.

Derrotado, o pintor perguntou:

— Então, o que devo fazer? Não consigo raciocinar sobre nada mais...

Alessandro respirou fundo e decretou:

– Tu retornas comigo a Florença, partiremos em dois dias. Tu podes ficar na oficina pelo tempo que necessitares e, com calma, procuraremos Francesca. – Vincenzo levou o olhar ao chão. Percebeu que não havia saída além de aceitar a sugestão.

E, convicto que continuaria à procura de Francesca, assim que desembarcou em Florença foi até Enzo para pedir ajuda. A aparência de Vincenzo chocou o amigo. A partir de então, durante dias, semanas, Vincenzo, Enzo, Alessandro e seu pupilo Abílio se dividiram nas buscas por Francesca tanto em Florença quanto nas cidades e nos povoados vizinhos. E por mais que buscassem sem descanso, não conseguiam sequer uma pista que os levassem à camponesa. Por fim, após muitos e muitos dias de esforço, veio de Alessandro a iniciativa de alertar o pobre homem:

– Meu caro amigo, sinto muitíssimo, mas não conseguiremos encontrá-la! É como buscar uma agulha num palheiro, é impossível! Sinto que é chegada a hora de tu seguires adiante.

Enzo e Abílio o observavam, preocupados e igualmente exaustos. Tiveram todos suas vidas e atividades paralisadas por semanas em função daquela busca que não dera nenhum resultado. Mesmo contra todas as probabilidades, Vincenzo não considerava desistir. Agarrara-se à missão de encontrá-la, com a convicção de dar o que lhe restasse de sangue e suor.

– Não, não, Alessandro! Não posso desistir, não posso parar de procurá-la! Eu devo isso a ela. E se… se ela estiver machucada, ou em perigo? Não posso aceitar, preciso continuar.

– Por Deus, Vincenzo! Olha o teu estado! – exclamou Enzo, exaltado. Concordava integralmente com Alessandro.

O pintor parecia alheio à realidade, e chegara o momento de trazê-lo de volta. Vincenzo encarava os três sem conseguir aceitar o óbvio. Era muito tarde da noite, haviam atravessado todo

A Madona *e a* Vênus   275

aquele dia da mesma forma que faziam há semanas. O jovem levou as mãos à cintura, baixou a cabeça, suspirou. Estavam os quatro em frente à oficina de Alessandro, onde sempre se encontravam nas madrugadas e de onde sempre saíam muito cedo de manhã. E, vagarosamente, Vincenzo levou uma mão à testa, se deixando engolir pelo choro compulsivo. Enzo o amparou, assim como Alessandro e Abílio. Era triste vê-lo em tal situação, quando apenas meses antes era um belo e promissor artista repleto de sonhos, disciplina e perseverança. Lamentaram durante longos minutos, prometendo que tudo fariam para auxiliá-lo e jurando que ele não estaria nunca sozinho. No entanto, era exatamente como ele se sentia: sozinho e desamparado.

Depois desse triste episódio, Vincenzo se tornaria apenas uma sombra entristecida. Não pintava nem desenhava, limitando-se a auxiliar Alessandro naquilo que o mestre necessitasse. Tentou destruir o quadro que trouxera de Roma, sendo impedido a tempo por Alessandro, que reconhecia na obra a demonstração máxima do talento de seu antigo aprendiz. Refugiou-se na oficina sem dela sair quase nunca, abatido, frustrado, envergonhado e vencido. E por mais que Enzo ou Alessandro tentassem animá-lo ou estimulá-lo, Vincenzo parecia semimorto. Algo morrera dentro dele, algo maior que a esperança, a felicidade, o contentamento, a fé: o amor perecera em seu peito e nada poderia ressuscitá-lo em seu espírito já entregue, exceto um milagre.

Os meses se passaram, o outono já quase dava lugar ao inverno em Florença. Os ventos gélidos cruzavam pontes e *piazze,* obrigando os florentinos a se recolherem cada dia mais cedo para se protegerem do frio. Ruas se esvaziavam rapidamente e fome e doenças castigavam os mais pobres e desvalidos de maneira implacável. Eram meados de novembro quando, numa tarde escurecida por pesadas nuvens, ouviram-se leves batidas na porta da frente. Abílio atendeu e se viu diante de algumas senhoras pertencentes à Ordem Terceira Dominicana, um grupo de mulheres que se dedicava à pregação da palavra de Cristo, além de recolherem donativos destinados a doentes e idosos. Encostado à janela, lixando e polindo largas tábuas de madeira, Vincenzo ouvia o diálogo das humildes senhoras com Alessandro:

— *Signore*, perdoe-nos a invasão. Viemos de muito longe em nome de Nosso Senhor Jesus Cristo e da Bem-Aventurada Virgem Maria. Pedimos encarecidamente tua colaboração para que possamos ajudar algumas pobres almas abandonadas com alimentos e agasalhos neste inverno que se avizinha…

— Sim, sim, claro. Aguardai um minuto, verei o que posso fazer.

Enquanto Alessandro fora em busca de algumas moedas e alimentos, as senhoras permaneceram à porta, em respeitoso silêncio. Notaram a figura melancólica do homem que trabalhava com a madeira. Cabelos desgrenhados, longa barba, roupas amassadas. Magro, olhos profundos e cansados. Vincenzo sentia os olhares das mulheres, mas não se afetava por eles. Nada o afetava havia muito tempo.

E foi então que seu olhar atravessou distraidamente o vidro da janela e seus batimentos cardíacos vacilaram por alguns segundos, como se antecipando o que Vincenzo estava prestes a ver.

A Madona *e a* Vênus   277

Capítulo 25

Os olhos pesavam cansados e doloridos. Ouvia apenas algumas vozes murmurando palavras inaudíveis. Tentou abri-los e percebeu sombras embaçadas que se moviam vagarosamente. Sentiu algo molhado em sua testa e ouviu a frase: *Vejam, ela está acordando.* Abriu os olhos com dificuldade e se viu diante de algumas senhoras com roupas claras e mantos sobre a cabeça. Algumas velas queimavam penduradas na parede e sobre uma mesinha ao lado. Francesca sussurrou:

— Onde estou?

— Estás em Manziana, a oeste de Roma. Encontramos a ti caída na rua e ninguém tinha informações tuas. Decidimos trazer-te conosco antes que algo grave acontecesse.

— E quem sois vós?

— Me chamo Amapola, essas ao seu lado são Beatrice e Nina. Somos da Terceira da Ordem de Pregadores e estamos arrecadando donativos a caminho de Bolonha. Saímos de Roma quando encontramos a ti desmaiada no meio da via. Como te chamas?

– Francesca... Francesca di Boscoli.

A camponesa se mexeu na cama, tentando se sentar. Sentiu uma dor acentuada na têmpora direita e instintivamente levou a mão ao local, mas foi impedida por Amapola.

– Não, não! Estás machucada. Há um corte profundo em tua testa, provavelmente resultado de uma queda. Não toques, apliquei um unguento de ervas para sarar mais rapidamente.

A moça obedeceu. Beatrice então perguntou, muito séria:

– O que te aconteceu, Francesca? Por que estavas caída no chão? Havias ingerido algo reprovável? És por acaso mulher sem rumo?

As outras senhoras encararam a colega com censura, mas Francesca não se ofendeu.

– Não, não sou mulher sem rumo nem meretriz. Fui a Roma em busca de uma pessoa... desaparecida. Mas não consegui encontrar. – A tristeza refletiu-se na voz. Ela continuou: – Venho de Florença em busca de notícias. Disseram-me que a pessoa que procurava havia morrido. E então eu... Bem, creio que estava muito fraca, não sei explicar... Tudo escureceu de repente à minha volta e não me recordo de mais nada.

Nina quis saber:

– Essa pessoa que procuravas era acaso um marido? Um companheiro?

Francesca a fitou e as lágrimas se precipitaram em seu rosto.

– Sim...

As três mulheres se entreolharam enquanto Francesca chorava. Após alguns minutos, perguntaram:

– Então, Francesca... deixaste parentes em Florença?

– Não, não tenho parentes em Florença e em nenhum lugar deste mundo. Estou sozinha...

A dor da pancada era forte, e ainda assim mais gentil que as dores da alma. A jovem não conseguia pensar no futuro, no que poderia fazer, para onde iria. Atingira um nível baixo demais para se preocupar em manter-se viva.

Nina novamente indagou:

— Francesca, diga-nos, o que sabes de tarefas domésticas?

Ela olhou para a senhora, que tinha algumas rugas aprofundadas e cicatrizes no queixo, mas o olhar sereno e doce. Respondeu:

— Bem, sei tudo. Sei cozinhar, costurar, polir... Também sou boa no trato com carnes e peixes, posso fazer bolos, queijos, pães...

— Formidável, minha jovem! O trabalho é o meio divino e sagrado para que possamos servir não apenas aos nossos anseios, mas ao bem de nossa comunidade, especialmente aos mais necessitados. Gostaria de juntar-se a nós neste trabalho árduo, Francesca?

A jovem emudeceu. Claro que parecia não apenas um bom convite, mas também a sua última saída. O que a impedia era a melancolia. Beatrice enfatizou:

— Antes de aceitar, deves saber que vivemos uma vida de castidade, adoração e pobreza. Nosso lema é *Louvar, bendizer e pregar*. Atravessamos as partes mais distantes e humildes desta Terra louvando a Jesus Cristo e à Nossa Senhora, auxiliando aqueles que carecem de nós. Compreendes?

Francesca assentiu e respondeu em voz baixa:

— Sim. Compreendo, mas...

— Sim?

— Sobre a castidade, eu não sou mais... Bem, eu tive um companheiro...

Amapola a interrompeu, com um sorriso suave no rosto.

— Minha querida, somos todas leigas. Não somos freiras nem monjas, ao menos não ainda. Somos mulheres comuns que decidiram dedicar a vida a amar e louvar a Deus e a servir à comunidade. Nina, por exemplo, é viúva. Fizemos votos de castidade ao nos integrarmos à Ordem, mas tínhamos vidas normais antes disso.

– Ah, entendo.

Beatrice perguntou:

– E então? Aceitas a missão?

Refletiu. Não era dúvida, era apenas vazio. E então concordou.

– Sim, aceito.

As três senhoras fizeram o sinal da cruz e lhe deram as boas-vindas. Pouco depois, trouxeram-lhe caldo quente de peixe e pães, para que pudesse se recuperar. *Bem, ao menos é melhor do que a taverna...*, pensou Francesca enquanto comia. Dois dias depois ela já as ajudava nos afazeres e conhecia outras leigas da Ordem.

Logo se puseram de volta à estrada, reunindo-se a outras Terceiras que viajavam montadas em carroças cobertas apenas com pedaços de couro e tecido. As distâncias eram vencidas aos poucos, sempre parando em vilarejos e povoados para arrecadarem doações e distribuírem pães e as roupas que Francesca conseguia costurar. Dormiam em aposentos minúsculos nas igrejas e basílicas, às vezes em conventos. Todos os dias, estivessem onde estivessem, reuniam-se ao amanhecer e ao cair do sol para orarem longamente diante de imagens de Jesus Cristo, Nossa Senhora e de outros santos padroeiros. Francesca nada dizia nessas horas. Abaixava a cabeça, unia as mãos como numa prece, mas seu coração estava imune à fé. Do que lhe valia orar? Do que lhe valia pedir ou agradecer? Deus parecia jamais tê-la escutado, levando em conta os tantos desgostos e decepções que já havia enfrentado. Deus estava indiferente aos seus apelos, e suas crenças, antes tão maciças, desfizeram-se no ar como fumaça.

Francesca vivia um dia após o outro, obedecendo e ajudando aquelas senhoras tanto quanto podia. E era talvez apenas nos momentos em que ajudava alguém a se alimentar ou a se vestir que ela sentia uma pontada de alegria se pronunciando em seu coração. Por mais triste e desolada que estivesse, era sempre reconfortante fazer algo para que os outros não experimentassem também certas tragédias, como a fome e o abandono que ela mesma já havia experimentado. E existiam muitas pessoas desamparadas, sobretudo quando o inverno se aproximava.

A cada parada, dezenas de pessoas se amontoavam em volta do grupo pedindo alimento, remédios e orações. Por vezes, Francesca os escutava e os aconselhava, segurando suas mãos e afagando seus rostos. Sem que planejasse, o ato de ouvir os outros lamentando suas agruras fazia com que ela se esquecesse, por momentos fugazes, das próprias infelicidades. Contido, diariamente Vincenzo lhe tomava os pensamentos. E Francesca se obrigava a repetir que ele morrera. Enquanto amassava pães, enquanto cortava legumes, enquanto separava mantas e costurava roupas, enquanto ouvia as preces intermináveis das companheiras, *Vincenzo se foi, Francesca! Vincenzo morreu! Se não para vida, morreu para ti!* Frequentemente se via chorando, especialmente ao se deitar, como se as lágrimas fossem um veneno que o corpo lhe obrigava a expulsar.

Os dias seguiram cada vez mais frios e opacos. Viterbo, Orvieto, Monte San Savino, Montevarchi... Cidade por cidade era visitada pelo grupo ao longo do caminho, sempre distribuindo pregações e amparo. Numa noite, após as orações, durante a ceia, Beatrice comunicou:

— Irmãs, se o amanhã não vier acompanhado de frio inclemente, conseguiremos chegar a Florença no fim da manhã.

A Madona *e a* Vênus

Francesca engasgou. Tossia e tossia, enquanto Nina e Amapola davam-lhe tapas nas costas e traziam-lhe água.

– Por Deus, Francesca! Estás bem?

A jovem conseguia, aos poucos, voltar a respirar normalmente, mas suas mãos tremiam.

– Florença? Iremos a Florença?

– Sim, é uma das nossas paradas mais importantes, pois sempre conseguimos doações generosas por lá.

– Por que perguntas, Francesca? Algo te aflige? – quis saber Beatrice, desconfiada.

A jovem encarava o prato com o pão. Buscou se recompor.

– Nada, não há nada me afligindo. Apenas não esperava pôr os pés tão cedo naquele lugar...

As mulheres dividiram olhares curiosos, mas antes que pudessem fazer mais perguntas, Francesca se desculpou:

– Perdoai-me, mas não me sinto muito bem. Passei o dia a fabricar pães, devo estar mais cansada do que pensei. Com licença... – E levantou-se sem dizer mais nada.

Antes mesmo de entrar no pequeno quarto que lhe serviria de abrigo durante aquela noite, o choro irrompeu convulsivo e pesaroso. Todos os sentimentos trancafiados vieram à superfície: as lembranças, a saudade pungente, a partida de Vincenzo, as promessas, os amores cálidos, os tantos beijos apaixonados... Que terrível sina a de amar tão ardentemente um fantasma! Chorou. Deixou o pranto escorrer até se esvair por inteiro. Enxugava as últimas lágrimas quando Amapola entrou no cubículo.

– Francesca? Vim ver se estás melhor, se necessitas de algo... Oh, minha querida. Por que choras?

— Não é nada, Amapola. Algumas tristes lembranças me vieram à mente sem que eu pudesse contê-las. Mas já me sinto melhor, obrigada.

Amapola aproximou-se, calmamente, dizendo:

— Minha querida, não curamos as dores da alma simplesmente calando-as em nosso coração. Não é assim que funciona. Às vezes, é necessário que aceitemos nossas feridas para que só então elas cicatrizem. És uma jovem repleta de bondade e sentimentos puros. Estou certa de que Deus misericordioso guarda para ti um futuro de paz e contentamento. Tenhas fé e verás.

Francesca assentiu e sorriu tristemente. Recebeu o abraço acolhedor de Amapola antes que apagassem as velas e se recolhessem, na certeza de que teriam um dia importante à frente.

Capítulo 26

A MANHÃ CHEGOU COBERTA POR NUVENS. Apesar do frio, as mulheres decidiram seguir viagem. Florença e seus artistas, banqueiros, políticos e mecenas aguardavam com valiosas contribuições. Horas após partirem da pequena comuna de San Giovanni Valdarno, as três carroças atravessavam a ponte Vecchio. A cidade parecia triste e melancólica. Era início da tarde, mas as ruas escurecidas e friorentas não eram nada convidativas à alegria e entusiasmo florentino.

Francesca tentava não pensar no que vivera naquelas ruelas, mas era inútil. Alguns dos mais intensos momentos de sua vida haviam acontecido em Florença e nem mil anos poderiam apagar as memórias doces e amargas. O grupo parava em algumas residências e palacetes nos quais Amapola e Beatrice já eram esperadas. E por onde passavam, homens, mulheres e crianças as abordavam pedindo pão, moedas, agasalhos... esperança! *Pietà! Pietà!*, clamavam alguns. Francesca já estivera naquela posição, por isso ajudá-los era ainda mais importante para ela. Os gastos da República Florentina já ultrapassavam em muito a capacidade do Banco Médici e a economia começava a dar claros sinais de instabilidade e fraqueza, aumentando gradativamente a pobreza. Amapola e Beatrice desciam da carroça mais uma vez, enquanto Francesca e as outras mulheres tentavam distribuir os mantimentos. Muitos idosos eram empurrados, algumas pessoas chegavam a cair.

– *Calmati, calmati*! – pedia Francesca, enquanto mãos pedintes as surpreendiam de todos os lados. Era desesperador! Num dado momento, ouviram gritos confusos e Francesca temeu que fossem saqueadores. Olhava para todos, mas não enxergava a origem do tumulto. Começava a se enervar.

– *Calmatevi, per favore*! – gritava ela, enquanto bradavam seu nome sem que ela sequer percebesse. Punha pães nas tantas mãos, tecidos em outras, frutas e queijos noutras. De repente, agarraram sua mão, puxando-a e ameaçando derrubá-la.

– Francesca? FRANCESCA?

– Por favor, soltem-me! Queremos ajudar, mas precisam se acalmar...

– FRANCESCA?

– Não puxem ou vão me derrubar! Solt...

Francesca encarou a pessoa cuja mão se negava a soltá-la. Era um homem. Cabelos desgrenhados, barba longa, pálido e com aparência abandonada. Mas algo em seus olhos a deteve. Ouviu a voz.

– FRANCESCA? *Dio santo*, és tu?

Não podia ser. Simplesmente não podia.

– Vin...Vincenzo? – sussurrou ela, sem forças na própria voz.

Os olhos arregalados, as pernas trêmulas, o coração ardendo de tão veloz. Ela estava tendo uma visão. Só podia estar enlouquecendo, perdendo a razão! Sabia que Florença mexeria com ela, mas não a tal ponto.

Com lágrimas nos olhos, o homem sorriu ao ouvi-la falar. Sentiu novamente o cheiro de alecrim e seu peito encheu-se de euforia. Também ele tremia e de sua testa caíam gotas de suor, apesar do frio cortante:

— *Mia* Francesca... *Mia bella* Francesca....

Vincenzo a puxou para o seu abraço. As mulheres continuavam na carroça, estranhando a cena. Francesca estava absolutamente paralisada. Não conseguia crer que, diante de si, estava o homem que ela tanto amou, e que a abandonara. A jovem pôs os pés no chão, mas suas pernas não a obedeciam. Sentiu tonturas, a visão ameaçou escurecer. Ele a segurava, completamente emocionado:

— *Amata mia,* onde estiveste? Por Deus, por Deus, como te busquei, como te procurei...

Dizendo isso, abraçou-a, pranteando toda a saudade e a felicidade que sentia. Mas ela simplesmente não reagia. Após longos segundos, Vincenzo se afastou um pouco, sorriu para ela com os olhos vermelhos de lágrimas e se inclinou para um beijo faminto, que a moça instintivamente rejeitou. Sua expressão demonstrava o mais profundo choque, como se tudo dentro dela a impedisse de acreditar que ele estava realmente ali. De súbito, Francesca virou as costas e saiu andando sem rumo, abrindo caminho entre as tantas pessoas à sua frente. Desesperado, Vincenzo a seguiu:

— Francesca? Que há, por que me tratas dessa forma, meu amor?

Ela meneou a cabeça, incrédula com a pergunta. Seguiu a passos firmes, sem se dar ao trabalho de olhar para trás. Vincenzo insistia:

— Francesca, por Deus, fala comigo! Onde estavas, andei procurando-a dia e noite por semanas! Quase morri de tantas saudades!

Ela explodiu, chorando de ódio:

– MENTIROSO! *BUGIARDO*! – E caminhava quase empurrando quem atravessava o seu caminho. Vincenzo não entendia.

– Não estou mentindo, juro-te por tudo que é sagrado neste mundo! Alessandro e Enzo podem provar...

– Tu me ABANDONASTE! Prometeste voltar e simplesmente sumiste, me deixando ser despejada sem qualquer explicação!

– Eu não...

– E sequer me escreveste! Esperei uma eternidade por notícias tuas, e *niente*!

– Francesca, escuta-me...

Ele a seguia, desesperado, ansioso para se explicar, para abraçá-la, para acordar do pesadelo que havia vivido nos últimos meses.

– Fui até Roma à tua procura e aquela duquesa contou-me que tu havias MORRIDO! Como achas que fiquei todo esse tempo? Não fossem aquelas mulheres eu nem estaria aqui...

– Por Deus, ESCUTA-ME! – disse ele, agarrando seu braço esquerdo e fazendo-a parar.

Francesca se debatia, socava-o no rosto, chorando e grunhindo igual uma leoa enfurecida.

– Solta-me! SOLTA-ME AGORA! Tu és desprezível, Vincenzo! Nunca ninguém me fez sentir tanta dor, tanta angústia! Nunca me senti tão abandonada, nem mesmo quando fui espancada e expulsa de casa por meu próprio pai! Não irás enganar-me novamente, isto eu garanto! Fui estúpida o suficiente para acreditar uma vez, mas não o sou para repetir o erro!

– JAMAIS abandonaria a ti, Francesca! Se pensas assim é porque não sabes de um terço do que sinto por ti! Por favor, por piedade, deixa-me ao menos explicar o que aconteceu!

Sua voz falhava e as veias em seu pescoço saltavam com esforço para dizer algo. E assim o fez:

— Francesca, fui ENGANADO! Durante todo o tempo em que estive naquela maldita Roma, fui ludibriado por Alessia! Aquela mulher é a mais peçonhenta das cobras! Escrevi-te dezenas de cartas e estou certo de que ela impediu que lhes fossem entregues! Ela me prendeu naquela cidade, Francesca. Pretendia mesmo que ficasse lá para o resto da vida!

— Então por que não saíste? Por que não fugiste? Ela te ameaçava de morte, por acaso?

— Não, claro que não...

— Então o que te segurou lá durante todo esse tempo, Vincenzo? A ponto de permitir que tua casa fosse vendida e eu ficasse na rua?

— Eu NÃO PERMITI que meu ateliê fosse vendido, Francesca! Não sabia o que estava acontecendo, acredita! *Papà* fez isso sem meu conhecimento ou minha permissão!

— E por quê? Diz, Vincenzo! Por quê?

O homem respirava ofegante. As carroças haviam ficado para trás e a ventania gélida balançava os cabelos de ambos. Baixou a cabeça, vencido. E tentou explicar:

— Francesca, eu cometi um erro! Vários erros, de fato. Jamais me esconderei dessa verdade repulsiva! E tudo por que eu tinha um sonho. Um grande sonho, que alimentava desde menino. Com o anseio de realizá-lo, de tanto lutar para provar minha capacidade a pessoas que nunca acreditaram em mim, cometi os piores erros de toda minha vida! Ceguei-me a ponto de negligenciar o que era de fato mais importante: tu! Nós! Apenas tu me amaste e estiveste ao meu lado, sem embustes ou farsas! Tu! Tu, *bella mia*. Cedi aos caprichos de uma mulher vil e desprezível no intento de enfim ter meu talento reconhecido e tudo o

A Madona *e a* Vênus   291

que consegui foi ser enganado por ela e pelo meu próprio *papà*! Enganaram-me, Francesca! Todos foram pagos para me prestigiar, para me elogiar... Até meu *papà* pagou à duquesa para me contratar, fingindo depois ter orgulho de mim! Eu errei. Mereço teu desprezo, tua ira! Mas creia-me, estou sendo castigado à altura! Nunca mais pintei, nunca mais cheguei sequer próximo a um pincel! Tudo o que consegui desde que saí de Florença foram mentiras e blefes atirados em mim de todos os lados! Nenhum deles, ninguém...

Vincenzo levou a mão à testa, humilhado pelas lembranças, amargurado pela tristeza, temeroso pela incerteza de que Francesca o perdoaria. Com a voz embargada, tornou a falar:

— Quando descobri a verdade, eu voltei! Deixei tudo para trás, meus quadros e objetos, sem pensar duas vezes! E mesmo sentindo o gosto amargo da derrota e da decepção, consolava-me a certeza de rever a ti! Via teu rosto em todos os lugares, ouvia tua voz em meus sonhos. Não fazes ideia do meu desespero ao chegar e descobrir que tu não estavas mais aqui, que *papà* a havia despejado! Voltei a Roma para encontrar-te, caminhei por todas as ruas de Florença e de todos os cantos vizinhos na esperança de estar contigo novamente...

As lágrimas despencaram dos olhos do pintor. Francesca sentia um misto de raiva, descrença, confusão... E, temia admitir, de saudade. Levara alguns segundos para reconhecer Vincenzo, tão lastimável estava sua aparência. Não havia como saber se ele dizia a verdade, mas o sofrimento era palpável. A jovem falou, tentando manter a firmeza:

— Vincenzo, eu não posso simplesmente... Passei todos esses meses crendo... CONVENCENDO-ME de que tu havias morrido!

Suspirando, tomando as mãos dela, ele afirmou:

— Eu HAVIA morrido, *bella mia*. Estava morto até agora e apenas um milagre me traria de volta. Tu és meu milagre.

Francesca meneava a cabeça. Uma parte de si não queria ceder. Não queria acreditar, não queria aceitar, entretanto, a outra parte chorava. Chorava porque não havia meios de ter certeza, porque sofrera por anos buscando o que no fim só havia conhecido com ele. Chorava porque jamais conseguiria esquecê-lo, menos ainda após revê-lo. Mesmo magro, mesmo abatido e abandonado, era Vincenzo quem estava ali, segurando suas mãos e pedindo seu perdão. O homem que ela tanto amara. O homem que ela ainda amava.

— Perdoa-me, Francesca. Perdoa-me por tê-la feito sofrer, mesmo sem saber o que acontecia! Perdoa-me por me deixar cegar, por ter sido tão… tolo, tão egoísta! Perdoa-me por ter sido fraco e indigno de teu amor. Minha traição não foi somente a ti, mas àquilo que sempre cultivei como boa índole! Sinto asco de mim mesmo, vergonha de minhas ações, o mais honesto arrependimento… E sei que não conseguirei seguir adiante sem ti. Resisti até agora, talvez porque o destino soubesse que a reencontraria! Talvez por Deus ter me dado a bênção de uma chance para me redimir contigo e com Ele! Perdoa-me. Imploro-te, perdoa-me!

Ela o encarava. Escutava as palavras que soavam tão verdadeiras como uma confissão antes da morte. Não conseguia dizer que o perdoava, mesmo porque não era algo tão simples. A confiança fora quebrada e levaria tempo para unir os pedaços. Lembrou-se de Giane. De como o ex-noivo agira, de como sequer hesitara em abandoná-la. E ali estava Vincenzo, vivo, humilhando-se e fazendo promessas.

O coração apaixonado tem uma característica muito particular: possui anteparos frágeis, defende-se com dificuldade. O coração apaixonado é tal e qual um guerreiro que sangra ferido antes mesmo da batalha começar. Um combatente sempre prestes a capitular e se render. A moça permanecia calada, sem ação, transbordando em dúvidas. E talvez levada pela desordem entre a emoção e a razão, permitiu que ele a abraçasse, que a acolhesse em seus braços e dividisse de seu pranto magoado e aliviado.

Aos poucos, Vincenzo se acalmava. Sabia que teria um longo caminho até reconquistar a confiança de Francesca, mas não havia problema. Mesmo que levasse o tempo de sua vida, prometeu a si mesmo que se dedicaria a ela, todos os dias, até o fim. Beijou-a na testa e nas mãos, sorrindo em agradecimento. A moça, sem esconder a confusão e a dúvida, deixou-se levar para o interior da residência de Alessandro, que lhe recebeu com efusiva alegria. Até mesmo as senhoras que a acompanhavam pareciam felizes por ela. Francesca, no entanto, preocupava-se.

— Amapola, eu… não desejo abandoná-las, não quero que algo pessoal prejudique vosso trabalho tão maravilhoso…

— Minha querida, não te preocupes, estaremos bem. Estão sempre bem aqueles que trazem Deus no coração. Saibas que nossas portas jamais se fecharão para ti. Contudo, acredito que necessitas pensar, serenamente, no que desejas, de fato, fazer.

— Eu não sei, Amapola. Sinto-me confusa, tenho medo…

— Reza, Francesca. Reza e pede a Deus uma luz.

— Não me entendas mal, Amapola, mas não consigo fazer com que Deus me escute…

— Ah, minha querida… és pura e boa, mas também simplória e descrente! Talvez toda esta confusão seja justamente a resposta que tanto esperavas de Deus.

Francesca a encarou, séria. Conversavam afastadas do resto do grupo. Vincenzo a olhava com pressa. Pressa de beijá-la, abraçá-la e tê-la de volta. A jovem decidiu então ficar em Florença. Precisava de respostas e elas não viriam se vivesse uma vida itinerante. O fato é que amava Vincenzo verdadeiramente, mas não mais como uma camponesa frágil e indefesa. Amava-o como uma mulher cheia de feridas e cicatrizes. Amava-o com desconfianças e mágoas, e com a maturidade que somente o sofrimento proporciona. Despediu-se das mulheres, prometendo reencontrá-las no futuro. Alessandro a acolheria tão bem quanto acolhera Vincenzo, deixando-os à vontade para permanecer na oficina o tempo que precisassem.

E que o futuro os guiasse.

O inverno fez sua travessia e a primavera pôde colorir e perfumar novamente a Toscana. O ano de 1482 chegara e Florença voltava ao seu brilho, ao seu movimento, ao seu caos costumeiro. Francesca e Vincenzo trabalhavam auxiliando Alessandro no que o mestre necessitasse, mas se mantiveram afastados por imposição de Francesca. Por mais difícil que fosse, a camponesa permanecia arisca e irredutível, sem ceder à saudade ou aos apelos de Vincenzo. Estava decidida que o faria somente quando sentisse de volta ao menos um pouco de confiança. Mas ela admitia, apenas para si, que era cada vez mais torturante resistir a ele. Até que, numa manhã especialmente ensolarada, acordou com um pequeno vaso de barro ao seu lado. Nele, um pé de alecrim florido liberava seu aroma suave. A jovem sentou-se, cheirou as flores. Eram lindas, viçosas! E ouviu uma voz:

– Plantei-o no dia seguinte ao teu retorno. – Ela olhou para o lado, assustada. Vincenzo estava de pé à sua direita, encostado à janela: – E prometi para mim mesmo que, no dia que as primeiras flores surgissem, pediria você em casamento.

Ela hesitou, simplesmente sem crer no que ouvira.

– C-como... O que disseste?

Vincenzo sentou-se na beira da cama dura e estreita. Apontou para a planta.

– Vês as pequenas flores azuis?

– Claro que sim.

– Pois bem, elas significam que desejo me casar contigo, *bella mia*.

A jovem estava boquiaberta! Não conseguia dizer uma palavra sequer. Vincenzo, então, aproximando-se um pouco mais, segurou as mãos gélidas da moça.

– Francesca, posso esperar por ti o tempo que for necessário. Quero apenas que saibas que és e serás, sempre, a única! E, em todo caso, minha alma está presa à tua de maneira irrevogável. Já estou casado contigo, não importa o que aconteça. Mesmo que continues afastada. Mesmo que me odeies e me repilas. Mesmo que digas *não*...

– Sim!

As lágrimas escorriam. As primeiras lágrimas de alegria em muito, muito tempo. Abraçou-o emocionada, dando-lhe finalmente o tão esperado perdão. Beijaram-se cheios de paixão, como se nenhum dia tivesse se passado, como se estivessem unidos desde sempre. Francesca sorria aliviada e exultante.

Finalmente Deus a escutara.

Meses depois, Francesca decidiu que era hora de voltar a San Gimignano. Já apresentava o ventre saliente do quarto mês de gravidez. Queria que Vincenzo conhecesse sua família e, quem sabe, seu pai a tivesse perdoado e pudesse dar-lhe a sua bênção. Viajou cheia de expectativas e receios, que aumentavam ao passo que se aproximavam da antiga propriedade onde crescera. O verão iluminava os campos trazendo de volta os aromas e as cores que ela conhecia tão bem. Ao longe, a casa parecia a mesma. Antes que a alcançasse, avistou um homem de roupas simples trabalhando duro no pomar. Os olhos de Francesca se encheram de lágrimas ao reconhecer Jeremias. Chamou por ele.

– Jeremias! Jeremias, *fratello mio*!

O jovem se virou e o choque inicial se transformou num largo sorriso ao ver a irmã caçula correndo em sua direção. E grávida! Abraçaram-se calorosamente.

– *Fratello mio*! Quanta, quanta saudade senti!

– Francesca! Deus seja louvado, estás viva!

Vincenzo caminhava um pouco afastado, carregando nos ombros sacolas de pano com as roupas de ambos, assistindo ao reencontro feliz. Notou que o irmão de Francesca tinha traços físicos idênticos aos dela. Após enxugarem as lágrimas, Francesca falou, segurando o braço de Vincenzo.

– *Fratello mio*, quero que conheças Vincenzo, meu marido.

Os dois apertaram-se as mãos. Vincenzo, um pouco mais alto, exclamou:

– Finalmente! É um prazer conhecer-te, Jeremias. Francesca sempre se referiu a ti com saudade e carinho.

Tímido, Jeremias sorriu e se virou para a irmã.

– Estás radiante, Francesca! É um milagre ter a ti de volta!

– Eu queria ter voltado muito antes, Jeremias. Senti tantas saudades que nem sei como suportei! Mas o medo de *nostro papà* me impedia de arriscar voltar. Como ele está? Achas que ele me receberá?

Neste momento, o sorriso se desfez do rosto bronzeado de Jeremias. Olhou pra baixo, cutucando algumas pedras no chão com o pé. Enfim encarou-a e disse:

– *Papà* não está mais entre nós, minha irmã. Faleceu poucos meses após tua partida.

Francesca foi tomada pelo choque. Levou as mãos à boca e lágrimas começaram a escorrer. Vincenzo enlaçou-a pelos ombros, buscando confortá-la. Jeremias continuou a contar o que acontecera:

– *Papà* passou alguns dias irredutível, sem querer mesmo ouvir o teu nome. Mas após alguns dias, já mais calmo, pude contar a ele o que havia acontecido de fato, o quanto Giane fora mau-caráter. A partir daí nosso *papà* foi tomado pela culpa. Fomos diversas vezes, eu e nossos irmãos, à tua procura em San Gimignano e nas redondezas, mas nunca encontrávamos sequer uma pista de teu paradeiro. Mesmo que não admitisse, percebíamos que *papà* estava sendo engolido por uma tristeza culpada. Algumas vezes o ouvíamos falando sozinho no quarto, pedindo perdão a mamãe pelo erro que cometera. Dia após dia se alimentava menos, tossia mais, definhava, definhava... e numa manhã, tentamos acordá-lo, mas ele já não estava lá.

Francesca abraçou Vincenzo, chorando em seus braços. Jeremias, que também não conseguiu resistir ao choro, acariciava a cabeça da irmã, solidariamente. Aos poucos, o silêncio imperou. Os pássaros e o sacudir das árvores eram os únicos sons audíveis.

Então Francesca se desfez do abraço acolhedor, enxugou o rosto, se recompôs, e quis saber do restante da família:

— E quanto a Enrico e Gerônimo? Como estão?

— Bem, Enrico casou-se há algumas semanas. Mudou-se para Monte Oliveto, mas sempre vem fazer uma visita. Já Gerônimo saiu de casa pouco após a morte de *papà* e nunca mais voltou. Soube que havia se amaciado a uma *signora* napolitana muito rica, que o tratava como um rei, mas não sei ao certo.

Francesca sorriu tristemente. Gostaria de rever Enrico e Gerônimo, mas, como irmãos mais velhos, se haviam desgarrado.

— E tu, Jeremias? Casaste, *fratello mio*?

O jovem sorriu gostosamente.

— Não, minha irmã. Gosto de uma moça que mora a alguns quilômetros daqui, mas não sei o que o futuro reserva. Por enquanto, estou sozinho... ou estive até agora.

Tocou a barriga da irmã com carinho e perguntou:

— Tu vais ficar, não vais? Vós viestes para ficar?

Francesca encarou Vincenzo, que também não sabia o que dizer. Claro que, para ambos, era um ótimo convite, afinal, não tinham muitas perspectivas.

— Não sabemos, *fratello mio*... Digo, há espaço para nós... três?

Sorrindo, Jeremias respondeu:

— Minha irmã, teu quarto está intocado desde tua partida. Sempre foi e sempre será teu lugar. E agora deste pequeno bebê que trazes contigo.

Agradecida, contente, aliviada, Francesca abraçou Jeremias. Era bom sentir o cheiro dele, o cheiro de frutas, de terra, de casa! Para Vincenzo aquele seria sem dúvida um grande desafio, mas ele não temia. Estava ao lado da mulher que amava e seu bebê

A Madona *e a* Vênus 299

teria um lugar tranquilo para crescer. Caminhavam em direção à casa, com Jeremias dando um leve tapa nas costas do pintor, perguntando:

— E então, Vincenzo? Sabes trabalhar a terra?

Ele gargalhou:

— Ainda não, meu caro cunhado. Mas aprendo rápido!

Naquele momento, uma nova família se formava. Francesca se emocionava ao rever as ferramentas do pai, seus pertences... Descobriu também que nem tudo que lhe pertencia havia sido queimado. Jeremias contou-lhe depois que Genaro fizera questão de guardar alguns de seus objetos. Vincenzo acompanhava aos diálogos sem disfarçar a admiração por Francesca, por, apesar de ter vivido terríveis experiências, ainda ser uma mulher forte e sempre grata, amorosa... doce! E não pôde evitar sentir orgulho de si mesmo por tê-la como esposa e companheira, mãe de seu filho. Ou melhor, de sua filha: cinco meses depois, nascia Giulia, uma bebê saudável e vivaz, que herdara os negros cabelos do pai e os olhos verdes da mãe. Tiveram ainda mais dois filhos, os gêmeos Amadeo e Arturo, que nasceram no mesmo ano em que Jeremias se casou com a bela e tímida Elisabetta.

Vincenzo não apenas se adaptou à vida no campo, como empregou sua habilidade artística na forja de peças de ferro belamente elaboradas, que eram bem vendidas em San Gimignano e nas redondezas. Chegavam a receber encomendas de lugares distantes, como Siena, Arezzo e Pisa. Entretanto, as tintas e os pincéis jamais retornariam às suas mãos. Quando nas pequenas ruas de San Gimignano, Vincenzo observava os retábulos e afrescos nas igrejas, pinturas de antigos colegas, alguns amigos, invariavelmente a tristeza lhe invadia. Aquele vazio jamais seria preenchido novamente.

Sua única obra restante, *A Madona e a Vênus*, permaneceu sob a tutela de Alessandro até sua morte, em 1502. Abílio então se responsabilizou por ela até 1575, quando, já velho e doente, resolveu enviá-la de presente a Francisco I de Médici, junto a algumas obras do mestre Alessandro Bellini. Ficou exposta na galeria particular do grão-duque – futuramente conhecida como Galleria degli Uffizi – como obra anônima, pois não havia nela assinatura que identificasse a autoria. Atrás da tela, apenas o título: *La Madonna e La Venere*. Foi roubada pelos nazistas durante a Segunda Guerra Mundial, mas recuperada ilesa e devolvida ao acervo da galeria em 1946 pelo governo provisório aliado. Muitos foram os estudos e as pesquisas realizados na tentativa de descobrir a autoria daquela obra que seria a epítome da passagem entre a Idade Média e o período hoje conhecido como Renascimento. Especialistas do mundo inteiro se debruçaram incansavelmente sobre a tela e formularam dezenas de hipóteses, conjecturas e teses, mas, apesar dos esforços, a verdadeira origem da célebre pintura permaneceu um enigma indecifrável durante séculos e séculos.

Até agora.

Epílogo

Eram 21h. Uma chuva fina caía sobre São Paulo enquanto alguns dos cento e cinquenta convidados chegavam para o coquetel de apresentação das novas aquisições do Museu de Arte e História de São Paulo. Maurício de Castro, acompanhado de Laura, sua esposa, caminhava entre os presentes, distribuindo apertos de mãos, abraços efusivos, recebendo felicitações e dando entrevistas. Flashes pipocavam em todo lugar, taças de champanhe e bandejas de *finger food* passeavam nas mãos dos garçons elegantemente trajados. E diante de um suporte de vidro no centro do salão, todos paravam por longos minutos a fim de admirar uma tela de aproximadamente 70 x 80 cm.

– É linda!

– Olha os traços, o esfumaçado, a diferença das cores de uma para outra...

– Quanto terá custado para trazê-la pra cá?

– Muitos estudiosos consideram essa uma obra na qual se mostra claramente a passagem da Idade Média para a Moderna...

– Alguns dizem que uma era a esposa, outra era a amante. Acho que a seminua é a amante.

– Pensei que fosse uma tela maior!

– Prefiro os traços dos impressionistas…

E tantos outros comentários ecoavam no hall, abafados pelo som de risadas e conversas, pela música instrumental de fundo. Num dado momento, após cumprimentar quase todos os convidados – políticos, artistas, empresários –, Maurício se deteve diante da tela. Admirava a arte sutil e ao mesmo tempo pungente das pinceladas, as tantas mensagens ainda ocultas que ela trazia. Tomava um gole de champanhe, quando sentiu uma mão sobre seu ombro. Era o presidente do conselho deliberativo.

– *La Madonna e La Venere*! Nada mau, Maurício. Nada mau mesmo…

Ele era homem de poucas palavras, mas Maurício sabia que, na verdade, aquele era o reconhecimento pelo qual tanto aguardava.

– Obrigado, senhor!

O sóbrio homem se afastou, sorrindo com discrição para Maurício.

O curador e diretor artístico respirou fundo, aliviado. A tela brilhante e enigmática era o seu passaporte para longos anos de paz.